서암 큰스님 회고록

그대, 보지 못했는가

서암 스님 구술 | 이청 엮음

정토출판

그대, 보지 못했는가

서암 큰스님 회고록
그대, 보지 못했는가

초판 1쇄 발행 | 2013년 4월 7일
초판 3쇄 발행 | 2013년 8월 23일

지은이 | 서암 스님
엮은이 | 이청

펴낸이 | 김정숙
기획 | 임원영, 임혜진
편집 | 이선희, 이성민, 이현정, 김태은
마케팅 | 서동우, 남미영
미디어 | 박영준
관리 | 이지향, 장혜령

펴낸곳 | 정토출판
등록 | 1996년 5월 17일 (제22-1008호)
주소 | 137-875 서울시 서초구 서초3동 1585-16
전화 | 02-587-8991
전송 | 02-6442-8993
이메일 | book@jungto.org

디자인 | 꼬레 어소시에이츠

ISBN 978-89-85961-73-8 03220
ⓒ2013. 정토출판

스님께서 입적하시고 나서

사람들이 스님의 열반송을 물으면 어떻게 할까요?

"나는 그런 거 없다."

그래도 한평생 사시고 남기실 말씀이 없습니까?

"할 말 없다."

그래도 물으면 뭐라고 답할까요?

"그 노장
그렇게 살다가 그렇게 갔다고 해라.
그게 내 열반송이다."

가르칠 수 없는 진리를 가르치고 나누는 것

시작도 끝도 없는 광대무변한 우주 속에서 먼지만한 존재로 태어난 인간이 짧게는 20~30년, 길게는 80~90년을 살다가 한 줌의 흙으로 돌아간다는 것은 대체 무슨 의미인가. 우리 인생은 어디서 와서 어디로 가는가. 왔다가 간 흔적은 무엇인가. 죽음은 모든 것의 끝인가, 아니면 또 다른 시작인가. 한평생 살아오면서 형성된 '나'를 그대로 간직한 채 영원히 살 수는 없을까. 이대로 끝나는가. 정말 마지막인가. 삶은 이토록 싱겁고도 허무한 것인가.

사람에 따라 차이가 있겠지만 사춘기나 청년기에 이르면 누구나 품어보는 의문이다. 이 의문을 피하지 않고 정면으로 받아들여 '이것을 해결하지 않고서는 살 수 없다'는 건곤일척乾坤一擲의 용기를 내는 사람은 수행자가 된다.

세상의 수많은 스님이 득도得道를 위해 수행해 왔고 현재도 그렇다. 그들이 모두 삶에 관한 의문을 타파하고 크게 깨달음을 얻었다면 세상은 한결 밝아졌을 것이고, 그 공덕에 힘입은 중생은 어리석은 의문과 고통 속에서 헤어났을 터인데 사정은 반대이니 이는 또 어떻게 된 일인가.

깨달음은 혼자만의 것이다. 말로 표현할 수도 없고, 누구에게 나누어 줄 수도 없다. 이것은 진실이다. 그러나 이것만이 진실이라면 불교는 깨달음에 이르는 빼어난 진리이기는 하지만 종교가 될 자격은 없다. 종교란 가르침이 있고, 그것을 전파하는 기능이 있어야 성립한다. 가르칠 수 없는 진리를 가르치기 위해 무려 45년 동안이나 설법했던 부처님의 행적이나 염화시중拈華示衆의 은근한 미소 하나로 대자각의 경지를 가섭에게 나눠 주었던 부처님의 커다란 본보기는, 결국 불교의 최종적인 깨달음도 가르치고 나눌 수 있음을 웅변으로 말해주는 사례가 아니겠는가.

인생살이 팔십 고개를 넘어 지나온 세월에 묻은 이끼를 벗겨내고 하찮은 이야기들을 반추하려는 이유도 후생을 위해 뭔가 도움이 되지 않겠는가 하고 끈덕지게 요구하는 사람들의 성화를 이기기 어려웠기 때문이다. "후생들에게 도움이 될 만한 것을 갖지 못했다"는 것은 지금도 변함없는 나의 한결같은 생각이고, "그래도 도움이 되니 지나온 발걸음과 속에 담은 '말'을 토해내라"는 것은 주변의 강권이었다.

그래서 이 이야기를 시작한다. 그러면서 가만히 생각해 보니 팔

십 년 하고도 몇 년을 더 살아온 '나'의 세상살이는 그 재미가 여
간 큰 것이 아니었다. 하필 이 대한민국 땅에서, 일본제국의 발톱
에 찢겨 만신창이가 된 그 시절에 태어나 해방과 전쟁의 폭풍우
속을 뚫고 살아온 것도 이만저만한 인연이 아닐 터인데 무슨 복이
그리 많아 부처님의 가르침을 온몸으로 받을 수 있었던가. 내가
그 큰 복을 받았으니 받은 것 가운데 만에 하나라도 세상에 되돌
려주어야 한다는 것은 이제 와서 생각해 보니 백 번 옳은 말이 아
닐 수 없다.

세상에 되돌리는 마음으로
서암 쓰다

차례

일러두기

1. 대한불교 조계종 총무원의 자료에는 서암 스님의 출생 년도를 '1918년생' 이라고 하였으나, 이 회고
   록에서는 서암 스님께서 직접 구술한 것을 바탕으로 '1914년생' 으로 하였습니다.
2. 본문에 실린 사진은 월간정토와 원적사에서 도움을 주셨습니다.

제1장

한마디라도 네 자신의 이야기를 해보라

"네가 지금까지 책이나 선생들로부터 들은 이야기를 지껄이지만 말고 단 한마디라
도 좋으니 어디 네 자신의 이야기를 해보아라." 나는 벙어리처럼 입이 굳어졌다.
노장은 조용하게 말을 했으나 나는 마치 방망이로 머리를 얻어맞은 것 같은 충격
이었다. 멍하게 앉아 있다가 도망치듯이 물러나왔다.

나는 누구인가

내가 태어난 1914년은 한일합방으로 나라를 완전히 잃은 지 5년이 되는 해였다. 앞서 1905년의 을사보호조약 이후 전국적으로 봉기했던 의병활동은 일본 군대와 경찰의 강력한 토벌로 제압되어 산발적이고 소규모적인 지하운동으로 잠복한 상태였다. 그러나 이처럼 일시적으로 잠복했던 나라 찾기 기운은 내 나이 대여섯 살 무렵이던 1919년, 거대한 활화산이 되어 솟아올랐다. 의병활동 또한 다시 머리를 들었다. 우리 집안이 완전히 몰락하게 된 것도 바로 이 무렵 아버지의 의병활동 때문이었다고 기억한다.

아버지 송동식宋東植은 중농 집안의 선비였다. 글을 읽었으니 선비라 할 수밖에 없으나 나라가 제대로 지탱되어 백성들이 제 할 일을 찾아 하는 세상이었다면 아마도 무인이 되었을 사람이다.

인삼 경작으로 유명했던 풍기 고을에서 논농사는 물론이고 삼포도 경작하여 살림이 넉넉했던 아버지는 한학이 깊어 마을 사람들의 존경을 받았다. 그는 신체가 강건하고 우람하여 힘이 셌다. 목소리도 우렁찼다. 성격도 급하고 의협심이 강해 남자다운 남자의 표본 같은 인물이었다. 슬하에 5남 1녀의 여섯 자식을 두었으나 모두 성에 차지 않았던지 "자식을 여럿 두었는데도 한 녀석도 사람 냄새가 안 나는구나" 하고 한탄한 분이셨다.

이런 사람이었으므로 나라가 망하자 자연스럽게 독립운동에 뛰어들었다. 그는 풍기 고을의 무력 독립운동단체의 지도자였다. 처음에는 은밀하게 이루어졌던 무력항쟁이 조직적인 투쟁으로 변모한 것은 3·1운동을 기점으로 해서였다.

그러나 이 같은 무력항쟁의 뿌리를 뽑으려는 왜경의 토벌작전은 더욱 치밀해져 결국 1920년 아버지는 왜경에게 붙잡혀 안동경찰서에 투옥되었다. 그러나 안동경찰서에 투옥되었던 아버지는 특유의 완력으로 유치장을 부수고 탈출에 성공하였다.

경찰서 유치장을 부수고 탈출하기란 쉬운 일도 아니었고 흔히 일어나는 일도 아니었다. 그래서 아버지의 탈옥 사건은 그 지방에서 두고두고 신화로 회자될 정도였다. 그러나 가족에게는 무서운 형벌이었다. 그렇지 않아도 거덜 난 집안은 아버지의 탈옥 이후 완전히 이 지방의 삶에서 뿌리가 뽑혔다. 풍기 땅에선 더 이상 발붙이고 살 수가 없었다. 나는 어머니와 형제들과 함께 나락으로 떨어진 기분이었으나 우리가 왜 고통의 바다 속으로 떠밀려야 했는지 그 원인을 알기에는 아직 너무 어렸다.

안동 경찰서의 유치장을 부수고 탈옥한 아버지는 이후 종적을 감추었다. 우리는 풍기 땅을 떠나 추위와 굶주림에 떨며 거지와 같은 유랑생활을 하였다. 이것이 내 기억 속에 남아 있는 인생살이 시작 무렵의 첫 풍경이다.

내가 세상에 태어난 것은 1914년, 경상북도 풍기읍 금계동 506

번지에서였다. 아버지 송동식은 3대 독자였고, 어머니 신동경을 맞아 슬하에 5남 1녀를 두었다. 나는 속명이 홍근鴻根으로 6남매 중 셋째였다.

아버지가 3대 독자였으므로 우리에게는 가까운 친척이 없었다. 그 때문에 집안이 망해도 달리 어디 의지할 곳이 없었다. 중농 집안의 유복한 가정에서 자랐던 어머니 신동경은 하루아침에 집안이 거덜 나자 어린 자식들을 데리고 안동·동양·예천·문경 등지를 떠돌며 고달픈 유랑생활에 들어갔다. 이때부터 일가족의 참담한 고생길이 시작되었다.

당장 비를 피하여 누울 곳이 없어 남의 집 추녀 밑이나 빈 헛간을 찾아 비바람을 피했다. 그러다가 산속의 버려진 기왓골을 둥지 삼아 몸을 의탁하였다. 기와를 굽기 위해 만들어놓은 긴 동굴이었다. 밤에나 낮에나 칠흑처럼 어두웠고, 축축하여 한기가 들었다. 온갖 벌레들이 기어 다녔고 뱀까지 나왔다. 자고 나면 뱀이 똬리를 틀고 옆에 누워 있었다. 어머니는 뱀을 쫓기 위해 머리카락을 태웠으나 소용없었다.

나는 어둠에 대한 공포증이 유달리 심했다. 어둡기만 하면 울다가 까무러치기도 했으므로 어머니는 기왓골 속에 관솔불이라도 밝히려고 필요 없는 고생을 해야만 했다. 내가 어둠을 무서워했던 것은 일본 순사들 때문이었다. 그들은 깜깜한 어둠 속에서 느닷없이 나타나 군화발로 사정없이 차며 깨웠다. 뿐만 아니라 남의 집

헛간이나 기왓골 그리고 화전민의 움막까지 극성스럽게 따라다녔다. 아버지의 행방을 캐기 위해서였다.

경상북도 예천군과 충청북도 단양군의 접경 소백산 중턱에 올산이라는 곳이 있다. 우리는 그 깊은 산중에서 화전민 노릇을 하며 살았다. 이 무렵 맏형인 송위경은 벼루·붓·먹 등의 문방구를 가지고 다니며 행상을 했고, 둘째 형 재근은 사방소에서 잡역부 노릇을 하며 살았다. 두 사람 다 제 한 몸 추스르기도 어려워 가족들을 부양한다는 것은 꿈도 꾸지 못할 일이었다.

기상을 죽이지 마라

어머니는 형제들 중에서 유독 나만은 학교에 보내 공부를 시켜야겠다고 마음먹었던 것 같다. 남의 집 헛간이나 기왓골을 전전하면서도 근처에 서당이 있으면 가서 글을 배우게 했다. 내가 한문 공부를 시작한 것은 이런 형편 속에서였다.

올산의 산중턱에서 화전을 일구고 살 때 산 아래 단양군 대강면에 대강보통학교가 있었다. 어머니는 나로 하여금 십 리가 넘는 먼 산길을 걸어 대강보통학교에 다니도록 했다. 풀뿌리로 연명하다시피 하는 화전민 시절에 나는 처음으로 신식 학문과 만났다.

내가 아홉 살이 되던 1922년 어머니는 우리 형제들을 데리고 예천으로 이사했다. 산에서 내려와 사람들이 사는 마을로 돌아온 것이었다. 큰형 위경이 행상을 하여 간신히 남의 집 곁방이나마 자리를 잡았으므로 큰형에게 합류한 것이었다. 그러나 가난하기는 화전민 시절이나 마을에 돌아와서나 별다를 것이 없었다. 어쨌든 이때부터 우리는 노상동, 노하동 등 여러 곳을 전전하며 예천읍에서 살았다. 예천이 고향처럼 돼버린 것은 이 때문이었다.

예천으로 나온 지 이태 후인 1924년, 열한 살이 된 나는 사설학원인 대창학원 3학년으로 편입했다. 당시 학제는 공립학교로서 일본인 학생들을 대상으로 하는 소학교와 조선인 학생들을 대상으

로 하는 보통학교가 전국 각지에 설립되어 있었고, 여기에 병행하여 4년제 사설학교가 간간이 있었다.

이는 지방의 뜻있는 유지들이 보통학교도 다니기 어려운 아이들을 위하여 뜻을 모아 세우거나, 공립학교가 너무 먼 곳에 있어 지역적으로 교육의 기회에서 소외된 아이들을 위해 그 지역 주민들이 합심하여 만든 학교들이었다.

대창학원은 예천 지역의 애국자·유지들이 민족교육을 위하여 세운 학교로, 향교를 빌려 교실로 사용했다. 시설이나 선생이 모두 부족한 편이어서 공립학교와는 비교가 되지 않았으나 가르치고 배우려는 열의는 오히려 공립학교보다 뜨거웠다. 학생이 4백여 명이나 되었으니 적은 수는 아니었다.

이 학교는 내 젊은 시절의 기댈 곳 없는 삶에 큰 언덕이 되어 주었다. 대창학원 3학년으로 편입했던 그해, 한밤중에 소리 없이 아버지가 나타났다. 세상이 다 잠든 어둠 속에서 도둑처럼 나타난 아버지는 크게 소리 내지도 못하고 말없이 가족들 얼굴만 바라보다가 그림자처럼 사라졌다. 내가 커서 아버지의 얼굴을 똑똑하게 본 것은 이때가 처음이자 마지막이었지만 그 모습은 아직도 생생하다. 그보다 더 어릴 때 보았던 아버지의 얼굴은 그 사이에 잊어버렸기 때문에 낯선 사람을 처음 보는 것 같은 기분이었다.

아버지는 어머니에게서 내가 학교에 다닌다는 말을 듣고 내 얼굴을 쓰다듬으며 조용히 말했다.

"많이 배워라. 기상을 죽이지 마라."

이것이 아버지가 내게 해준 유일한 말이었다.

아버지가 바람처럼 왔다가 바람처럼 사라진 후 열한 살이던 나는 비로소 아버지가 무슨 죄를 지었기에 저렇게 죽음에 쫓기며 살아야 하고 우리 또한 이처럼 깊은 고통의 바다에 잠겨야 하는가를 생각해 보았다. 일본이라는 나라가 거대한 절벽처럼 눈앞에 나타난 것도 이때가 처음이었다.

죽음과의 첫 만남

대창학원에는 권영달이라는 선생이 있었다. 그는 한글을 깊이 연구한 학자였는데, 일본인들의 감시를 피해 틈만 나면 한글과 한국의 역사를 가르쳤다. 수업 도중에 시학視學, 장학관이 오면 얼른 책을 숨기고 딴전을 피우다가 감시자가 떠난 후에 다시 하던 이야기를 계속했다. 그 권 선생을 통하여 비로소 아이들은 나라가 무엇인지를 어렴풋이 깨달아 가슴 깊이 묻어 두었다. 가슴속에 묻힌 그 비밀은 큰 슬픔이었고, 아물 길 없는 상처처럼 나이가 들수록, 세상을 알수록 점점 더 크게 자라났다.

학교에 다니기는 했으나 편하게 공부나 하고 있을 처지는 아니었다. 어머니가 품팔이를 했으나 그것으로는 가족들 입에 풀칠하기도 어려웠다. 나는 집안을 도와 살림에도 보탤 겸 내 학비도 벌 겸 도둑질 빼고 밑천 없이 할 수 있는 일이라면 무슨 일이든 닥치는 대로 했다.

신문 배달도 하고 엿 장사도 했다. 나중에는 둘째 형이 일하는 사방소의 막노동을 주로 했다. 사방소란 우리나라의 산림이 모조리 헐벗어 홍수와 가뭄의 원인이 되자 이를 막으려고 산에 아카시아 등 단기간에 자라는 나무를 심기 위해 지방마다 설치해 둔 기관이었다. 사방사업은 굶주린 농촌 사람들에게 노임을 살포하고 막노동의 일터를 제공하는 일석이조의 효과를 노린 정책 사업이었다.

나는 아버지를 닮지는 않았으나 그래도 체격은 괜찮은 편이었고 힘도 좋은 편이었다. 내 나이의 아이들이 할 일은 못 되었으나 그래도 엿 장사나 신문 배달처럼 수입이 일정치 못한 일보다는 확실한 수입이 보장되는 사방사업의 막노동을 택했다.

사방사업소의 일은 뗏장이나 비료를 지고 산에 오르는 일이 전부였다. 뗏장도 얼마나 지느냐에 따라 임금이 달리 매겨졌다. 나는 어린아이 취급을 받았으므로 어른의 3분의 1을 받았는데 하루 벌이가 20~30전이었다. 쌀 한 되에 50전 하던 시절이니 하루 종일 일을 해도 쌀 반 되 정도밖에 벌지 못했다. 지금 생각해 봐도 노동하는 사람들이 참으로 살기 어려운 시절이었다. 그러니 죽지 않을 정도로 연명하는 것뿐, 산다고 할 수도 없었다.

고된 노동을 계속하다 보니 비교적 실한 편이던 내 몸은 어느새 회복되기 어려울 정도로 약해져 있었다. 먹지 못하여 영양실조에 걸린데다, 한창 자랄 나이에 발육마저 장애를 받았다. 거기에 학교 공부까지 해야 했으므로 내 몸은 더 이상의 과중한 노역을 감당하기 어려워 쓰러지고 말았다.

어느 날 수십 길이 되는 비탈에 붙어 곡괭이질을 하는데 문득 눈앞이 뿌옇게 흐려지더니 몸이 허공에 떴다. 영양실조로 눈앞이 흐려져 비탈에서 굴러 떨어진 것이다. 팔목이 부러지고 목숨마저 위태로운 지경에 이르렀다. 부러진 팔목만 응급 처치하여 집에 누

워 고통을 참으며 있노라니 누군가가 줄곧 내 옆에 서 있는 것 같
은 기분이었다.

　이것이 누구인가. 어디서 많이 본 것 같은, 나른하게 기분 나쁘
면서도 친근감이 드는 그 그림자가 죽음의 모습이라는 것을 나는
한참 후에야 깨달았다. '죽음'과 처음 만난 것이 그때였다.

육신의 굶주림과 마음의 굶주림

죽음의 문턱을 들락거리다가 간신히 회복되었으나 내 몸은 더이상 사방사업소의 막노동을 감당할 형편이 못 되었다. 노동을 하지 못하면 얼마 남지 않은 학교마저 그만두어야 할 처지였다.

내 형편이 어렵게 되자 대창학원 선생님들이 모두 나를 걱정하여 머리를 짜냈다. 내가 무리들 중에 공부를 제일 잘하는데다 독립운동을 하다 쫓기고 있는 송동식의 아들이기도 했기 때문에 선생님들은 각별히 나를 아끼고 걱정해 주었다. 그분들은 내가 학업을 마칠 때까지 학교에서 소사일을 보도록 주선해 주었다. 학교에서 심부름을 하며 돈벌이도 하고 겸하여 공부도 마치게 한다는 배려였다.

선생님들의 고마운 배려 덕분에 나는 간신히 대창학원을 졸업할 수 있었다. 상급학교에 진학할 길은 처음부터 막혀 있었다. 그러나 내가 졸업을 한 후에도 대창학원 선생님들은 나로 하여금 계속 소사로 일하도록 조치를 해주었다. 학교는 단순한 배움터가 아니라 내게 있어 삶의 터전이었다.

시장에서 살면 장사하는 일을 배우고, 도둑놈의 소굴에서 살면 도둑질을 배운다. 학교에서 일을 하다 보니 자연히 공부하는 법을 배우게 되었고 책을 가까이 하게 되었다. 내 처지로는 책 한 권 사

기 힘들었으나 선생님들이 읽던 책을 빌려 닥치는 대로 읽었다.

육신의 배도 늘 굶주렸으나 그보다 마음의 굶주림을 더 참기 어려웠다. 책이 손에 들어오면 밤을 새워 읽었다. 다행스럽게도 선생님들이 보던 책들은 대개가 훌륭한 양서들이어서 이제 겨우 싹을 틔우기 시작한 내 정신 형성에 풍요로운 토양이 되었다.

당시 선생님들이 즐겨 읽던 책들은 주로 톨스토이의 작품들이었다. 나는 그중에서도 소설보다는 《인생 독본》, 《사람은 얼마만한 땅이 필요한가》 등의 명상록을 좋아하여 푹 빠져들었다. 인간의 삶의 진실이나 세계와 우주의 질서, 그 비밀에 접근하는 열쇠를 발견한 것처럼 나는 책을 탐닉했고, 틈만 나면 독서에 젖어들었다. 이 책들은 내게 대학보다 훌륭한 학교였다. '한 권의 양서는 대학에 필적한다'는 격언은 조금도 틀리지 않는 말이었다.

이런 독서 외에도 나는 와세다대학에서 발행하는 중학 강의록으로 중학교 과정을 공부했다. 혼자서 강의록만으로 중학교 과정을 다 이해하기는 어려웠으나 옆에서 선생님들이 다투어 도와주었다. 영어, 대수, 기하, 지리, 역사 등 전공 분야에 따라 대창학원 선생님들은 나의 좋은 가정교사가 되어 주었다.

졸업 후 2년 동안 대창학원에서 소사일을 보며 강의록 공부와 독서에 빠져든 결과 내 머리는 조금씩 깨어나고 있었다. 이런 나의 성장을 지켜보던 대창학원 선생님들은 나를 위하여 새로운 계획을 세웠다.

"홍근이를 언제까지나 소사로 붙들어 두어서는 안 된다."

선생님들 중에는 예천 지방의 유지가 많았기 때문에 그들이 어찌어찌 알아봐서 군청의 고원雇員. 임시직 사무원 자리를 마련해 주었다. 월급이 20원이라고 했다. 그 정도의 월급이면 어머니가 품팔이를 하지 않고도 살 수 있는 돈이었다.

선생님들의 따뜻하고도 깊은 정에 눈물이 날 정도로 고마웠다. 그러나 나는 이 고마운 정을 받아들일 수가 없었다. 혼자 가만히 생각해 보니 군청의 고원이라면 일본 총독부에서 주는 녹을 받아먹는 자리였다. 총독부가 어떤 곳인가. 일본제국이 또 어떤 존재인가. 무슨 연유로 내 나라가 그들의 발아래 짓이겨졌는지는 모르겠으나 어쨌든 그들은 내 아버지를 사형대에 세우기 위하여 지금도 집요하게 추적하고 있는 무리들이 아닌가. 아무리 살기가 어렵다 하나 그런 무리들이 주는 월급을 받아 배를 채울 수는 없는 일이었다.

나는 망설이지 않고 그 고마운 제의를 거절했다. 거절하는 이유도 분명히 밝혔다. 그러자 학교 선생님들은 그전보다 더 나를 아껴 주었다.

학교에 소사로 남기로 결정한 후 나는 내 인생에 어떤 보상이라도 받아내려는 듯이 더욱 독서에 빠져들었다. 내 독서의 범위는 톨스토이, 도스토예프스키, 체호프, 푸슈킨 등 주로 러시아 작가들에 편중되어 있었다. 일본 작가와 사상가들의 책은 흔했으나 그런 책들은 어찌된 일인지 큰 감명을 주지 못했다. 러시아 작가들 중에서도 특히 톨스토이의 삶에 대한 진지한 자세가 내 마음을 끌었다. 《인생 독본》 속에 펼쳐진 박람강기博覽强記와 풍부한 지혜가 나를 두렵게 하였다. 나는 저 깊고도 넓은 바다를 언제 저어갈 것인가.

칼 마르크스의 저서나 공산주의 이론에 대한 일본 사람들의 입문서도 내게 분명히 경이였다. 그러나 그 경이는 톨스토이나 노자, 장자를 만났을 때의 놀라움에 비하면 아무것도 아니었다. 삶에 대한 진지한 사색과 통찰력에 있어 마르크스와 엥겔스는 톨스토이 같은 인물에 비할 수가 없었다.

한번 눈을 뜨고 세상을 바라보니 비록 식민지의 가난하고 슬픈 삶 속에서도 온 우주를 삼킬 듯한 거대한 사상과 열망과 뜨거운 가슴, 그리고 무한한 상상력의 세계가 펼쳐져 있음을 알게 되었다. 멀리 있는 톨스토이를 흠모할 필요는 없었다. 고개를 돌려 살펴보니 내 옆에 이 세상에서 가장 위대한 인물들이 살아서 숨쉬고 있었다. 석가와 예수가 그들이었다.

부처님은 지금 어디에 계십니까?

내 동년배 친구 중에 김영근이라는 청년이 있었다. 영근의 어머니는 그 당시로서는 좀처럼 볼 수 없는 여자 전도사였다. 당연히 어머니의 영향을 받아 영근이도 신앙심이 깊었다.

그 친구와 만나면 우리는 으레 입씨름을 벌였다.

"예수가 인류를 구원하러 내려왔다는 것은 무슨 말인가."

내가 묻고 영근이 대답했다.

"인간이 죄를 지어 사망에 이르게 되었으므로 예수님이 피 흘려 인간의 죄를 대신 갚았다. 그러므로 우리 인간들은 우리 죄를 대속한 예수를 믿으면 구원을 얻게 된다는 말이지."

"그렇다면 하나님과 예수는 믿는 사람에게는 존재하고 믿지 않는 사람에게는 존재하지 않는다는 말인가."

"인간이 믿거나 믿지 않거나 하나님은 존재하신다."

"그들을 믿으면 인간이 영원히 살고 믿지 않으면 사망에 이른다니 결국 인간의 영생 유무는 믿음에 달렸다는 얘기 아닌가."

"그렇지."

"그렇다면 믿음이라는 인간의 심성이 삶과 죽음을 결정하는 유일한 열쇠라는 말이 아닌가."

"그렇다고 볼 수도 있지."

"이 친구야. 그렇다면 하나님도 예수도 우리 마음이 만들어낸 것 아닌가."

"그렇지가 않아."

영근은 반박하고 싶었으나 지식이 짧았던지 더 이상 말을 하지 못했다. 그는 나를 목사에게 데리고 갔다.

"하나님은 어떻게 존재하는 겁니까?"

내가 물었다.

"이 우주에 충만하시고 전지전능하시며 삶과 죽음을 관장하시는 창조주로 존재하시지."

"삶과 죽음을 관장하시는 것까지는 좋으나 인간을 영원히 살게 하기도 하고 사망의 골짜기로 밀어넣기도 하는 그 이유가 단지 자신과 예수를 믿고 안 믿고 그 하나로 판단한다는 말입니까?"

"믿음은 구원에 이르는 유일한 통로이자 방법이기 때문이지."

"우주의 창조주이자 생사를 관장하는 신이 그렇게 좁은 가슴을 가져서야 되겠습니까. 구약성서를 보니 하나님은 아주 하찮은 제물을 가지고도 분노하여 인간 세상에 불벼락을 내리고 떼죽음을 시키는 식으로 마치 노망기 있는 늙은이 같은 짓을 하고 있던데 이것이 부엌의 조왕신이나 삼신할미의 짓이라면 몰라도 우주의 창조주로서 체통에 어울리는 일이라고 생각합니까?"

"인간 세상에 대해서는 인간의 도리로 가르치고 징계하시는 것이지."

"그게 바로 하나님 존재의 본질입니다. 하나님은 인간을 닮아 있습니다. 인간을 닮은 존재는 신이 아니고 인간의 모조품입니다. 신이 분노하고 질투하고 외로워하고 짜증을 내서야 신이라고 볼 수 없지 않습니까. 그런 신은 허무가 깃들어 늙고 병들어 마침내 죽습니다. 따라서 목사님이 믿으시는 그 신은 지금은 죽고 없습니다."

"그런 억지소리가…… 젊은이가 억지를 부리면 못써요."

"억지가 아닙니다. 진실이지요."

어디선가 책에서 주워 읽은 소리였다. 니체가 말했던가, 신은 죽었다고. 인격신은 고독과 절망 때문에 죽을 수밖에 없다고 누가 말했던가. 목사는 할 말이 궁했는지, 기가 막혀 말하기가 싫었는지 입을 다물었다. 나는 내가 승리한 줄 알고 의기양양하여 물러나왔다.

그러나 영근이 앞에서는 의기양양했으나 혼자 생각해 보니 나는 아무것도 얻은 것이 없었고 이긴 것도 없었다. 인간의 운명을 결정하는 것은 무엇인가. 인간은 죽은 뒤에 어디로 가는가. 신은 있는가, 없는가. 책을 아무리 들여다보아도 알 길이 없었고, 홀로 생각해 보아도 몇 걸음도 나아가지 못했고, 목사도 시원한 말 한마디 하지 못했다.

그들 나름으로 뭔가 아는 것이 있고, 믿는 것이 있는지는 모르겠으나 나에게는 아무런 소용없는 지식이었고 믿음이었다. 이제부터 내 스스로 길을 찾아 헤쳐 나가지 않으면 안 되는 절벽 위에 선 느낌이었다.

목사와 논쟁을 한 지 얼마 후에 나는 예천 뒷산의 서악사西岳寺로 찾아갔다. 스님을 만나 보기 위해서였다. 주지인 노장 스님은 찾아온 손님을 그윽한 눈으로 바라보았다. 나는 의문을 꺼내 놓았다.

"석가모니 부처님은 지금 어디 계십니까?"

"어디 계신다고 말하면 자네가 알아보겠는가."

"그도 결국은 죽지 않았습니까."

"죽었지."

"그렇다면 부처님도 자신의 죽음 하나 해결하지 못한 유한한 인간 아니었습니까. 그런 사람이 누구를 구원하고 누구를 가르치겠다는 것입니까."

노장 스님은 딱하다는 표정으로 미소를 띠었다.

"자네가 지금까지 책이나 선생들로부터 들은 이야기만 지껄이지 말고 단 한마디라도 좋으니 어디 네 자신의 이야기를 해보라."

나는 벙어리처럼 입이 굳어졌다. 노장은 조용하게 말을 했으나 나는 마치 방망이로 머리를 얻어맞은 것 같은 충격이었다. 멍하게 앉아 있다가 도망치듯이 물러나왔다.

책 몇 권 읽어 얻은 난삽한 지식을 이것저것 섭렵하여 그것을 마치 대단한 지식인 것처럼 시험해 보려고 쑤시고 다녔던 내 자신이 부끄러웠다. 이 최초의 부끄러움을 가르쳐준 사람, 나 자신을 비추어 볼 수 있도록 작은 거울 하나를 준 사람, 그가 바로 별 볼일 없는 늙은이로 알았던 서악사의 노장 스님이었다. 스님을 만난 이후 나는 부끄러움을 알았고 모자람을 알았다. 나라는 인간이 한없이 작은 미물이라는 것도 비로소 알았다.

오늘부터 너는 서악사의 머슴이다

서악사 노장 스님을 만났던 날, 나는 잠을 이루지 못했다. 말 한 마디 못하고 물러나온 것이 부끄럽기도 했지만 한편으로는 분한 마음도 없지 않았다. 뜬눈으로 밤을 새운 나는 다음날 다시 서악사로 올라갔다. 열이 오른 청년을 맞이한 노장 스님은 어제와 마찬가지로 아무런 표정이 없었다.

"오늘은 무슨 일로 왔나."

"책에서 주워 읽은 것 말고 내 자신의 얘기를 해보라고 하셨지요. 제 자신의 얘기를 하려고 왔습니다."

"흠, 그런가. 그럼 내가 물어볼 테니 대답하겠느냐?"

"그러지요."

"네가 어머니 뱃속에서 열 달을 살았던 사실을 인정하느냐?"

"네, 인정합니다."

"그때 답답하더냐, 시원하더냐?"

"모르겠습니다. 기억나지 않습니다."

"멍텅구리로구나. 분명히 그 속에 든 것이 너였고, 살아 있었던 곳이 분명하다면 어찌 그때 일을 알지 못한단 말이냐."

"……."

"그럼, 어머니 뱃속에 들기 전의 너는 무엇이었느냐."

"……."

"이미 네가 왔던 곳을 모르는데 어찌 죽은 뒤에 가는 곳을 알려고 하느냐. 하물며 석가모니 부처님께서 간 곳을 네가 어찌 정하려고 하느냐. 그렇다면 이렇게 물어보자. 네가 온 곳과 돌아갈 그곳이 같은 곳이냐, 다른 곳이냐?"

"모르겠습니다."

"그럼, 너는 아는 것이 아무것도 없지 않느냐."

"예, 맞습니다. 저는 아는 것이 아무것도 없습니다."

마음이 편안해졌다. 그 전날에는 말문이 막힌 이후 가슴이 답답하고 분한 마음마저 일었는데 그날은 '아는 것이 없다'고 인정을 하고 나니 그렇게 편할 수가 없었다. 신통치 않은 늙은이로 보았던 노장 스님이 아득하게 우러러보였다. 나는 노장 스님의 그 힘에 이끌려 그날 밤 스님의 일을 도우면서 서악사에서 잤다. 스님은 따뜻하게 받아주셨다.

그 후 나는 틈만 나면 서악사로 올라가 노장 스님의 시중을 들면서 가르침을 받았다. 모든 고통으로부터 초연한 것 같은 분위기, 삶과 죽음의 비밀을 모두 알고 있는 듯한 의연한 태도가 내 마음을 끌었다.

'길은 멀리 있지 않고 바로 여기 있었구나. 나도 출가하여 그 길을 알아야겠다. 이 비밀을 배우기 전에 다른 어떤 것을 배워도 모두 허사일 뿐이다.'

아주 자연스럽게 이런 생각이 자리를 잡더니 어느 사이에 굳어지고 있었다. 일단 생각을 굳히고 나면 행동은 빠른 편이다. 이리저리 뒤엉킨 생각의 감옥에서 벗어나면 해방감이 찾아오는 법이다. 더 주저할 필요가 없었다. 어머니는 형들의 도움으로 그럭저럭 살림살이를 꾸려가고 있었다. 내가 세속에 남아 있더라도 학교 소사의 벌이로는 어차피 큰 도움이 되지 못할 것이었다. 며칠 후 나는 노장 스님 앞에 꿇어앉았다.

"스님, 저도 중이 되겠습니다. 지금까지 제가 알았던 것은 모두 그림자에 지나지 않았습니다. 참된 것을 알 수 있도록 저를 거두어 주십시오."

"중 될 것 없다. 중은 사람 축에도 들지 못하는데 뭐 하려고 중이 되려 하느냐."

"스님은 왜 중이 되셨습니까?"

"그거야 내 인연이지."

"제 인연은 스님에게 있습니다."

"허어, 그놈."

한참 동안의 침묵 끝에 노장 스님이 입을 열었다.

"네 뜻이 정히 그렇다면 한 가지 약속을 하자. 두 해 동안 내 밑에서 머슴살이를 하겠느냐. 머슴살이를 하고 나면 그때 가서 중을 만들어주마."

"그렇게 하겠습니다."

"정말이냐. 후회하거나 도중에 도망치지 않겠다고 약속해야 한다."

"후회하거나 도망치지 않겠습니다."

"좋다. 그럼 오늘부터 너는 서악사의 머슴이다."

절의 머슴이란 불목하니처럼 밥이나 겨우 얻어먹으면서 속인의 신분으로 일만 하는 사람이다. 수행을 하는 사람이 아니므로 행자와는 격이 다르다.

옛이야기에 보면 젊은 청년이 뜻을 높이 세워 산중의 도사를 찾아가 가르침을 청하는 대목이 많다. 그러면 대개 도사는 찾아온 젊은이에게 도술이나 무술을 가르치지는 않고 일만 시킨다. 그렇게 하기를 3여 년, 더 참지 못하고 젊은이가 떠나려 하면 그제야 스승은 젊은이의 인내심 없음을 크게 꾸짖고, 그때부터 본격적으로 도술 또는 무술을 가르치기 시작한다는 유의 이야기들이 흔하다. 홍길동도 그런 식으로 무술을 배웠으니까.

내가 그 짝이었다. 나는 절집 대중 중에서 가장 낮은 신분인 머슴부터 시작했다. 내 나이 열다섯, 1928년의 일이었다.

김용사에서 출가와 수행

　나이는 어렸으나 내 신체는 머슴살이하기에 부족하지 않을 정도로 강건했다. 영양실조에다 팔이 부러져 사경을 넘나든 일도 있었으나 학교 소사가 된 이후부터 회복되어 다시 건강을 되찾았다. 부모로부터 선천적으로 물려받은 체질이 강했지만 절집의 머슴살이는 너무나 고단했다. 여덟 말들이 쌀가마니를 짊어지고 십 리 산길을 수없이 오르내렸고, 땔나무를 하러 허구한 날 산골짜기를 헤맸다. 밤이 되면 녹초가 되어 《초발심자경문初發心自警文》한 구절 읽어볼 기운조차 남아 있지 않았다.

　그런 속에서도 어깨 너머로, 혹은 곁눈질로 부처님의 가르침을 배우려고 애썼다. 이 고생스러운 과정을 거쳐야만 참다운 수행자가 될 수 있다는 생각에서 고생을 고생으로 여기지 않았다. 그저 연명을 하기 위해 머슴살이를 했다면 단 며칠도 참아내기 어려웠을 것이다.

　어느덧 머슴살이 2년이라는 세월이 흘렀다. 그러나 노장 스님은 약속을 지키지 않았다. 아무런 내색이 없었다. 잊었는가? 그것은 아니었다. 알고 있으면서도 나를 중으로 만들기 싫은 눈치였다. 기다리다 못해 내가 따지고 나섰다.

　"스님, 2년만 머슴을 살면 중 만들어 주겠다고 약속하시지 않았습니까?"

"그랬지."

"그런데 왜 중 만들어주지 않고 머슴살이만 시킵니까?"

"미안하다. 너를 중으로 만들어 떠나보내면 누가 나를 돕겠느냐. 그래서 그랬으니 1년만 더 참고 일하거라. 그럼 반드시 약속을 지키겠다."

다시 1년간의 머슴살이가 시작되었다. 약속한 1년이 지나자 노장 스님은 자신의 조카를 데리고 왔다. 나를 출가시켜 내보내는 대신 조카에게 머슴살이를 시키려는 것이었다.

"이 아이에게 밥하고 나무하고 절집 살림 꾸려가는 법도를 가르쳐라. 그런 다음 중이 되도록 해주겠다."

노장 스님의 조카에게 절집 일을 가르치느라 다시 반 년이 지났다. 아이가 어느 정도 일을 익힌 후에야 노장 스님은 나를 문경의 김용사로 보내주었다.

김용사에서 비로소 나는 정식으로 출가하여 몇 달 동안의 행자 생활을 거친 뒤에 사미계를 받았다. 이때가 1932년 4월, 내 나이 열아홉 살 때의 일이었다.

요즘은 절집 머슴살이를 하는 젊은 사람이 드물다. 입산하여 행자 시절부터 곧장 불경 공부를 할 수 있다. 그러나 나는 불경에 가까이 가기 위해 4년이라는 긴 세월을 보냈다. 그 세월이 아깝다는 생각은 하지 않았다. 다만, 그토록 긴 세월을 기다리던 불경 공부였기 때문에 내 마음의 배고픔은 끝이 없었다.

공부를 시작하자마자 나는 욕심스럽게 달라붙었다. 김용사 강원에서 4년 동안 불교 교리를 공부하여 1936년 사교과를 수료하면서 대덕법계를 받았다.

그 한 해 전인 1935년에는 비구계를 수계했다. 중으로서 알아야 할 기본적인 공부를 한 셈이고, 비구계를 받았으니 수행자로서의 품계를 인정받은 셈이었다. 말하자면 나는 그때서야 비로소 중이 된 것이다. 그러나 마음은 여전히 비어 있었고, 정신의 배고픔은 조금도 가시지 않았다.

내 마음속의 갈증과 배고픔

내가 4년 동안 공부했던 김용사의 강원에는 신흥사에서 온 스님 한 분이 있었다. 이 스님은 다른 절 출신이라 문중의식이 강한 큰 절의 강원에서 대접을 받지 못하고 늘 따돌림 당하는 신세였다. 그러나 그 스님의 실력은 어느 누구도 따르지 못할 정도로 출중했다. 그는 교와 선에 두루 통달한 큰 그릇이었고, 한문 실력 또한 발군이라 유생들도 그의 앞에서는 머리를 숙였다. 범패는 달인의 경지였고, 불경에 대한 지식은 가히 백과사전이었다.

이 스님이 내 마음속의 갈증과 배고픔을 읽었던 것 같다. 스님은 자신이 알고 있는 지식과 깨달음을 아낌없이 나에게 쏟아 부었고, 나는 고스란히 받아들였다. 그리하여 사교과를 마쳤을 때 나는 강원에서 배운 것보다 훨씬 더 깊고 많은 가르침을 내 그릇 속에 담을 수 있었다.

그러나 그것만으로는 내 배고픔과 갈증을 다 채울 수가 없었다. 불법은 가없는 바다와 같았다. 선의 세계 또한 끝을 모르는 아득한 산봉우리와 같았다. 사교과를 이수하고 비구계를 받았다는 것은 이제부터 그 드넓은 바다를 홀로 저어 가라는 신호였고, 그 끝도 모르는 험한 봉우리를 혼자서 올라가라는 출발의 깃발이었다.

김용사에는 동국대학교의 전신인 혜화전문학교 내의 중앙불교 전문학교 출신의 스님들이 더러 있었다. 이들에게 나는 많은 기대를 걸었다. 절의 강원에서 채울 수 없었던 그 무엇을 이들 정규 대학 출신들에게서 얻을 수 있지 않을까 하는 기대에서였다. 그러나 그들 대부분이 기대했던 것과는 달리 빈껍데기에 불과한 지식밖에 지닌 것이 없다는 것을 알고 내 놀라움과 낙담은 컸다. 강원에 와서 배우는 대부분의 스님들도 그들과 다르지 않았다.

'중'은 직업이 아니다. 격을 낮추어 먹고 사는 방법 중의 하나라고 치자. 전기 기술자가 그것으로 먹고 살기 위해서는 기술을 닦아야 하듯이 중도 대중의 공양으로 살아가자면 중생에게 돌려줘야 할 큰 덕을 가지고 있어야 한다. 그 큰 덕은 공부와 수행에서 생긴다. 그리고 공부와 수행은 커다란 발심에서 생기는 것이다. 불행하게도 강원에서 함께 공부한 스님들을 돌아보니 발심은 없고 중으로 먹고 살기 위한 얕은 지식에 자족하고 있었다.

그렇다면 이들은 대체 무엇 때문에 많은 것을 희생하면서 중이 된 것일까. 나는 한편으로 회의에 빠졌으나 곧 그 회의에서 벗어났다. 다른 사람들이 왜 중이 되었으며, 중이 되고서도 왜 타성에 젖어 무명無明의 바다에 떠다니고 있는지, 그러면서도 더 나아가려는 의욕이 왜 없는지, 그런 것을 걱정하고 있을 겨를이 없었다. 문제는 나 자신이었다. 더 배워야겠다, 더 배우고 닦아야겠다, 불교를 좀더 체계적으로 알아야겠다. 그러자면 제대로 된 대학에 가야 하고, 그런 대학은 일본뿐이니 결국 일본으로 유학을 가야겠다는 결론에 이르렀다.

　국내에서 더 배울 길이 없다는 것, 하필이면 일본에서 공부를 해야 한다는 것이 마음속에 검은 그림자로 남았으나, 배우고자 하는 의지가 그 어두운 그림자를 잠깐 옆으로 밀어 놓았다.

일본 유학길

일본으로 가는 길은 쉽지 않았다. 일본은 한국을 침략하면서 민족 문화의 이질성을 희석시키기 위하여 가장 먼저 한국 불교의 일본화를 획책했다. 그 결과 31본산제도를 만들어 불교를 총독부에서 직접 관장하도록 하고, 나아가 일본 불교와의 합병을 추진했다.

이런 정책적인 목표를 이루기 위하여 일본은 우선 스님들에게 대처를 허용하여 한국 불교의 근본 뿌리인 비구 종단을 말살했고, 불교 지도자의 일본화를 추진하기 위해 젊은 스님들의 일본 유학을 권장했다.

이른바 종비 유학생이 그것인데, 각 본사나 문중에서 유학생을 선발하여 추천하면 총독부가 이를 받아들이되, 비용은 각 사찰이나 문중에서 부담하는 것으로 되어 있었다. 세력 있는 절의 주지나 노스님들은 문중의 번창을 위하여 자신들의 후계자나 상좌들을 일본으로 보내는 것이 유행이었다.

일본 유학생을 선발·추천하는 일은 은사 스님이 해야 한다. 그러나 나의 은사 스님인 서악사의 노장 스님은 그럴 만한 힘이 없었고, 학비를 댈 만한 여유는 더구나 없었다. 그러거나 말거나 내가 의논할 상대는 노장 스님뿐이었다. 김용사에서 4년간의 사교과를 끝내고 나서 서악사로 찾아갔다.

"스님, 소승도 일본으로 유학 가서 더 배우고 싶습니다. 여기서는 더 배울 것이 없고 장차 개명된 세상에서 중생을 제도하자면 새로운 문물과 학문을 배우지 않으면 안 될 것 같습니다. 스님께서 힘을 써주십시오."

"그래, 그건 나도 안다. 네가 내 밑에서 고생하며 자라나 김용사로 옮긴 후로 백여 명의 학인들 중에서 가장 출중하다는 소식을 듣고 내심으로 나도 그 길을 생각해 보지 않았던 것은 아니다. 또 욕심으로 말하자면 나도 내 문하에서 한 사람의 훌륭한 재목이 자라나는 것을 보고 싶다. 그러나 알다시피 이곳 형편으로는 유학 보낸 후에 학비를 감당하기 어려우니 그것이 문제로구나."

그 문제라면 이미 짐작하고 있었던 것이다.

"학비는 제가 벌어서 감당하겠습니다. 보통학교 때부터 혼자 힘으로 모든 것을 해결해 왔으니 유학이라고 편하게 할 수 있겠습니까."

"그래, 과연."

노장 스님은 무릎을 쳤다.

"중이 되려고 3년 넘게 머슴살이를 자청했던 독한 사람이라는 것을 왜 내가 잊었던고. 그럼, 일본 가서 고생을 하겠느냐?"

"머슴살이보다야 덜 고생스럽겠지요."

"그럴 거다."

노장 스님은 그날로 본사인 김용사와 경찰서를 드나들면서 종비유학에 필요한 절차를 밟아주었다.

1938년 봄, 나는 종비 유학생의 명분으로 부산에서 배를 타고 현해탄을 건넜다. 말이 종비 유학생이지 종비의 지원은 정말 보잘 것없었다. 노장 스님이 보내준 약간의 여비에다 고모님이 준 50원, 그리고 도반들이 여기저기서 조금씩 보태준 돈을 다 합해도 입학금 100원을 내고 나니 손에 남는 것은 아무것도 없는 빈털터리 신세였다.

그해 일본대학 종교학과 입학시험에 합격한 신입생은 모두 70명이었다. 그 중에서 조선인 학생으로는 불교 전공의 나와 기독교 전공의 평양 출신 노갑용, 이렇게 두 사람뿐이었다. 1년 뒤에는 불교 전공 학생이 한 사람 들어왔는데 그가 나중에 동국대 총장과 태고종 종정을 역임한 정두석이었다.

나는 입학시험에서 10등이라는 기대 이상의 성적으로 대학에 들어갔다. 대학에 들어간 후에도 공부는 재미있었다. 불교 자체에 대해서는 새삼스럽게 신천지가 열리지는 않았으나 접근하는 방법과 광범위한 교양과목이 흥미를 끌었다.

공부보다 생존이 절박했던 일본 생활

내게 있어 일본에서의 유학시절은 공부보다 '생존'이 훨씬 더 절박한 문제였다. 일본 생활은 하루하루를 연명하고 학비를 벌기 위해 고된 노동을 하며 살았던 보통학교 시절의 연장이었다. 장소가 일본의 동경이라는 것 말고는 변한 것이 아무것도 없었다.

무슨 일을 해서 생활비와 학비를 벌 것인가. 맨 먼저 떠오른 것은 역시 학생이라는 신분에 어울리는 신문 배달이었다. 신문 배달은 마음만 먹으면 언제든지 일자리를 잡을 수 있었다. 그 대신 수입은 보잘것없었다.

각 신문의 배달 사무소들은 고학하는 학생들을 재울 겸 새벽 일찍 배달 인원을 동원하기 쉽도록 사무실 옆에 다다미 몇 장을 깔아 숙소를 만들어 두고 있었다. 나는 그 숙소에서 잠을 잤으므로 일거에 자취방 문제까지 해결된 셈이었다. 신참들은 다다미에 올라가지도 못하고 작업장인 마룻바닥에서 잤다. 신문 배달 사무소의 마룻방, 이것이 일본 동경에서 시작된 새로운 삶의 터전이었다.

신문 배달도 쉬운 일은 아니었다. 부수를 확장해야 한다는 목표량이 있었기 때문에 항상 이 목표에 덜미를 잡혀 쫓기게 마련이었다. 신문 부수를 늘리기 위해서는 배달 지역에 공을 들여야 하고 상당한 시간도 투자해야 했다. 그러나 대학 공부를 해야 하는 내

입장에서는 하루 종일 신문 부수 확장을 위해 동경의 뒷골목을 헤매고 다닐 수는 없었다.

확장 성적이 부진하면 눈칫밥을 먹게 된다. 눈칫밥으로 살기 힘들어지면 그곳을 떠나 다른 신문 배달 사무소로 옮겨가야 했다. 옮겨 다니다 보면 늘 신참이었고 언제나 마룻방 신세였다. 이렇게 하여 아사히신문에서 요미우리신문으로, 또 다른 신문으로 일자리를 옮겨 가며 1년을 보냈다.

신문 배달소를 전전하다 보니 나중에는 더 옮겨 다닐 곳이 없어 배달 일도 그만두고 말았다. 그 다음에 잡은 일거리가 떠돌이 치과의사의 조수 노릇이었다.

그 시절에는 면허도 없는 떠돌이 치과의사가 시골을 돌아다니며 한 집의 사랑방에 기계를 차려놓고 그 마을 사람들의 썩은 이를 뽑고 의치를 해 넣어 준 후에 다음 마을로 떠나는 식이었다. 일종의 행상과 같았다. 기계라는 것도 아주 조잡하고 마취도 거의 하지 않았으나, 사람들은 썩은 이 때문에 하도 고생을 한 끝이라 용케도 잘 참으며 의치를 해 넣었다. 내가 하는 일은 의치를 해 넣는 기공을 돕는 것이었다.

물론 방학 때만 잠시 한 일이었다. 보따리장수와 같은 치과의사를 따라 방방곡곡을 다니며 사람들의 세상 살아가는 진솔한 면모를 들여다본 것은 기대 밖의 소득이었다. 썩은 이 하나쯤이야 뽑아 내면 그만이지만 인생살이에 가득 고인 슬픔들은 뽑아낼 방도가 없었다. 종교란 무엇인가. 삶의 썩은 환부를 도려내고 새살이 나도록 돕는 의사가 아니겠는가. 이 엉터리 의사의 조수 노릇도 2학년 여름방학과 함께 끝이 났다.

떠돌이 치과의사의 조수 일을 끝내고 택한 '사업'은 고물 장수였다. 리어카를 끌고 다니며 고물을 끌어 모아 수집상에게 파는 일로, 요즘은 보기 힘들어졌지만 얼마 전까지만 해도 길거리에서 흔히 볼 수 있었던 고전적인 직업 중의 하나였다. 신문 배달에서 떠돌이 치과의사의 조수를 거쳐 리어카 한 대를 가진 사업가가 되었으니 나의 동경 생활도 제법 발전한 셈이었다.

앞의 두 직업보다 몸은 몇 배나 고달팠고 남 보기에도 좋지 않았으나 수입은 그전보다 훨씬 좋았다. 자유로운 것은 말할 것도 없었다.

고물 수집상은 당국에 등록을 하고 허가를 받아야 했다. 나도 등록을 했다. 동경의 뒷골목을 뒤지고 다니면서 사람들이 쓰다 버린 폐품들 중에서 돈이 될 만한 것들을 골라 사들이고, 이를 다시 수집상에게 넘기는 두더지 같은 생활이 시작되었다.

나는 월급쟁이도 장사꾼도 아니었다

큰 공장에서 나오는 폐자재를 사서 이를 원료로 사용하는 다른 공장에 넘길 때는 하루 20원의 큰돈을 벌 때도 있었다. 지금까지는 하루하루 목숨을 부지하기 위해 소용되는 최소한의 비용을 마련하기 위해 일을 해왔지만, 고물 수집을 하면서부터 생존에 필요한 비용 말고도 약간의 여유가 생기게 되었다. 주머니에 여유가 생기자 마음에도 여유가 찾아왔다. 비로소 눈을 들어 동경이라는 큰 도시의 살아가는 모습을 보았다.

나는 그제야 이 도시에서 살아가는 사람들의 일원이 된 느낌이었다. 술도 마셨다. 주로 일본에 와 있던 친구 배경진을 만나 함께 술을 마시고 밤새도록 토론을 했다. 끝도 없는 토론이었다. 세상 돌아가는 이야기, 일본 사람들이 사는 모습과 조선 사람들이 사는 모습, 종교의 다양성과 보편적인 진리의 문제, 중이 된다는 것과 결혼, 나쓰메 소세키의 작품에 등장하는 인물들, 학자와 사상가들의 뿌리 깊은 허위에 대하여 토론하고 분개하고 슬퍼하며 때로는 환희에 들뜨기도 했다.

이미 구족계를 받은 비구승이었던 나는 파계를 하고 있었던 셈이다. 그러나 계라는 것은 시대와 상황을 넘어 절대불변의 행동규범으로 못 박혀 있는 것은 아니다. 나는 내 앞에 놓인 삶 속에 스스로를 던져 넣었다. 어릴 때부터 사춘기를 거쳐 오며 제대로 피어나지 못하고 있던 생명의 싹이 이때 한꺼번에 용출되는 느낌이었다.

내 어두운 삶과는 항상 멀리 떨어져 있었던 낯선 풍경에 비로소 가까이 들어가 보았다. 고급 식당에 가서 일본 음식을 먹어보았고, 극장에 가서 영화와 연극도 보았다. 음악회도 가보고, 화랑에 가서 그림도 감상했다. 이른바 '질풍노도의 시대'라 부르는 일본 젊은이들의 광기 어린 문화를 이해해 보려고 노력했다. 어딘가 파국을 향해 가고 있는 것만 같은 이 세계가 비틀거리며 나아가고 있는 그 방향을 가늠해보려고 고심했다.

다행히도 일본의 출판업은 세계적인 수준이어서 책방의 서가에는 세계 각국의 웬만한 양서들은 모두 번역·출판되어 있었다. 나는 오래 굶주린 거지가 잔칫상을 만난 것처럼 많은 지식을 한꺼번에 섭렵하기 위하여 욕심스럽게 책에 달라붙었다.

이러다 보니 고물 수집일로 하루에 번 돈을 그날로 다 써버렸다. 밤새 책을 읽고 학교에 가서 공부도 해야 하니 고물 수집일도 제대로 되지 않았는데, 그나마 번 돈을 그날로 다 날려버려 주머니 속에 찬바람이 불기는 신문 배달 때나 고물상을 할 때나 마찬가지였다.

애당초 나는 돈에 몸을 붙이고 이를 관리하여 증식시키는 일과는 거리가 멀었다. 나는 월급쟁이도 장사꾼도 아니었다. 어느새 중으로 살아가는 일에 익숙해져 있었던 나는 세상에 적응하고 살아가는 방법이 낯설고도 서툴렀다. 그렇다고 살기를 포기할 수는 없었다.

잘 나가던 고물 수집 일을 몇 달도 못 가 포기했다. 번 것을 저축하지 못하다 보니 굳이 많이 벌어야 할 이유도 없었고, 그 바닥의 텃세도 여간 심한 것이 아니어서 귀찮은 일이 자주 발생했다. 무엇보다도 학교 공부에 지장이 많았다.

가난은 육체에 상처를 남기고

고물 수집상을 때려치운 다음 곧 방학이 되었기 때문에 나는 팔을 걷어붙이고 동경 시내의 수도 공사 현장에 찾아가 '노가다'를 지원했다. 노가다도 등급에 따라 하는 일과 일당에 큰 차이가 있었다. 가짜 이력서를 만들어 현장 사무실로 찾아갔더니 체구가 괜찮은 것과 노가다 경력을 감안하여 노동자 1등급의 급수를 매겨주었다.

1등급 노동자에게는 일당을 많이 주는 대신 당연히 숙련된 사람들만 할 수 있는 어려운 작업이 맡겨졌다. 나는 레일을 따라 짐차를 끄는 작업 조에 배치되었다. 여러 사람이 한 조가 되어 짐차를 끌었는데 그리 단순한 일이 아니었다. 요령이 없어 기우뚱거리는 나 때문에 일이 되지 않았다. 사고가 날 뻔한 위험한 고비도 여러 번이었다.

"이놈 이거 생짜 아니야."

같은 조의 노동자들이 수군거리기 시작했다. 나 자신도 여기서는 견디기가 어려웠다. 한국인 십장을 찾아가서 솔직하게 털어놓았다.

"사실 저는 일본 대학 종교학과에 다니는 조선인 학생입니다. 유학 오기 전에는 중의 신분이었습니다. 학비를 벌기 위해 이력서를 거짓으로 만들어냈더니 1등급을 준 것까지는 좋았으나 일을 감당하기가 어렵습니다. 무슨 방법이 없겠습니까?"

십장은 동족인 나를 동정 어린 눈으로 바라보더니 물었다.

"그럼, 자네가 잘할 수 있는 일이 뭔가?"

"예, 밥 짓는 일이라면 아주 잘할 수 있습니다."

"밥을 잘해? 학생인 자네가 무슨 밥을 지어 봤어?"

"전에 절에 있을 때 천 명이 넘는 신도가 운집하는 큰 행사에 밥을 맡아 한 일이 여러 번 있었습니다. 다른 스님들이 모두 해내지 못하는 것을 제가 멋지게 해냈죠. 많은 사람이 한꺼번에 먹는 밥을 큰솥에 하는 데는 특별한 요령이 있어야 합니다."

"그래? 그렇다면 어디 한 번 주선해보지. 그렇지 않아도 요즘 밥이 탄 냄새가 나는데도 먹어보면 설익어 도무지 소화가 안 된단 말이야. 일꾼들 불평이 이만저만이 아니야. 어디 자네 솜씨를 한 번 보도록 하지."

나는 한국인 십장의 주선으로 인부들 밥을 지어주는 부서로 이동 배치되었다. 밥을 잘 짓는다는 말은 거짓말이 아니었다. 아마도 내가 세상에 유용하게 사용할 수 있는 기술이 있다면 그것은 유일하게 밥 짓는 기술이었을 것이다.

절에서 대중공양을 해본 솜씨가 세상에 나와 밥벌이 밑천이 될 줄은 상상도 못했던 일이다.

현장 근로자들에게 제공하는 밥은 근로자 중에서 밥을 해본 경험이 있는 사람 몇몇이 맡아 했는데 이들이 밥을 제대로 하지 못해 큰 불평을 사고 있었다. 밥 짓는 솥이 따로 있는 것이 아니라 큰 무쇠 목간통을 걸어놓고 밥을 지었으니 당연히 밑은 타고 중간은 질고 윗부분은 설어서 먹을 수 없는 삼층밥이 될 수밖에 없었다. 이런 상황에서는 솥만 탓할 것이 아니라 요령이 있어야 한다. 나는 절에서 이미 그런 요령을 터득해 놓았다.

먼저 물을 펄펄 끓여 물통에 담아둔 다음 찬물에 쌀을 안쳤다. 그 다음 준비해 둔 뜨거운 물을 쌀의 윗부분에 부어 아랫부분의 온도와 윗부분의 온도가 서로 다르게 했다. 그렇게 하여 밥을 지으면 위아래가 고르게 잘 익었다. 그런 후 밥물이 넘을 때쯤 불을 빼내고 뜸을 들이면 밑바닥이 타지도 않고 골고루 뜸이 잘 들어 탄 냄새가 나지도 않고 설익지도 않은 맛있는 밥이 되었다.

밥을 멋지게 지어내자 현장의 모든 사람이 좋아했고, 나의 신분이 대학생임이 밝혀지자 더욱 사랑을 받았다. 현장은 늘 즐거웠다. 일당도 괜찮았다. 몸은 고단했으나 마음은 편안했다. 나는 책을 손에서 놓지 않았고, 저녁이나 밤에는 참선도 쉬지 않았다.

그러나 방학이 끝나 다시 학교로 돌아가면서 이 즐거운 현장의 밥 짓기 노동도 막을 내렸다. 일을 끝내고 돌아오면 언제나 그렇듯이 빈손이었다. 그동안 번 돈은 모두 내가 읽어 치운 책으로 바뀌었기 때문이다.

다시 영락 생활零落生活이 시작되었다. 거지와 다름없는 가난한 생활이었다. 고구마로 끼니를 때우는 날이 많았다. 식당에서 파는 밥은 아침은 12전, 저녁은 18전은 주어야 요기를 할 수 있었지만 고구마는 5전이면 배불리 먹을 수 있었다.

어릴 때 화전을 일구고 살거나 남의 집 헛간에서 잠을 잘 때는 이보다 더 나쁜 밥도 먹고 살았으므로 가난과 배고픔은 내게 낯선 일은 아니었다. 그러니 다른 사람들보다 가난과 배고픔을 참는 데는 이골이 나 있었다. 먹고 입고 자는 것, 세상 사람들이 추구하는 행복의 조건으로부터 진즉에 초연해 있었던 셈이다.

그러나 이 무렵 가난은 나도 모르는 사이에 내 육체에 깊은 상처를 만들어 가고 있었다.

귀향

동경에 온 지 3년째 되는 해였다. 나는 대학 3학년을 고단하게 넘기고 있었다. 고단하기는 해도 나 자신은 그것조차 모르는 채 열심히 살아가고 있었다. 1년하고 조금만 더 고생하면 졸업할 시기였다. 대학 졸업이 대단한 의미를 갖는 것은 아니었지만 어릴 때부터 숱하게 넘어온 가파른 삶의 준령을 누구의 도움 없이 또 하나 넘는다는 것은 즐거운 일이었다.

3학년 여름방학 이후 어느 큰 회사의 짐꾼 노릇을 하고 있었다. 리어카에 제품이나 원료를 가득 싣고 인근에 있는 다른 공장으로 나르는 일이었다. 내가 했던 일 중에 힘들지 않은 일이 없었으나 이 일도 고달픈 중노동이었다.

더운 여름날이었다. 나는 리어카에 짐을 가득 싣고 달리다가 심한 갈증을 느꼈다. 목이 타는 정도가 아니라 온몸의 수분이 말라 버린 듯한 갈증이었다. 리어카를 길옆에 대놓고 가게에 가서 빙수 한 잔을 사 마셨다. 차가운 물이 온몸에 퍼져 갔다. 그 순간 의식이 가물가물 멀어지면서 그대로 길바닥에 쓰러졌다.

깨어보니 병원이었다. 경찰차에 실려 병원 응급실로 옮겨진 것이었다. 정신이 돌아오는 순간 가슴이 울렁거리더니 무슨 덩어리가 목구멍을 타고 넘어왔다. 핏덩어리였다. 이날 나는 처음으로 각혈을 했다.

응급실에서 퇴원하여 집으로 돌아오니 이종익(불교학자)이 몹시 걱정을 했다. 나는 당시 이종익과 같은 집에서 살았다. 이종익이 자취방을 구하지 못해 고생하고 있을 때 내가 나서서 방을 구해 함께 살게 된 것이다. 당시 동경의 일본 사람들은 '조센징하고 개에게는 방을 빌려주지 않는다'고 할 정도로 조선 사람을 노골적으로 기피했다. 뒤늦게 유학을 온 이종익이 일본어가 서툴러 방을 구하지 못하자 내가 일본인 행세를 하여 방 두 개를 구해 함께 살게 된 것이다.

이종익은 내 건강상태가 심상치 않다고 걱정했다.

"이대로 있으면 안 되겠어. 빨리 병원에 가서 진찰 받아봐야 해."

"필요 없어. 병원에서 병을 다 고치는 것도 아니고, 의사가 병을 다 아는 것도 아니야."

"그런 미련한 소리가 어디 있어. 일단 병을 알고 나야 다음에 대처할 방도를 알 것 아닌가."

이종익의 강요에 못 이긴 나는 동경제국대학 부속병원에 가서 진찰을 받았다. 진찰을 마친 의사는 나는 제쳐놓은 채 보호자 자격으로 따라온 이종익하고만 낮은 소리로 이야기하고 있었다. 나는 의사를 불렀다.

"내 병을 고칠 수 있습니까?"

"고칠 생각이 있소?"

의사가 되물었다. 나는 의사의 말뜻을 알아들었다.

"나는 승려입니다. 내 신체에 무슨 일이 일어나고 있더라도 세상 사람들과는 달리 의연하게 대처할 준비가 되어 있습니다. 그러니 하루를 살든 열흘을 살든 의학적인 소견만 정확하게 말씀해 주십시오."

"정확하게 소견을 말하자면 최소한 2년 이상은 입원하여 치료해야 무슨 결과를 볼 수 있다는 것입니다. 다른 얘기는 할 것이 없습니다."

"알았습니다."

나는 가루약 몇 봉지만 받아 들고 병원에서 나와 그 길로 학교에 휴학계를 내고 귀국길에 올랐다. 일본에 한 시간이라도 더 머물 이유가 없었다. 일본에서 더 배우고 싶다는 미련도 없었다. 공부를 위해 하는 수 없이 유학길에 올랐으나, 그들에게 쫓기며 생사를 알 수 없었던 아버지의 숨결이 늘 내 옆에 살아 있었다. 그 때문에 명분만 서면 일본을 떠나고 싶었는데 마침 중병에 걸렸으니 오히려 고마운 일이었다. 당시 폐병은 곧 죽음의 선고였다. 그것도 중증이었으니 내 삶도 갑자기 종착역에 와버린 셈이었다. 서둘러 내릴 준비를 해야 했다.

같은 종교학과에서 기독교를 전공하고 있던 노갑용이 나와 함께 귀국선을 타고 예천까지 동행해 주었다. 노갑용은 아마 이승에서 마지막 보는 친구를 바래다주기 위해 먼 길을 동행했으리라.

그의 마음속 슬픔이 내게도 전해져 왔다.

"의학적으로 불가능한 일도 정신적으로는 얼마든지 가능하다는 것을 스님인 자네가 더 잘 알겠지. 부디 건강을 회복하게."

노갑용은 간절한 염원을 남기고 일본으로 돌아갔다.

새로운 삶

나는 일본에 가서 무엇을 얻었던가. 동경의 뒷골목을 누비면서 가파른 생존을 이어가며 공부하여 무슨 소득을 얻었는가.

멀리 있는 줄 알았던 그 검은 강이 바로 내 옆에서 흐르고 있었다는 것을 깨닫는 순간 내 마음은 오히려 차분하게 가라앉았다. 사형선고 앞에서 마음을 차분하게 가질 수 있었던 것은 늘 내 마음을 지배하고 있던 부처님의 가르침 때문이었다. 그리고 아무리 고된 노동 속에서도 거르지 않았던 참선 수행 덕분이었다.

이제 어떻게 할까. 남은 시간을 어떻게 보낼까. 세상에 나온 공덕을 한 조각이라도 갚고 가는 길은 무엇일까. 나는 본래 중이었으니 절로 돌아가는 것이 원칙이겠으나, 절에 가서 혼자 죽음을 관조하며 시간을 보내다가 죽음을 맞이하는 일이 유익하지 못하다는 생각이 들었다. 그리하여 대창학원의 은사 선생님을 찾아가서 의논을 드렸다. 선생님은 마치 기다리고 있었다는 듯이 뜻밖의 제의를 했다.

"자네가 우리 학교에 와서 학생들을 가르쳐 주게. 자네도 알다시피 우리 학생들은 다들 불쌍한 아이들 아닌가. 좋은 선생님이 필요하네."

"하지만 저는 병든 몸입니다. 언제 어떻게 될지 알 수 없는 일이고 학생들에게 병이 전염될지도 모르는데 어떻게 가르칩니까."

"걱정할 것 없네. 자네는 겉으로 보기에는 멀쩡하니 환자라는 걸 아는 사람이 없을 테고, 알아봤다 해도 요즘 결핵 앓는 사람이 어디 한둘인가. 모두들 병을 앓으면서도 사는 날까지 열심히 살고 있지 않은가. 그리고 얼마간 수입이라도 있어야 약이라도 사 먹을 수 있을 것 아닌가. 약을 먹어야 언젠가 병도 낫지. 이 길로 절에 가봐야 앉아서 목숨만 재촉할 뿐인데 왜 그래야만 하나."

선생님의 설득은 집요했다. 한마디로 학교에 좋은 선생님이 필요하다, 자네는 좋은 선생님이 될 수 있다, 한때 학교에서 소사 일을 하며 공부했던 은혜를 입었다면 이제 그것을 갚아야 한다고 우겼다. 나는 선생님의 설득에 넘어갔다. 남은 시간을 학생들 가르치는 일에 던져 넣으리라.

사설학교지만 교사가 되려면 도청과 경찰서의 동의서가 필요했다. 그 동의서는 곧 발부되었다. 이리하여 '학생들을 가르치다 죽겠다'는 생각으로 새로운 삶이 시작되었다.

나는 앞에 앉은 학생들이 옛날의 나 자신이라 생각하고 혼신의 힘을 다하여 가르쳤다. '혼을 부어 가르친다'는 말은 그를 두고 하는 말이리라. 누구나 그것이 이 세상의 마지막 봉사라고 생각하면 나처럼 열심히 하지 않을 수 없을 것이다.

'학생들'이라고 하지만 그중에는 나보다 나이 많은 어른들도 있었다. 그들의 선생이 된 지 얼마 지나지 않아 나는 학생들의 우

상이 되었다. 요샛말로 하자면 인기 교사가 된 것이다. 인기를 얻고자 했던 것은 아니나 워낙 열심히 가르치다 보니 내 마음이 그들에게 전달된 것이리라.

수업 중에 기침이 나면 돌아서서 종이에 객담을 받아 두었다가 쉬는 시간에 몰래 뒷산에 올라가 묻거나 태웠다. 학생들과 가까운 거리에서 마주 보고 이야기를 하지 않으려고 애썼다. 그런 형편인데도 수업이 끝나면 다시 과외수업을 자청하여 신들린 듯이 가르쳤다. 나에게 있는 것, 내가 가진 것, 필요하다면 내 생명까지도 모두 주고 싶은 마음뿐이었다. 전에 권영달 선생이 그랬듯이 나도 틈만 나면 조선의 역사와 말과 글을 가르쳤다.

'일본 제국은 영원하지 않다. 이 세상에서 영원한 권력은 없다.'

이것이 내 생각이었다.

마치 생명을 소진시키듯이 한정된 시간을 곶감처럼 빼먹는다고 생각하며 1년을 살았으나 죽음은 쉽게 오지 않았다. 절망적으로 여겼던 병세는 더하지도 덜하지도 않고 그냥 그대로 주춤거리고 있었다.

'인간의 생명이란 물리적 계량이 힘든 신비로운 것이로구나!'

나는 비로소 죽음만을 기다리며 사는 것이 헛되다는 생각을 하게 되었다.

'생명은 태워 없애는 것이 아니다. 시간표를 정해 놓고 한정된 거리를 달리는 경기도 아니다. 지금까지의 내 태도는 내 생명에

대한 모독이자 죄악이었다. 전에 출가했을 때의 그 원력은 다 어디로 갔는가.'

나는 자신에 대한 채찍질을 멈추지 않았다.

'불교를 학문적으로 연구하고 체계를 세우겠다고 일본 대학에 들어간 행위 자체가 얼마나 어리석은 일이었는가. 너는 지금 대체 너의 생명에 대하여 아는 것이 무엇인가.'

일본에서 배우고자 했던 학문이 얼마나 어리석은 겉껍데기였으며 화석화된 죽은 공부였는지 이제 알 것 같았다. 일찍이 원효 스님은 법을 구하여 당나라로 가다가 해골바가지에 든 물을 마시고 발길을 되돌렸다. 나는 죽음을 눈앞에 둔 이후에야 발길을 돌렸다. 나의 해골을 본 후에야 비로소 깨달은 것이다.

'그렇다. 이제부터는 생사의 근본 도리를 놓지 않으리라.'

나는 은사 선생님께 찾아가 교사 일을 그만두겠다고 했다.

"무슨 소리야. 송 선생이 온 후로 학교가 얼마나 좋아졌는데 갑자기 떠난다고 그래. 학생들이 얼마나 송 선생을 좋아하고 따르는데 그들을 버리려고 하는 거야. 모처럼 좋은 선생을 잡았다 싶어 즐거워하고 있었는데 이게 무슨 날벼락이야."

"저는 갈 길이 따로 있습니다. 선생님께서도 아시지요."

은사 선생님은 한동안 허공을 바라보고 있다가 마침내 고개를 끄덕였다.

"송 선생의 갈 길이 따로 있다는 것은 알고 있지. 그래서 늘 격정을 해왔는데 너무 일찍 이런 일이 벌어지는구먼. 어쩔 수 없는 일이야. 송 선생은 대충 살아갈 사람이 아니거든. 내 욕심만 부리고 무작정 잡으려고 했으니 허물을 용서하게. 다시 산속으로 들어가거든 부디 큰 진리를 깨달아 더 많은 중생을 고통에서 건져내게. 여긴 송 선생이 평생을 보내기에는 너무 좁은 세상이야."

다시 얻은 생명, 부활이다

대창학원의 교사직을 그만둔 나는 그 길로 김용사의 선방으로 들어갔다. 지난날 출가 이래 사교과를 이수하며 불경 공부를 대충 섭렵하고 대학에 들어가 학문으로서의 종교학을 공부하여 주마간산 식으로나마 이론적으로는 조금 접근했다. 그러나 정작 부처님이 깨달은 그 길을 따라가는 일에는 소홀하여 마음 한구석에 숙제를 팽개친 학생처럼 빈자리가 남아 있었다. 죽고 사는 일이 누군가의 손길에 달려 있는 것이 아니라 사람 각자의 마음에 달려 있다는 것을 알고 나서부터 나는 곧장 선방으로 들어가 참선에 돌입했다.

이미 삶과 죽음의 비밀을 희미하게나마 한 조각 얻었으니 그 실상을 모두 깨쳐야겠다는 내 원념은 컸다. 김용사의 선방에 들어가자 무섭게 정진할 수밖에 없었다. 나는 하루 12시간 이상을 정진하며 화두를 참구參究했다. 멀리 달아나는 생명의 옷깃을 붙들고 함께 달리듯이 잠시도 쉬지 않고 화두 속에 몰입했다.

여름 안거가 지나갔다. 약은 입에도 대지 않았다. 내가 한 일이라고는 화두를 잡고 참선·정진한 것뿐이었다. 마음은 맑아졌고 사물의 모습이 투명해졌다. 몸이 벼랑 끝으로 다가갈 줄 알았으나 뜻밖에도 병세는 그냥 그대로였다. 나아지지도 않고 더 나빠지지

도 않았다. 아직 내게 할 일이 더 남았다는 신호일까. 나는 내가 해
야 할 일이 무엇인지 확실하게 알고 있었다. 이것이 과거의 나와
다른 점이었다.

가을이 가고 겨울이 왔다. 동안거에서도 역시 피나는 정진을 했
으나 내 몸은 오히려 가벼워져 갔다. 병세가 호전되고 있었던 것
이다. 언제부터인가 병에 대해서는 잊고 살았다. 오로지 '이 무엇
인가?' 하는 화두에 생명을 실었다.

겨울이 가고 봄이 왔다. 1942년 봄이었다. 나는 걸망을 짊어지
고 운수납자雲水衲子의 길에 들어섰다. 전국을 주유하는 길에 철원
의 심원사에 들렀다. 마침 김용사 강원에서 학인이었던 스님 한
사람이 나를 알아보고 반색했다.

"이게 누구요. 홍근 스님 아니오. 김용사 학인들 중에서 군계일
학이던 분이 여길 다 찾아주시니 정말 반갑구려. 그렇지 않아도
이 절 강원에 강사 스님이 없어 쩔쩔매고 있던 참이니 부디 학인
들에게 가르침을 베풀어 주시오."

심원사 화산강원의 원장은 이춘산이라는 대처승이었다. 당시
모든 절의 주지는 물론이고 중요한 직책은 모두 대처승이 맡고 있
었고 비구는 수적으로도 몇 명 되지 않는 희귀한 존재가 되어가고
있었다. 춘산 스님도 나에게 강사가 되어 달라고 간절하게 붙들었
다. 할 수 없이 1년 동안 심원사 화산강원에서 강사 노릇을 했다.

기왕에 다시 강원에 발을 들여놓았으니 가르치기만 할 것이 아

니라 나 자신도 배워야 했다. 지난날 김용사 강원에서 사교과를 이수했으므로 이번에는 대교과를 공부했다. 가르치고 배우는 일을 겸한 것이다. 불교라는 배움에는 끝이 없다. 그러므로 누구를 가르치는 순간에도 자신을 연마하고 더 나은 것을 배우지 않으면 안 된다.

심원사에서도 몸 안에 침입해 있던 폐결핵에 대해서는 까마득히 잊고 지냈다. 1년 동안의 강사 생활을 마치고 길을 떠나야겠다고 생각하며 몸을 돌아보니 전보다 상태가 좋아졌다. 각혈이 멈추고 기침도 줄어들었다. 생명, 그것은 곧 마음이니, 내 마음 밖에 죽고 사는 문이 따로 있지 않음을 내 육신을 보며 배우고 깨달았다. 혹은 내 깨달음이 먼저이고 내 육신은 그 깨달음에 따라 차츰 회복되어 가고 있었는지도 모를 일이다.

중증 폐결핵 환자의 가슴속 동공이 얼마나 아물었는지 혹은 동굴처럼 더 넓어졌는지 알 길은 없었다. 동경에서의 진찰 이후 병원에 가서 따로 진찰해 본 일이 없으니 그 속을 알 수는 없었다. 그러나 알고 모르고가 무슨 상관이며 가슴에 뚫린 동공의 크기가 얼마 만한지가 무슨 문제이랴.

심원사에서는 계속 강사로 남아달라고 붙들었으나 뿌리치고 길을 나섰다. 금강산에서 묘향산과 백두산을 거쳐 다시 남으로 발길을 돌렸다. 좁은 국토의 구석구석을 뒤지며 수많은 중생, 즉 부처님들을 만났다.

선방에 이르면 참선을 하고 강원에 이르면 강론을 들었으며, 때로는 만행도 했다. 생명을 붙들기 위해 탁발로 한 끼의 밥을 구하며 구름처럼 바람처럼 흘러 다녔다. 때로는 멀리 떨어진 금강산·묘향산의 사암에서 내 이름을 듣고 사람을 보내거나 내가 찾았을 때 옷깃을 붙들거나 하여 초빙하는 일이 잦았으나 나는 어느 곳에도 머물지 않았다.

한 사암에 머무는 일은 애당초 내 관심 속에 없었다. 내 관심은 생명이었다. 그 실상을 바로 깨닫는 것이었다. 인간의 생명 속에는 스스로도 미처 깨닫지 못하는 신묘한 힘이 있다는 것은 알고 있었으나, 그 힘이 무엇이고 어디서 솟아나는지 또 인간은 무엇이고 생명은 무엇인가 하는 근본적인 물음에 대한 대답에는 아직 이르지 못했다. 안심입명安心立命의 고요한 마음자리도 아직은 찾지 못했다.

다만, 한 가지 확실한 것은 하찮은 결핵 따위의 준동蠢動에는 내가 무너지지 않았고, 앞으로도 무너지지 않을 것이라는 자신감이 솟았다는 것이다. 자신감이라기보다 아예 결핵 따위는 잊어버리고 무시해버렸다는 것이 더 옳았다.

그래서 그랬을까. 나는 유랑승의 굶주린 생활을 계속했음에도 건강은 오히려 좋아지고 있었다. 다른 종교에서라면 '기적'이라고 했을 것이다.

그러나 그것은 기적이 아니었다. 원래 있어야 할 자리를 찾아가고 있을 뿐이었다. 중증 폐결핵으로 진단받아 각혈까지 하며 죽음 직전에 이르렀던 내 삶은 이리하여 새로운 생명의 기운으로 되돌아섰다.

김용사 선방 시절 주춤거리던 병마는 선방에서 내가 참선에 몰입하는 동안 기운을 잃기 시작하여 이후 심원사 강원 시절 고개를 숙이더니, 마침내 운수납자의 거친 고행을 하는 동안 내 몸 밖으로 슬슬 빠져 나가기 시작한 모양이었다.

일제 말기, 그 어두운 시절. 목숨을 부지하고 살기도 어려웠던 세상. 비구승으로 수행에 전념하기는 더더욱 어려웠던 그 시절에 나는 생명을 되찾았으니 이제 다시 찾은 그 생명을 어디에 쓸 것인가.

스스로에게 물어봐도 대답은 하나뿐이었다.

청담 스님, 성철 스님… 마지막 남은 비구들

일제 말기, 나라 전체에 남아 있던 비구승의 숫자는 30명 내외에 불과했다. 해방 후 비구와 대처의 대립이 격화되었을 당시 역사가들은 비구와 대처의 세력 분포를 1대 10, 즉 비구승 7백여 명에 대처승 7천여 명이었다고 기록하고 있다. 그러나 이것은 해방되고 나서 한참 후인 1차 정화불사가 일어났을 때, 즉 1950년대 중반의 이야기이고, 일제 말기의 가장 어려웠던 시절, 이 땅에 남은 한국 불교의 보루는 많아야 30여 명에 지나지 않았다.

이는 그 무렵 전국의 사찰을 돌아다니며 고요하게 참선할 선방을 목마르게 찾아본 사람이라면 누구나 알고 있는 사실이었다. 선방만 그리웠던 것이 아니라 그곳에서 수행하는 청정비구의 도반들 또한 우리에게는 사무치게 그리운 존재들이었다.

완전히 일본 불교화된 불교계 측에서는 끝까지 비구승으로 남아 있던 사람들이 마치 공룡이 지구상에 남아 어슬렁거리는 것처럼 불편한 존재들이었다. 일본제국은 한국을 침략하여 동화정책을 쓸 때 가장 먼저 '불교의 일본화'를 추진했고, 이 정책은 일제의 다른 어떤 정책보다 거의 완전에 가까운 성공을 이룬 것처럼 보였다.

우리 스님들에게 일본식으로 대처를 허용하여 오욕의 즐거움을 주었다. 그뿐 아니라 사찰의 주지들에게는 사회지도자의 권위를 부여하여 크고 작은 행사에 면장과 나란히 단상에 앉도록 했고, 물질적으로도 법답을 인정하여 풍요롭게 살도록 배려했다. 무엇보다도 그들에게 대일본제국 황국신민으로서의 높은 긍지를 갖도록 유도했다. 이쯤 되고 보니 대처승을 거부한 스님이 드물었다. 똑똑한 스님들 대부분이 대처승으로 변한 것은 물론이었다.

상황이 이렇게 변한 후에도 여전히 비구승이기를 고집했던 사람들은 대체 왜 그랬을까. 내 경우를 돌아보면 답은 간단하다. 중을 직업으로 삼는다면 모르겠으나 부처님의 제자로서 부처님이 수행하여 깨달았던 그 길을 가기로 발원했다면 당연히 비구승으로 남을 수밖에 없었다. 더 이상 무슨 이유가 필요하겠는가. 어쨌든 이런 비구승이 일제 말기에 이르러서는 지구상의 희귀종처럼 30여 명밖에 남지 않았던 것이다.

이들 중 청담 스님과 성철 스님을 비롯한 상당수가 대승사에 모였다. 가뭄이 들어 저수지가 마르면 물고기와 개구리들은 물기가 남아 있는 웅덩이로 모여든다. 비구승들이 한곳에 모여드는 이치도 이와 비슷했다. 함께 모여 정진하고 힘을 모아 살아남고자 한 것이 아니었을까 싶다.

대승사 선방에 모인 비구승 수좌들은 10여 명이었다. 상주 경찰서에서 모진 고문을 받고 죽었다가 깨어난 청담 스님을 비롯하여, 성철 스님, 우봉 스님도 있었다. 나중에 내무부장관을 지내는 윤

왼쪽부터 일타, 서암, 성철, 혜암, 법전 스님-1987년 해인사 선화자 수련법회

치영의 사촌인 윤포산이라는 사람도 있었다. 그는 자칭 천자라고 떠들던 기인이었다. 대승사 선방은 일제에 쫓겨 더 이상 갈 곳이 없는 이상한 사람들의 집합처이기도 했다.

이 중에서 청담 스님은 나이가 이미 사십대였으나 대부분의 수좌들은 이십대 혹은 삼십대의 젊은 스님들이었다. 이 나이의 사람들은 신분이 무엇이건 일단 황군의 징집 대상이거나 보국대 징용 대상이었다. 나는 휴학계를 내고 아직 학생 신분이었으므로 당연히 학도병 대상이었다. 속으로는 폐결핵을 앓고 있었으나 겉은 멀쩡했으니 순사나 면서기에게 잡히면 전선으로 끌려 나가야 할 판이었다.

스님들이 전쟁에 참여해야 하느냐 마느냐에 대한 논의를 할 필요조차 없었다. 일본 제국주의의 팽창전쟁에 총알받이로 희생되어야 할 이유는 스님이건 목사건 촌부건, 이 땅의 사람이라면 무조건 거부해야 할 일이었다. 대승사 선방에서는 발 앞에 신발을 벗어 놓고 주장자를 등 뒤에 세워놓은 채 정진을 하다가, 순사나 면서기가 나타나면 몽둥이로 한 대 후려갈기고 달아날 준비를 갖추고 있었다.

나도 대승사 선방의 도반으로 함께 정진했으나 사태는 다른 사람들보다 더 불리했다. 다른 사람들은 징용 대상이었지만 일본 대학의 학생 신분이었던 나는 곧장 학도병으로 끌려갈 신세였다. 학도병으로 끌려가면 총알받이 역할밖에 할 것이 없었다. 동경에서 중증 폐결핵 선고를 받았을 때는 죽음에 대해 그토록 담담한 나였지만 명분 없는 전장에서 총알받이로 희생되기는 싫었다.

나는 선방에서 참선을 하지 않고 아예 산으로 올라갔다. 새벽 일찍 산으로 올라가서 깊은 산중에 앉아 좌선을 하다가 밤에 내려오거나 천연 동굴 같은 곳에서 잠을 자기도 했다. 일본 순사와 관리들이 나의 수행을 도와준 셈이었다.

이때 나는 처음으로 생식을 했다. 산에서 지내다 보니 익은 음식을 만들 수 없어 자연히 생식을 하게 되었다. 아침에 올라갈 때 불린 쌀과 물 한 병을 들고 가면 하루 종일 깊은 산속이 드넓은 도량이었다. 일본 관헌들은 산속까지 쫓아오지는 못했다. 산으로까지 잡으러 올 경우 개를 풀어 물게 하거나 다른 방법으로 대항하여 피해가 많았으므로 그들도 겁을 먹어 산속으로는 오지 않았다.

산에서는 억새풀을 베어 칡으로 엮은 다음 한 자락은 깔고 한 자락은 덮으니 그만한 호강이 없었다. 배고프면 불린 쌀을 씹고 목마르면 물을 마셨다. 꼬챙이로 복령을 캐 먹었고, 많이 캘 때는 약국에 내다 팔기도 했으니 생산까지 했던 셈이다. 그렇게 살면서 경을 읽고 화두를 참구했다. 지금 생각하면 그것도 한 마당의 멋진 삶이었다. 1944년 후반부터 1945년 해방이 되기까지 내 수행의 모습은 이런 것이었다. 다른 스님들도 한편으로는 일본 순사와 면서기의 눈을 피하면서 다른 한편으로는 수행 정진하는 이상한 안거를 계속할 수밖에 없었다.

청담 스님 이야기

이 무렵 내가 가장 가까이 지냈던 인물은 청담 스님과 성철 스님이었다. 청담 스님은 '마지막 남은 비구들' 중에서도 핵심적인 역할을 했던 인물이었으므로 그에 대해 생각나는 일화가 많다.

청담 스님의 당시 법명은 순호였다. 순호 스님은 1940년대 초기 대처승에게 점령당한 절에 환멸을 느끼고 속리산 밑 야산의 초막집에서 살았다. 이름도 '고 선생'으로 부르게 했다. 여기에 성철 스님을 비롯한 몇몇 젊은 수좌들이 합류했다.

'고 선생'에게는 훌륭한 시주가 있었다. 화령장 출신으로 뒷날 민주당 시절 국회의원을 지내는 김기룡이라는 사람이었다. 김기룡은 일제 말기 화령장에서 정미소를 운영했는데 공출 쌀도 이곳을 통해 집하되었다. 많은 곡식이 들고나니 쌀 한 가마니쯤 몰래 빼돌리기는 어렵지 않았다. 순호 스님을 존경하고 따랐던 김기룡은 자주 쌀가마니를 빼돌려 순호 스님 일행이 사는 초막으로 져 날랐다.

이러한 사실을 안 마을 사람들의 마음에 불만이 생겼다. 자신들은 죽을 먹기도 어려운 판인데 어디서 왔는지, 어떤 사람들인지 알 수 없는 중들이 모인 곳에 쌀가마니가 들어가니 이는 틀림없이 독립운동을 하는 불온한 패거리들일 것이라고 생각하여 고발을 해버렸다.

고발을 접수한 상주 경찰서는 발칵 뒤집혔다. 독립운동 세력의 본거지를 뿌리 뽑을 기회라 여겨 크게 흥분한 것도 무리는 아니었다. 상주 경찰서는 유도로 단련된 형사들로 특공대를 조직하여 트럭에 가득 싣고 현장으로 달려와 한밤중에 산을 포위했다.

이때 마침 스님들은 모두 어딘가로 떠나버리고 이 비상작전의 그물에 걸려 많은 사람이 변을 당했다.

순호 스님은 사건이 나던 때 김천에 머물고 있었다. 잠시 피신해 있으면서 소문을 들으니 원흉은 자기인데 애먼 사람들이 줄줄이 잡혀가 변을 당하고 있는지라 더 이상 숨어 있을 수가 없었다. 순호 스님은 의롭고 자비로운 사람이었다. 그는 제 발로 상주 경찰서로 걸어 들어가 자수했다.

순사들은 순호 스님의 한쪽 팔에 서너 명씩 달라붙었다. 다리에서부터 머리에까지 여남은 명이 달라붙어 포승줄로 묶었다. 그런 다음 거꾸로 매달아 입을 막아놓고 코에 물을 부어 넣었다.

"이놈들아, 나는 공부하는 스님일 뿐이다. 참선하는 스님이 무슨 죄란 말이냐."

순호 스님은 오랫동안 생식을 하며 수행했기 때문에 5분이나 10분 정도는 숨 쉬지 않고 견딜 수가 있었다. 그러나 다시 숨을 쉬니 물이 뱃속으로 들어가 출렁거렸다. 또, 코로 물이 들어가 배가 불룩해지면 엎어 놓고 토하게 했다. 후일 순호 스님은 "마치 물속에서 헤엄치는 것 같았다"고 얘기했다.

신통력 있는 사람이니 모질게 다루어야 한다는 생각에서 형사들은 보통 죄수들보다 몇 배나 더 거칠게 고문을 했다. 살이 터지고 뼈가 으스러졌다. 그래도 신통력을 부리지 않으니 어찌 된 일이냐고 저희들이 오히려 의아해 했다.

"보면 모르냐. 나는 스님이다. 스님이 무슨 신통력을 부린단 말이냐."

몇 달 동안 순호 스님은 죽을 고생을 했다. 가만 두었으면 상주 경찰서에서 살아 나오지 못했을 것이다. 춘원 이광수 선생이 적극 노력을 하여 간신히 나오기는 했으나 반은 죽은 상태였다.

이것이 해방을 눈앞에 둔 1944년과 1945년 '마지막 비구승들'의 살아가는 모습이었다. 더러는 자운 스님처럼 징용에 끌려가 북해도에서 고생하다 해방된 후 살아서 돌아온 스님들도 있었고, 영영 돌아오지 못한 아까운 수좌들도 있었다.

상주 경찰서 사건 이후 순호 스님과 성철 스님을 포함한 많은 수좌가 대승사 선방에서 일본의 마수를 피하며 정진하다가 내 나라를 찾는 기쁨을 맛보았다. 나도 대승사에서 생식을 하며 산속에서 좌선하는 희한한 고행을 하다 우리 삶의 질곡이었던 일본 제국이 무너지는 소리를 들었다.

제2장
목숨을 걸고 길을 찾다

겉모습만 시체가 아니라 실제로도 내 생명은 갈림길에 서 있었다. 폐결핵이 완치되지도 않은 상태에서 목숨을 부지하기 힘들 정도의 단식을 감행했으니 자칫하면 그대로 열반적정에 들 지경이었다.

'천상천하유아독존의 마음자리, 바로 이것이로구나' 하는 탄성이 절로 샘물처럼 솟아올랐다. 먼 길을 돌아서 마침내 고향에 돌아온 것 같은 편안한 마음이었다.

해방

해방되었을 당시 나는 서른두 살의 비구승이었다. 일제 말기의 무차별 징용과 징집을 피하여 용케 살았고, 거의 완전에 가깝도록 일본 불교화된 한국 불교계의 척박한 풍토 속에서 한 줌밖에 되지 않는 비구승 중의 한 사람으로 살아남았다. 그리고 폐결핵의 침범으로 사그라지던 생명까지 되돌려 받았다.

나라는 되찾았으나 사람들은 어디로 가야 할지 몰라 우왕좌왕했다. 이 혼란 속에서 그나마 목숨을 부지해 온 비구승으로서 무슨 일을 해야 할 것인가. 산속에 앉아 징용의 위험 없이 태평하게 마음껏 참선이나 할 것인가. 그것도 괜찮은 일이었지만 당장 눈앞에도 할 일이 지천으로 널려 있었다.

여러 가지 할 일을 눈앞에 두고 그중에서 무엇을 해야 할지 선택하는 것은 아주 어려운 일이다. 중이 스스로 안심입명의 세계를 구하기 위해 산속으로 들어가 수행에 전념할 것인가, 여항閭巷으로 나와 고통 받는 중생들의 고통을 함께 안고 그것을 조금이라도 덜어주는 일을 해야 할 것인가를 선택하는 일도 어려운 문제였다.

그러나 원칙이 세워지면 문제는 간단해진다. 내게는 하나의 원칙이 있었다. 중생의 고통을 덜어주는 일을 하더라도 불법에 맞게 수행하는 자세로 하면 산속에서 정진하는 것과 다를 바가 없으며,

산속에 앉아 홀로 정진하더라도 뭇 중생의 고통을 잊지 않으면 자비 실천에서 동떨어지지 않는다는 것이었다. 후일 경북 종무원장을 시작으로 총무원장, 원로회의 의장, 종정 등의 직책을 맡았을 때 잠시도 이 원칙에서 벗어나지 않으려고 했다.

나는 한 번도 그런 직위나 직책을 스스로 소원한 일이 없었다. 그러나 세상과 종단 그리고 여러 불자들이 원한다면 어떤 일이라도 맡아 사심 없이 직무를 수행했다. 그러다가 내게 주어진 직무를 제대로 해나갈 환경이 되지 못할 때는 터럭 끝만 한 미련도 없이 그 '자리'를 내던지고 수행자의 처소로 돌아왔다. 어디에 있으나 내 행동과 마음이 늘 한결같기를 원했고, 대부분은 바람대로 되었다.

해방이 되자 나는 곧장 서울로 올라갔다. 아마 이 땅에 사는 사람들 모두가 마음은 서울로 가고 싶었을 것이다. 해방이 되었다는 사실, 앞으로 우리의 운명이 어디로 흘러갈 것인지 직접 눈으로 보고 확인해야겠다는 생각, 그리고 그러한 수레바퀴를 돌리는 데 작은 힘이라도 보태고 싶다는 조바심에서 모두 서울의 움직임에 눈과 귀를 모으고 있었고, 가능하기만 하다면 그 현장에 있고 싶어 했다.

나도 우리 민족의 앞길이 궁금했고, 불교가 바른 모습을 되찾기 위해 어떤 진통을 겪어야 할 것인지 알고 싶었다. 소식이 끊어졌던 옛 도반들을 만나고 싶은 마음도 간절했다.

서울로 올라가면서 바랑 속에 노자가 충분치 못하여 걱정이 되었다. 혹시나 서울에서 굶게 될까 봐 백설기 한 사발을 쪄서 짊어지고 올라갔으나, 정작 선학원에 도착해 보니 밥만 잘 해먹고 있었다. 가지고 간 백설기를 내놓기가 창피해서 그냥 두었다가 이틀인가 지난 후 꺼내 보니 곰팡이가 슬어 있었다.

사방에 음식이 넘쳤다. 광복을 맞아 인심이 풀어졌고, 관대해진 탓이었다. 촌에서도 소를 잡아 나누어 먹었다. 도둑이라고는 없었다. 동포가 모두 형제처럼 다정했다. 법이 없어도 불편하지 않았다. 그러나 나중에 미국 사람들이 들어와 규칙과 법령을 공포하고 일본 경찰 출신들을 다시 불러들여 치안을 맡기면서 인심은 독해지고 도둑이 들끓게 되었다.

선학원에 모인 수좌들에게도 희망과 불안이 엇갈리고 있었다. 그러나 한 줌밖에 되지 않는 비구들이었지만 장차 이 땅의 불교는 우리 손으로 다시 일으켜야 한다는 사명감과 무거운 책임감에는 마음이 일치했다. 내게도 할 일이 산적해 있었다. 선학원의 수좌들이 서울에 남아 함께 일을 하자고 만류했으나 나는 당장 발길을 돌려 예천으로 내려갔다.

불교 청년운동

예천으로 돌아오자 제일 먼저 내게 온 요청은 대승사의 포교당을 맡아 운영해 달라는 것이었다. 대승사는 일제 말기 '마지막 비구'들이 모여 수행하던 뜻깊은 절이었으므로 해방과 함께 포교당을 맡아 마음껏 불법을 펴보는 것도 해볼 만한 일이었다.

그러나 나는 이보다 더 급한 일을 발견했다. 일제에 의해 징병 또는 징용당하여 멀리 죽음의 땅으로 끌려갔던 사람들이 해방과 동시에 속속 고국으로 돌아왔으나 그들을 따뜻하게 맞이하는 기관이 없었다. 일본으로 유학 가서 잠깐 사는 동안, 그곳으로 끌려가거나 살 길을 찾아갔던 사람들의 고생이 어떤 것인지를 눈으로 보았던 나로서는 이들의 귀국을 먼 산 바라보듯 보고만 있을 수가 없었다.

나는 우선 예천 읍내에 일본인들이 살다가 버리고 간 적산 가옥 한 채를 빌려 포교당을 차렸다. 북해도와 남양군도 등지에 보국대로 끌려갔던 사람들이 배편으로 부산항에 내린 후 다시 열차편으로 자신의 고향으로 돌아갔는데, 예천 방면의 귀국 동포들은 상주에서 내렸다.

나는 트럭 한 대를 빌려 상주로 가서 예천 방면 귀국자들을 실어 와 일단 포교당에 재우면서 따뜻한 밥을 해먹이고 마음의 상처를 위로한 뒤 각자 그들의 고향으로 돌아갈 차편을 알아봐 무사히 고향에 닿을 수 있도록 보살폈다.

그들 중에는 돌아갈 고향도 기다리는 가족도 없는 경우도 있었다. 이런 사람들에게 따로 일자리를 마련해주는 것도 포교당이 하는 일 중의 하나였다. 부처님의 가르침을 굳이 따로 전할 필요가 없었다. 정해진 예불만 같이 하면 그만이었다.

포교당을 중심으로 불교 청년운동도 일어났다. 불교가 스스로를 깨끗이 하고 중생을 위해 한 걸음 나아가야 하며, 해방의 혼란 속에서 길잡이 노릇을 해야 한다는 자각이 청년운동의 불을 지폈다. 나는 이 청년운동의 구심점이 되었다.

나는 적극적으로 활동했다. 그러나 세상은 불법을 펴는 데만 마음을 둔 젊은 중이 이해하기 어려운 방향으로 묘하게 흘러갔다. 한마디로 실망이었고 좌절이었다. 드높은 벽을 만난 기분이 바로 그런 것이리라. 그중에서 가장 심한 것은 정치였다.

미국인들이 들어와 군정을 실시하는 것까지는 어쩔 도리 없는 일이라 하겠으나, 그 군정이 친일파들을 등용하여 그들에게 부와 권력을 다시 안겨주는 세상이 되어가는 모습은 참으로 받아들이기 어려웠다. 반면에 독립투사들과 양심적으로 살던 다수의 사람들은 새로운 질서 속에서도 소외되고 멸시 당했다.

나의 좌절은 분노로 변해 갔다. 이처럼 역사가 잘못되어가는 흐름 속에서 또 다른 잘못된 흐름, 역류가 일어났다. 좌우익의 충돌이 그것이었다. 주민들은 어디서 흘러온 것인지 출처도 알지 못하는 값싼 이데올로기에 젖어 편이 갈라졌고, 편이 다른 무리들끼리 원수가 되어갔다. 대구를 중심으로 10·1폭동이 일어난 것이 이 무렵이었다.

10·1폭동이 일어나자 경상북도 일원은 걷잡을 수 없는 혼란 속으로 빠져들었다. 예천도 예외가 아니었다. 누구든 공산주의자 아니면 민족진영이어야 했다. 민족이 무엇이며 공산주의가 무엇인지 제대로 따져볼 여유도 없었다. 정치를 하는 사람들이 제 마음대로 색깔을 정해 놓고 사람들을 그 깃발 아래로 뭉치게 한 것이었다. 그리하여 서로 싸우고 죽였다.

나의 포교당도 색깔 때문에 의심을 받았다. 양심적인 인사들이 도태되고 친일했던 무리들이 다시 득세하는 것을 보고 환멸을 느껴 바른 소리를 했더니 빨갱이 아니냐는 소리가 들렸다. 자칫하면 포교당은 물론이고 이 지역 불교 청년운동마저 피비린내 나는 격류에 휘말릴 판이었다.

불교계 전체도 혼란 속에 빠져 들기는 마찬가지였다. 해방 직후부터 젊은 비구승들을 중심으로 일어나기 시작한 왜색불교 추방운동은 막강한 힘의 기득권을 가진 대처승들에 의하여 외면당했다. 이에 대항하여 비구승들이 선학원을 중심으로 정치적인 공세를 펴는 가운데 일부 비구승들이 김구 선생을 따라 북한에 갔다가 공산정권에 동조하여 평양에 주저앉는 사건이 발생했다. 이 일로 인하여 '비구승은 모두 빨갱이'라는 대처 측의 역공이 시작되었다. 많은 훌륭한 비구승이 이 회오리에 휘말려 곤욕을 치렀다. 경봉 스님이 대표적인 사례였다.

나도 더 이상 예천의 포교당을 지키기 어려운 입장에 처했다. 해방과 함께 새 세상을 보자고 했던 어리석은 불자의 순진한 꿈이 얼마나 허망한 것이었나를 깨달은 것이 그나마 소득이라면 소득이었다. 그러나 내가 세운 원칙은 이 와중에서도 변하거나 훼절되지 않았다.

계룡산 토굴 속에서 여여한 마음을 보다

잘못된 정치, 잘못된 이념이 만들어놓은 현실의 극단적인 왜곡을 보면서 나는 크게 실망하고 낙담했다. 중이 할 수 있는 일과 해서는 안 되는 일의 한계를 분명하게 깨달은 것이 유일한 소득이었다.

환멸을 느낀 나는 미련 없이 예천 포교당을 버리고 바랑 하나 짊어진 채 계룡산 깊숙한 골짜기로 들어갔다. 갑사 위에 있는 신흥사에는 천연 바위굴이 하나 있었다. 이 바위굴에서 정진에 들어갔다. 그동안 출가한 이래 교학을 공부하고 간간이 선방에서 참선도 하면서 나름대로 열심히 수행을 해왔으나 눈앞이 환하게 밝아오는 큰 깨우침의 경지에는 이르지 못했다.

해방이 되어 잠시나마 세상에 자비의 손길을 던져주기 위해 동분서주한 것도 의미 없는 일은 아니었으나 내가 세상에 자비의 빛을 비추기 위해서는 나 자신이 먼저 빛을 보지 않으면 안 된다는 것을 뒤늦게 깨달은 것이다.

'여기서 한 발자국도 물러나지 않으리라. 큰 깨달음을 얻기 전에는 살아서 이 바위굴에서 나가지 않으리라.'

서너 달 동안 바위굴에서 참으로 무섭게 정진했다. 목숨을 걸고 길을 찾는다는 것은 그 같은 상황을 두고 하는 말이었으리라. 처음에는 솔잎을 먹으며 좌선에 들었다. 그러나 조만간 위장이 뒤틀리고 구토증이 일어나는 바람에 솔잎만 먹는 것은 피하고 생식으로 살았다.

서너 달 중에서 한 달 가량은 완전히 곡기를 끊고 단식에 들어갔다. 바위굴에서 잠을 자고 단식을 하며 좌선하니 몰골이 말이 아니었다. 수염은 텁수룩하여 원시인 같았고, 몸에서는 악취가 진동했다.

한 번은 갑사의 비구니들이 지나가다 동굴 밖으로 나와 좌선하고 있는 나를 보고 거지인 줄 알았던지 동전 몇 푼을 던져 주고 간 적도 있었다.

봄날이었다. 바위굴 밖으로 나가 좌선하고 있는데 나물을 뜯으러 거기까지 올라온 마을의 아낙네들이 나를 보더니 기겁을 하고 바구니를 팽개친 채 도망을 쳤다. 미안해서 굴속으로 들어가 가만히 밖을 살피노라니 도망갔던 아낙네들이 살금살금 되돌아와 바구니를 손에 들고 꽁지가 빠지게 도망치는 모습이 보였다.

보통 사람들의 눈에 비치는 나는 이미 사람이 아니었다. 머리는 봉두난발로 풀어 헤치고 살은 모조리 빠져 보기 흉한 뼈만 앙상하게 불거져 있었다. 주름투성이인 얼굴 한가운데 반짝거리는 두 눈만 없었다면 그대로 시체가 걸어 다니는 형상이었다.

겉모습만 시체가 아니라 실제로도 내 생명은 갈림길에 서 있었다. 폐결핵이 완치되지도 않은 상태에서 목숨을 부지하기 힘들 정

도의 단식을 감행했으니 자칫하면 그대로 열반적정에 들 지경이
었다.

　그러나 이처럼 몸은 극한의 지경에 가 있으면서도 마음은 오히
려 맑아졌다. 단식한 지 한 달이 가까워져 올 무렵 내 마음은 잠을
잘 때나 깨어 있을 때나, 꿈을 꿀 때나 생시에나 변함이 없었다.
'천상천하유아독존天上天下唯我獨尊의 마음자리, 그것이 바로 이것
이로구나' 하는 탄성이 절로 샘물처럼 솟아올랐다. 먼 길을 돌아
서 마침내 고향에 돌아온 것 같은 편안한 마음이었다. 삶과 죽음
의 경계마저 한갓 공허한 그림자처럼 사라졌다. 어두운 바위굴 안
이 그렇게 밝고 따뜻할 수가 없었다.

공부하다 죽을 각오로 시작한 칠불암 정진

계룡산 바위굴 속에서 한 가닥 밝은 빛을 본 나는 계속 정진하기로 작정하고 해인사 선방을 찾아 들었다. 해인사도 다른 본사들과 마찬가지로 비구와 대처승의 갈등으로 큰 홍역을 치르고 있었다. 그러나 아직은 대처승이 절을 차지한 가운데 비구승의 참선 도량을 넓혀 주려고 애쓰는 모습이었다.

그렇거나 말거나 나는 선방에서 눈이 푸른 납자들을 만났고, 그들과 함께 좌선 삼매에 젖어들면 그만이었다. 달리 더 무엇을 구하겠는가. 계룡산 바위굴 속에서 보았던 밝은 빛은 늘 내 마음속을 환하게 비추고 있었으니 좌선하는 것이 그렇게 즐거울 수가 없었다.

해인사에서 여름 한철을 나고 지리산의 반야봉을 넘어 쌍계사 쪽으로 가다가 칠불암에서 금오 스님을 만났다. 금오 스님과는 두 번째 만남이었다. 금오 스님은 마치 오래 전부터 나를 기다리고 있었던 사람처럼 반갑게 맞아주었다.

"이것 보시게. 칠불암 이 좋은 터에 우리가 저절로 모였으니 어디 한바탕 죽기 살기로 공부를 해보지 않으려나."

그럭저럭 모인 대중이 칠팔 명 되었다. 모두들 금오 스님의 '죽기 살기 식' 공부에 동참하기로 했다. 금오 스님이 제일 연장자였으므로 소임과 규율을 정했다.

"도림과 나는 나무를 할 테니 나머지 스님들은 탁발하여 시주를 받아오시오."

공부에 들어가기 전에 살림을 마련해야 했다. 대중을 두 편으로 나누어 금오 스님과 도림 스님은 땔나무를 하고 나머지 여섯 사람은 다시 세 명씩 나누어 탁발을 하기로 했다. 이 중 나와 동묵, 도천 스님은 진주를 거쳐 부산 방면으로 떠났고 다른 세 사람은 마산, 창녕 방면으로 떠났다.

진주에 도착하자 우리 셋 중 한 사람에게 문제가 발생했다. 촉석루 주변에 거지같은 사람들이 땅바닥에 드러누워 햇볕을 쬐고 있었는데 그들이 정말 거지인지, 병이 들어 죽기를 기다리는 무리인지, 아니면 도인들인지 분간하기가 어려웠다. 우리 일행 중의 한 사람이 그 모습을 보더니 탁발이고 공부고 다 제쳐두고 그 도인들 틈에 끼어들고 말았다. 극락이 따로 있겠는가. 그가 저들의 사는 모습에서 극락을 찾았다면 그 또한 말릴 수 없는 일이었다.

부산까지 갔다 오는 긴 탁발 끝에 진주에 돌아와 보니 그 스님은 길바닥에 누워 죽어가고 있었다. 무슨 병인지는 모르나 병이 깊게 든 모습이었다. 아마도 마음의 병이 더욱 깊었으리라. 나는 아직도 그 스님이 왜 그런 선택을 했는지 이유를 모른다. 그는 함께 가자는 나의 권유를 거절했다. 그 뒤로 그 스님의 모습은 물론 소식도 들을 수 없었다.

탁발을 하고 돌아오자마자 금오 스님은 나에게 색다른 제의를 했다.

"우리가 탐진치貪瞋癡 삼독三毒에 죽지 공부하다가 죽지는 않습니다. 그러니 공부하다가 죽어도 좋다는 서약서를 쓰고 목숨을 걸고 공부해 봅시다."

금오 스님의 제의대로 모두 공부하다가 죽어도 좋으며, 어떤 일이 있어도 정해 놓은 규율을 지키겠다는 서약서를 썼다. 그런 후에 물푸레나무로 홍두깨를 한 짐이나 만들어 놓고 좌선에 들어갔다. 참으로 피나는 정진이었다. 잠시도 눕거나 자거나 쉬지도 않고 정진에 정진을 거듭하는 그야말로 '죽기 살기 식' 공부였다.

처음 이레 동안은 아무도 조는 사람이 없었다. 두 주일이 지나자 너나없이 모두 머리를 끄덕거리며 졸기 시작했다. 그럴 때마다 물푸레나무 홍두깨가 어깨며 촛대 뼈를 사정없이 내리쳤다. 얼마 안 가 모두들 온몸에 구렁이가 기어가는 듯한 상처로 덮였다. 몇 주일이 지나자 그중 두 사람이 도망 가버렸다.

두 스님이 도망간 지 얼마 지나지 않아 여수·순천 사건이 터졌다. 여순 사건이 진압되고 반란군의 주력이 지리산으로 숨어들면서 지리산은 전체가 전장으로 변했다. 칠불암도 더 이상 평화로운 수도의 도량으로 남을 수는 없었다. 죽을 각오로 시작한 칠불암의 결사는 이렇게 하여 중도에 끝이 났다. 이렇게 끝이 나지 않더라도 어차피 이 공부는 조만간 끝을 맺어야 한다는 생각을 누구나 어렴풋이 가지고 있었을 것이다.

그러나 칠불암의 정진은 대단한 기상이었다. 해방 이후 혼란 속에서도 '제대로 공부하여 깨치자'는 수행승들의 결사는 이처럼 도처에서 일어나고 있었다. 일제 치하에서 제대로 공부하지 못했다는 자각에서 오는 반작용이었을 수도 있다. 어쨌든 이 같은 수행승들의 기백과 발원이 일제의 길고 어두운 터널을 거쳐 오며 명맥이 끊어지다시피 한 한국 불교의 전통 선맥을 이어가고 크게 중흥시키는 씨앗이 된 것만은 틀림없다.

칠불암 공부에 참여한 스님들 개인적으로는 이 혹독한 정진으로부터 얻은 것이 별로 없었다. 여순 사건으로 중도에 그친 탓도 있지만, 지나친 자기 억제와 강요된 규율은 공부에 큰 도움이 되지 않는다는 교훈을 얻었을 뿐이다.

계룡산에서 6·25를 만나다

칠불암을 떠난 나는 서울의 망월사로 올라가 한철을 보냈다. 세상 돌아가는 일이 뒤숭숭했다. 예감이 이상하고 무슨 일이 일어날 것 같았다. 나는 종종 이런 예감이 들 때가 있었는데 이를 사람들에게 이야기하면 머지않은 날에 그 예감이 적중하곤 했다. 그런 일이 여러 번 쌓이다 보니 '앞날을 볼 줄 안다' 하여 찾아오는 사람도 있었으나 그런 사람은 상대도 하지 않고 쫓아버렸다. 사람은 오래 마음을 비우고 닦다보면 다가오는 앞길이 보이는 경우도 없지 않다. 그러나 이를 밑천 삼아 장사하는 스님들은 혹세무민의 나쁜 일에 빠져 있는 것이다.

무슨 일이 일어날 것 같은 뒤숭숭한 예감 때문에 망월사를 떠난 나는 강화도 보문사를 거쳐 남쪽으로 내려갔다. 다시 금오 스님을 만나 안면도로 가서 편무백의 가정 선원에서 참선을 하고 계룡산으로 들어갔다가 그곳에서 6·25를 만났다. 계룡산에서 동족 살상의 전란을 피한 나는 전선이 북으로 이동한 사이에 문경군 농암면의 청화산에 있는 원적사圓寂寺로 옮겼다. 이때 처음으로 작은 절이나마 자리를 잡고 앉았다.

원적사는 원효元曉 스님이 창건한 고찰이기도 하지만, 6·25 직후 이곳저곳 떠돌아다닐 때 수좌들이 고요하게 수행하기에 좋은 절이라는 소식이 풍문처럼 들려오던 곳이었다. 그러나 좋다는 소문은 무성했어도 공비의 출몰로 절은 비어 있는 상태였다. 나는 한 번도 가본 적이 없는 원적사에 마음이 끌렸다. 무엇보다도 수좌들의 눈에 좋은 절로 소문이 퍼져 있으면 그곳은 필시 수행하기에 가장 적절한 도량일 것이기 때문이다.

원적사는 김용사의 말사였다. 원적사를 동경하며 지내던 어느 날 우연히 김용사 스님을 만나게 되었다. 스님께 원적사를 줄 수 없냐고 부탁을 하자, 비어 있으니 얼마든지 가 있어도 좋으나 공비들이 들락날락해서 살 수가 없을 거라고 했다.

때가 때이니만큼 원적사에서의 생활은 군인들과의 사이에서 우여곡절이 많았다. 보따리 하나를 들고 원적사가 있는 청화산 초입에 들어서자 우선 가로막은 것은 경찰이었다. 패잔병들이 이북으로 넘어가는 길목이라 군인들이 부락마다 천막을 쳐놓고 삼엄하게 경비를 했고 인심 또한 뒤숭숭하고 어지러운 때였다. 남루한 중 한 사람이 이런 전시상황에 공비들이 득실거리는 산에 올라가 산다고 하니 막는 것은 당연했다.

"지금 공비들이 경찰서 코앞에 있는 마을의 소까지 끌고 가는 판에 혼자 절을 지킨다는 것은 말도 안 됩니다."

"달라고 하면 뭐든지 다 줄 것이니 겁날 것 없습니다."

내 고집에 못 이겨 올라가는 것은 허락했으나 매일 내려와서 보고해야 한다는 단서를 붙였다. 가지 말라는 소리와 마찬가지였다.

나는 끝까지 단호하게 밀고 나갔다.

　"수행하러 산중으로 올라가는 사람보고 매일 내려와 보고하라
니, 날더러 중질 하지 말라는 소리보다 더하지 않습니까? 나는 그
렇게 할 수 없습니다."

　그러자 옆에서 가만히 지켜보고 있던 지서장이 '올라가도 좋
다'고 허락을 해주었다.

한국전쟁 당시의 원적사

　풍문에 설레어 찾아간 원적사였지만 이때부터 전장이나 다름없는 생활이 시작되었다. 한번은 탁발을 하러 마을로 내려갔다가 늦은 밤에 산을 오르는데 잠적해 있는 군인이 불시에 숲에서 튀어나와 총부리를 들이대며 누구냐고 소리 질렀다.

　"누구요?"

　나도 깜짝 놀라 맞소리를 질렀다.

　"누구요?"

　"원적사 주지 스님입니까?"

　지금은 신도들이 스님 부르기를 소임에 따라 교무 스님, 재무 스님하고 부르지만, 그때만 해도 스님이라 하면 으레 주지밖에 몰랐으므로 군인들은 그렇게 불렀던 것이다. 신분이 확인되었지만 군인들은 내가 올라가다가 공비라도 만나 위협하면 자신들의 잠복 사실을 알릴까 봐 입산을 저지했다.

　"나는 목에 칼이 들어와도 그런 밀고는 하지 않을 것이니 염려하지 마시오. 중이 절에 가지 않으면 어디서 살란 말이오."

　언제나 이런 식으로 대들어 기어코 올라가고는 했다.

　그렇다고 모든 군인이 수행자로서의 내 뜻을 이해해 주었던 것은 아니다. 지금은 깊은 산사에서도 기름 보일러 등으로 난방을 하지만, 그때는 당연히 산에서 나무를 해다가 땔감을 마련해야 했다. 내가 나무를 하러 갈 때 원적사를 지키는 것은 목탁이었다. 내가 없는 사이 혹시 누가 높은 곳까지 올라왔다가 헛걸음을 할까 걱정이 되어 기둥에 목탁을 걸어놓고는 '누구든 오거든 목탁을 치시오'라고 써놓았다.

그날도 나무를 한 짐 해놓고 쉬고 있는데 절에서 연기가 치솟았다. 깜짝 놀라 한달음에 내려와 보니 절 마당에서 기가 막힌 장면이 벌어지고 있었다. 70~80명이나 되는 군인들이 몰려와 우글거리며 밥을 해먹겠다고 저마다 사방에 반합을 걸어 놓고 겨우겨우 해다 쌓아놓은 몇 짐의 나무를 풀어 때며 난리를 피우느라고 연기가 등천한 것이었다. 부아가 치밀어 꾸중을 했다.

"이게 무슨 짓이오. 솥이 있는데 솥에다 해먹을 일이지 무엇 때문에 구석구석에서 난리요. 이러다가 천년 고찰에 불이라도 나면 어쩌려고 그러시오."

나라를 지키기 위해 애쓰는 것은 알지만, 대한민국 젊은이라면 당연히 해야 할 일이었으므로 그것을 빌미로 무엇이든 용서받을 수는 없는 일이었다.

내가 하는 말에 비위가 틀렸는지 군인 하나가 눈을 부라리며 대들었다.

"중 아저씨, 너무 하지 않소."

"중 아저씨 너무 하다니, 입장을 바꿔서 내가 당신네 부대 안에

가서 밥을 해먹는다고 이 야단을 치면 당장 총으로 쏘고도 남았을
것 아니오."

이 말에 모두들 웃고 말았다.

전시의 세상은 한마디로 무법천지였다. 군인들의 행동이 평상
시와는 달리 거칠어져 민간인들과 부딪치는 경우도 있었다. 원적
사에서 군인들과의 사이에 겪었던 일들 가운데도 이렇게 좋지 않
은 일이 가끔씩 있었다.

청화산은 워낙 골이 깊은데다 숲은 지척도 가릴 수 없을 만큼
우거져 어디서 출몰할지 모르는 공비들 때문에 겨우 산등성이로
나 다녀야 했다. 경찰은 아예 근처에 오지도 못했고, 군인들도 1개
중대씩 떼를 지어 작전을 하는 모양이었다. 나도 나다니기가 귀찮
아 솔가루를 빻아 연명하고 있었다.

하루는 군인들이 들이닥쳐 절을 수색했는데 구둣발로 방 안까
지 들어와 난리를 폈다. 먹을 것이 있으면 무조건 빼앗아 갈 판이
었다. 그러나 아무리 뒤져도 나오는 것이라고는 단지 속에 든 파
란 가루뿐이었고 그걸 찍어먹어 보았자 맛이 있을 턱이 없었다.
도대체 무엇을 먹고 사느냐며 도리어 동정을 했다. 대장인 듯한
사람이 "식량을 좀 주겠으니 군막으로 오라"고 했다. "식량은 급하
지 않은데, 추워서 견디기가 힘드니 담요나 몇 장 달라"고 했더니
"담요는 숫자가 있어서 안 된다"고 했다.

원적사에 모인 수좌들

그런 와중에도 내가 그곳에 있다는 소문이 돌자 사방에서 젊은 수좌들이 하나 둘 모여들어 텅 비어 있던 원적사에는 생기가 돌기 시작했다. 절에 생명을 불어넣어 주는 것은 뭐니 뭐니 해도 사람의 숫자가 아니라, 수도자의 수행력이었다. 하지만 그렇게 모인 젊은 수좌들이 때로는 국군으로 때로는 인민군으로 붙잡혀갔다. 법이 없는 시대라 길거리를 지나다가도 붙들려 가면 그만이었다. 군 입대 연령에도 일정한 기준이 없어 마구 징집할 때라 낙동강 방어전 때는 해인사 강원의 스님 수십 명이 인민군에 붙들려간 일도 있었다.

지금 범어사에 있는 지유 스님도 당시 나보다 열 살쯤 아래여서 한창 붙잡혀가기 쉬운 나이였다. 처음에는 인민군에 붙들려가서 천신만고 끝에 탈출했으나 다시 국군에 붙잡혀가서 죽을 고비를 넘기고 탈출하여 내가 있는 원적사로 왔다. 이처럼 스님들 대부분이 병역 문제를 수습하지 못하고 이 절 저 절을 왕래하다가 더러는 인민군에, 더러는 국군에 붙들려가 전장의 이슬로 사라진 경우도 많았다. 자연히 원적사에 모인 수좌들 중에도 병역상의 문제를 가진 사람들이 없을 수가 없었다.

이런 사정 때문에 경찰은 기피자를 색출하겠다고 매일 조사하러 왔다. 나는 경찰을 타일렀다.

"가만히 생각해 보시오. 기피자가 다 뭡니까. 중이 되는 것이
무엇인지 알기나 하십니까. 중은 오욕락五慾樂을 등지고 부모형제
마저 다 버리고 오로지 마음 밝혀 성불하려고 하는 사람들입니
다. 조선 시대의 서산西山, 사명四溟 스님도 평소에 수행을 열심히
했기 때문에 나라가 위기에 처했을 때 왜병에 대항하여 싸울 수
가 있었던 것입니다. 지금은 그런 도인이 아쉬운 때입니다. 도인
이 나올 수 있도록 공부하게 내버려둬야 합니다. 군대 기피나 하
려고 이곳으로 온 사람들이 아닙니다. 기피자라고 무조건 잡아가
면 이 나라에 도인의 씨를 말리자는 것입니까. 그래서는 나라가
안 됩니다. 공부하도록 보호해줘야 국가도 발전하는 것이거늘 길
을 막아서야 되겠습니까. 여기는 내가 모두 책임질 터이니 앞으
로 조사 나오지 마십시오."

사실이 그랬다. 그때까지는 지금처럼 입영을 기피하기 위해 갖
은 애를 쓰는 사람들도 없었지만 원적사에 온 수좌 중에도 전쟁터
가 두려워 머리를 깎거나 하는 비겁한 사람은 없었다. 그리고 모
두가 순진했던 그 시절, 경찰들도 나에 대한 약간의 신뢰 때문이
었는지 그 뒤로 내 곁에 있던 수좌들을 조사하러 오는 일은 없었
다. 덕택에 원적사에는 젊은 수좌들의 숫자가 제법 늘어났다.

이런 어려운 형편 속에서도 원적사에 모인 수좌들은 피나는 정
진을 게을리 하지 않았다. 전장에서 사선을 넘나들던 지유 스님

같은 경우는 열심히 정진하더니 드디어 나뭇짐을 부려놓다가 자기 면목을 깨달았다. 전쟁에서 도반들의 죽음을 직접 목격하고 스스로도 죽음의 고비를 수없이 넘나들다 보니 마음이 칼날같이 세워져 있었던 스님은 그 대쪽 같은 발원 때문에 마침내 본래의 면목을 찾은 것이다.

예나 지금이나 시골에서는 모든 것을 빤히 들여다보고 있으니 방귀만 뀌어도 소문이 확 퍼져 나갔다. 원적사에서는 내가 크게 이탈된 짓을 하지도 않으니 좋은 스님이 와 있다는 소문이 퍼져 나갔다. 덕분에 지서에서도 나를 믿고 어려운 일이 있으면 의논을 해오기도 했다. 그러나 여전히 수좌들은 마을에 내려갔다 하면 붙들렸다. 그래서 나이가 많더라도 내가 탁발을 다닐 테니 수좌들은 나무하고 공부나 열심히 하라고 일렀다. 내가 마을에 내려가 돌아다니며 탁발을 해 산 아래에 갖다 놓으면 젊은 수좌들이 내려와 짐을 져 올리기를 여러 해 했지만 끝까지 서로가 불편함을 몰랐다.

원적사에 모인 수좌들은 대부분이 해인사 선방에서 참선 수행하던 스님들이라 따로 선방 기강 같은 것을 세우지 않더라도 청규淸規가 몸에 배어 있었다. 새벽 세 시면 어김없이 일어나 참선, 정진하고 예불과 공양시간을 비롯하여 그 외의 승려생활에 필요한 제반 규칙을 철저하게 지켜 나갔다. 전쟁의 후유증만 아니었다면 그처럼 좋은 도량, 그처럼 열심히 공부하는 곳도 흔치 않았을 것이다.

그러나 한편으로 전쟁이 주는 인간적 고통은 그곳에 모인 수좌들의 발심을 더욱 칼날 같게 하여 무섭게 정진하도록 하는 채찍이 된 것도 사실이었다. 그때 나뭇짐을 부려놓다가 자기 면목을 확연히 깨달은 지유 스님 같은 분은 장차 이 나라 불교계의 큰 스승이 되었다.

도도한 법맥이 서려 있는 원적사

"중놈들이 여기 뭐 하러 있소. 빨갱이 밥이나 해주려고 있지?"

"말 삼가시오. 그대들만은 못해도 나도 책임감과 의무감을 가지고 이 고찰을 지키고 있는 사람이오. 그런 말버릇이 어디 있소. 당장 그 말을 취소하시오."

오히려 정색을 하며 나무라자 옆에 있던 대장인 듯한 사람이 나서서 그 군인에게 소리를 지르더니 내게 밥이나 좀 해달라고 했다.

"겨우 동냥을 해서 근근이 살아가는데, 당신네 다 털어주면 나는 굶어 죽으란 말이오. 일단 곡식을 가져오면 언제든지 밥을 해주겠소."

이 트집 저 트집에도 끝까지 버텼더니 할 수 없이 돌아갔다.

대개 이런 식으로 넘기며 살아갔지만 군인들은 나만 괴롭힌 게 아니었다. 어느 날은 군인 두 명이 총을 둘러메고 나타났는데, 오자마자 아무 소리도 없이 마루에 총부리를 딱 세워놓는 것이었다. 무슨 일이냐고 묻자 그제야 위협하는 목소리로 경찰서장의 명령으로 절 앞의 큰 고목나무를 베러 왔다는 것이었다.

"경찰서장은 저 고목의 위치가 어디인지 알지도 못하면서 남의 말만 듣고 베어 오라고 하는가 본데, 그 위치를 안다면 틀림없이 나무를 못 베게 할 것이오. 절 기둥을 뽑아 달라면 뽑아 줄 수도 있지만 수백 년 묵은 나무를 함부로 베게 할 수는 없소. 서까래는 빼주고 새로 갈아 넣으면 되지만 나무는 안 돼."

군인들은 아무 데고 쉽게 들이대는 게 총부리였다. 총부리가 코앞에서 어른거렸다.

"사람이 막 죽어 가는 판에 나무가 뭐 그리 대단하냐."

"사람이 죽기는 왜 죽소. 모양이 사람이라도 모두 사람이 아니지. 이마에 뿔나고 엉덩이에 꼬리 난 것이나 죽지, 사람은 결코 죽지 않소. 저 나무는 그런 사람 수천만 명보다 낫고, 악한 사람도 바라보면 마음을 가라앉게 하는 설법하는 나무요. 사람의 마음을 맑게 정돈시키고 사람을 크게 키우는 나무란 말이오."

총부리를 들이대고 위협을 해도 꿈쩍도 않고 오히려 부처님 전에서 담배를 피우지 말라며 제 할 말을 다하자 그들도 막상 어떻게 하지 못했다. 총을 들이댄 것은 그저 겁을 집어먹게 한 것이지 쏴죽일 수도 없는 노릇이었으니 둘은 마주보며 한참 동안 걱정들을 했다.

나는 책임을 묻지 않을 테니 그냥 내려가라고 언질을 줬다. 완전히 베어버릴 작정으로 톱과 도끼 같은 도구를 모두 준비해 온 상태였지만, 자기들이 봐도 서장이 제대로 생각도 안 해보고 그저 밀어붙인 것이 분명했다. 우물쭈물 결단을 못 내리고 있기에 내일 서장에게 직접 찾아가겠다고 했더니 자기들이 이야기를 잘 하겠으니 스님은 일부러 올 필요 없다면서 돌아서려고 했다.

"일이 그런 게 아니오. 서장이 명령을 했는데 내가 아무 말 없이 나무만 못 베게 하면 후에라도 또 괴로움을 당할 것이 아닌가. 당신들이 말을 잘 하는 것도 좋지만 나는 나대로 찾아가야 안심이 될 것 같소."

이런 충돌이 심심하면 벌어졌지만 그때만 해도 한창 겁나는 게 없던 시절이라 군인들 앞이라고 무조건 벌벌 떨지 않고 버티며 살 수 있었다.

원적사는 그렇게 내 손때를 타가며 터가 닦여 갔다. 6·25라는 격동의 세월을 함께 치른 후로 그곳에서 사는 동안 어언 마흔 번이 넘은 사계의 변화를 맞이했다.

유형무형의 세상사에 연연하지 않는 수행자의 마음으로서도 보고 또 봐도 싫지 않은 절터가 원적사다. 원적사가 앉아 있는 청화산은 속리산 뒤로 살짝 숨어 있는데, 공부하는 사람들 사이에서는 속리산보다도 더 이름이 알려진 산이다. 속리산 덕택에 관광지로도 알려지지 않아 공부하기에 더없이 조용하니, 어쩌면 속리산은 이름처럼 세속을 떠나는 길목이 되어, 청화산을 뒤로 아끼고 숨기고 싶은 마음에 사람들이 더 이상은 넘보지 못하도록 스스로의 품 안으로 불러들이는 것 같다.

천고의 세월을 감싸 안은 채 오늘날까지 제 터를 지키고 있는 고찰은 단순히 외형만이 아닌 고고한 정신을 지켜오고 있는 것이다. 천년 가람의 웅장함은 호화스러운 장엄에서 연유하는 것이 아니라, 그 안에 생명력이 도도한 법맥이 서려 있기 때문이다. 원적사는 세월이 흐를수록 푸르고 도도해지는 영원한 나이를 지니고 있다.

탁발과 동냥으로 원적사 살림을 꾸리다

원적사 살림이 어렵기는 했지만 순전히 동냥으로 꾸려 나갔다. 신도들에게는 초파일과 칠월칠석 등 일 년에 한두 번 올라오는 것을 허용하는 것 외에는 절에 오지 못하도록 아예 처음부터 막아버렸다. 산이 험해 산짐승도 덤비고 길도 나쁜 것이라 신도들이 찾아오다 변고라도 생길까 봐 걱정도 되고, 무엇보다 수좌들의 공부에 지장이 있을까 염려되어 막아버린 것이다.

처음에 원적사에 올라가 있으려니 지방유지라며 덩치 큰 사람 둘이 올라와 하는 말이 "대사, 산신각에 마지 올리시오" 하는 것이었다. 그 꼴이 보기에도 안 좋은데다 나도 성질이 꽉꽉해서 중노릇하기에는 맞지 않는 사람이었다.

"부처님에게나 공양 올릴 일이지 산신각이 다 뭐요"라고 했더니, 그 유지들은 계속 산신각에 마지를 올리라고 우겨댔다. 이야기인즉 자신들이 산신각을 지었다는 것이다. 나도 지지 않았다.

"산신님께서는 요즘 보국대 가고 없소."

그 일이 있은 후로는 유지라는 그 두 사람은 나를 쫓아내려고 사람들을 부추기는 것 같았다. 전에 있던 중들은 나긋나긋하여 자기들 마음대로 했는데 새로 온 중은 뻣뻣하고 성질이 고약하니 그대로 둘 수가 없었던 모양이다. 후에 들으니 그들은 대구에 있는 경북 종무원에까지 찾아가 "원적사에 와 있는 고약한 중을 쫓아내 달라"고 했다고 한다.

그때는 정화 전이라 종무원은 대처승들이 장악하고 있었는데 그들도 나를 알고 있던 터라 "그 스님이 어떤 스님인데 그 따위 소리를 하느냐"며 오히려 나무라서 돌려보냈다고 한다. 그 유지들은 풀이 죽어 한 3년간 나타나지 않더니 마음을 어떻게 고쳐먹었는지 그 후로 다시 찾아오기 시작했다.

생각해 보면 그때는 나도 참 고약했다. 저들이 산신각을 지었다고 유세하기에 "그렇다면 부처님 터에 사사로이 산신각을 지었으니 당장 허물어 가라"고 호통을 친 것이다. 내가 생각해도 내 성질이 좋지 않은 듯하다. 중이 되었으니 망정이지 마을에 있었으면 분명 주먹 감이었을 것이다.

그 당시는 인심이 좋아 탁발을 해도 힘이 들지 않았으므로 내 한 몸은 물론이고 대중들 끼니 걱정은 하지 않았다. 천하에 밑천 없이 남는 장사가 탁발 아니겠는가. 어디를 가든지 일단은 그 지역 내의 면사무소, 지서, 우체국 같은 관공서부터 먼저 들어가 요령을 흔들고 염불을 했는데 한결 같이 처음에는 "아, 여기는 관청이오." 하고 출객을 했다. 뭐가 뭔지 모르고 무턱대고 들어온 것으로 생각들 한 모양이었다.

"관청인 줄 압니다. 관청에서 먼저 복을 지어야 중생들도 복을 지을 것이 아니오."

한마디 설명을 한 뒤 계속 요령을 흔들면 결국 주머니를 풀어 시주를 하고, 어떤 관리는 자기 부인을 시켜 보리쌀이라도 한 됫 박 가져오게 했다. 나중에 시비가 생기지도 않고 또 땡초가 아니라는 것도 인식시키기 위해서는 그렇게 관공서를 먼저 도는 방법이 필요했다.

벌목의 위기로부터 천년 고찰을 지켜내다

이처럼 원적사를 수행의 도량으로 만들어 가고 있는 중에 정화가 시작되었다. 1954년부터 태풍처럼 불어닥친 정화불사의 바람은 원적사에도 몰려와 수좌들을 바깥세상으로 데려가 버렸다. 산중의 수좌들이 모두 서울의 선학원으로 불려 올라가게 되었고, 그 바람에 원적사의 대중도 뿔뿔이 흩어졌다. 나도 잠시 대구로 불려나가 경북 종무원장이라는 '감투'를 쓰게 되었다.

나중에 재가 신도 한 사람이 크게 시주를 하고 싶다고 하길래 "시주를 한꺼번에 많이 할 생각하지 말고 이곳에 수좌 한 사람이 살든 열 사람이 살든 다달이 그 비용을 대는 것도 큰 보시가 될 것이오"라고 했더니, 오늘날까지 한 달에 30~50만 원씩 보시하고 있다. 원적사 살림은 그 보시로 살고 있다.

그 후 박정희 대통령 때 이르러 하마터면 원적사가 발가벗은 민둥산 신세가 될 뻔한 일이 있었다. 당시 나는 원적사를 잠시 떠나 태백산에 들어가 있었는데 그 사이에 원적사를 맡아 보고 있던 스님이 그만 산의 나무를 몽땅 팔아버린 것이다. 벌목허가권을 판 것이다. 당장 벌목할 위기에 처해 있었는데, 마침 욕심 많은 그 주지는 재산이 많은 도리사가 욕심이 나 원적사를 버리고 그곳으로 떠나버렸다.

나는 태백산에 있다가 원적사가 비어 있다는 소식을 듣고 본사인 직지사 쪽에 허락을 얻어 다시 원적사에 들어갔다. 김용사의 말사였던 원적사가 후에 직지사의 말사로 바뀌었기 때문이다.

한발만 늦게 들어갔어도 나무는 몽땅 베어졌을 것이다. 이미 허가가 난 것을 취소하는 데 드는 고생도 고생이었지만, 행패를 부리며 닦달하는 목재상 때문에 많은 애를 먹었다. 그는 많은 돈을 들여 허가받았는데 취소했으니 그 비용을 모두 물어내라고 떼를 쓰며 당시의 돈으로 몇 백만 원을 요구했다.

"산 주인이 안 판다는데 왜 그러시오. 비용을 한꺼번에 물어낼 만한 힘은 없으니 몇 해 동냥해서 갚아 주겠소."

"절대 손해만 보고 있지는 않겠소."

그들은 본사에서 허락을 맡을 요량으로 직지사로 갔으나 그곳에서도 내 성질을 잘 아는 터였다.

"다른 사람은 몰라도 그 스님은 안 됩니다."

직지사에서 퇴짜를 맞자 거기서 포기하지 않고 총무원으로 올라갔으나, 거기서도 마찬가지로 허락 불가였다. 다닐 만한 곳은 다 돌아다녀 봐도 일이 안 되자, 그들은 다시 내게로 와서 사정을 했다. 나는 몇 해 동냥으로 비용을 물어주는 한이 있어도 나무를 팔고 민둥산에 원적사를 버려둘 수 없었다.

꺾을 수 없는 고집이라는 것을 알았는지 그들은 할 수 없이 허가를 취소하겠다며 물러났다. 벌목 규제가 심하던 때라 산림계에서도 쾌히 허가 취소령이 내려졌다. 나무는 마음 놓고 원적사를 감싸 줄 수 있게 되었다.

천년의 고찰이면서도 도량 하나를 제대로 가꾸고 지키기가 이처럼 힘이 드는 일이었다.

봉암사 재건을 위하여

봉암사는 신라 9산 선문 중의 하나로 전통 깊은 사찰이었으나 해방 후 퇴락하여 돌보는 사람이 없었다. 그 절에 청담·성철·자운 스님과 같은 수좌들이 모여 한국 불교의 본래 모습을 되찾기 위해 원력을 세우고 결사를 했던 일은 유명한 이야기이다. 그러나 6·25 후 봉암사는 대처승들이 점령했는데 이들이 산을 팔고 골동품도 팔아먹었다.

봉암사에는 '월부'라는 이름의, 용궁에서 나왔다고 하는 반달 모양의 금도끼가 있었는데 이것 역시 어디에다 팔았는지 보이지 않았다. 심원사, 원적사, 봉암사 세 절을 연결하는 삼각형의 가운데에 깊은 용소가 있는데, 이곳에서 원효 스님과 의상義湘 대사, 윤 필尹弼 거사가 모여 동자에게 글을 가르치고 그 대가로 용궁에서 보배 세 가지를 가져왔다는 전설이 전해진다.

그 보배 중 하나가 원적사에 남아 있는 요령이고, 또 하나는 심 원사에 있는 보배 낫으로 도인이 쓰면 업장이 베어진다고 했다. 원적사의 요령은 흔들면 자글자글 묘한 소리가 나는 것으로 마을 사람이 집어간 것을 내가 꾀를 내어 찾아온 것이다. 나머지 하나 가 봉암사에 있던 월부였다. 그러나 남아 있는 것은 원적사의 요 령과 원효 스님의 탱화뿐이다. 이것도 분실을 우려해 숨겨 놓고 발설하지 않기 때문에 겨우 보존할 수 있었다.

그렇게 불상이고 탱화고 닥치는 대로 팔아먹고 절은 빈껍데기만 남았다. 돈이 된다면 부처님도 팔아먹을 사람들이었다. 나는 정화불사 이후 빈껍데기만 남은 봉암사를 다시 수도 도량으로 만들기 위해 들어갔다. 당시 나는 도봉산의 무문관에 들어가 약 1년간 수행하다가 김용사의 금선대에 있으면서 봉암사에 왔다 갔다 했다. 9산 선문의 하나인 봉암사가 퇴락한 것을 보고 다시 수행의 도량으로 재건하기 위하여 직지사 노장 스님을 찾아가 부탁했다.

"봉암사를 다시 일으키려 하나 대처승들이 산판을 다 팔아먹고 빚만 지워 놓고 갔으니 기부 좀 해주십시오."

여기에서 몇 만 원, 해인사에 가서 또 몇 만 원을 얻는 식으로 사방에서 구걸하여 몇 십만 원을 만든 후 그것으로 대처승들이 지워놓고 간 빚잔치를 했다. 그렇다고 비구승이 들어가 단번에 깨끗해진 것은 아니다.

처음에는 지유 스님이 봉암사 살림을 맡았으나 그가 떠난 후 고우 스님과 법화 스님 등이 잠깐씩 머물렀고 나중에는 수좌들이 머물다가 내놓곤 하여 제대로 정리되지 않았다. 그 사이에 봉암사는 기강이 흐트러지고 주먹을 쓰는 수좌들이 모여 '깡패 소굴'이라는 불명예스러운 별명까지 얻게 되었다.

대개 불교가 힘을 잃고 부처님 가르침을 제대로 따르지 못할 때는 오랜 전통을 지닌 고찰들이 주먹패거리나 도둑들의 소굴로 전락한다. 힘깨나 쓰는 젊은 중들이 모여 스스로 봉암사를 일컬어 '양산박'이라 부르며 걸핏하면 주먹을 휘두르니 지방의 '어깨'들도 감히 '양산박' 근처에는 얼씬도 하지 못하는 지경이었다. 절 마당에는 마을 장정들도 들지 못하는 큰 역기를 가져다 놓고 봉암사 중들은 누구나 이런 역기쯤은 가볍게 들어 올린다고 큰소리를 쳐댔다.

양산박의 수좌들

한 번은 그 지방 초등학교 운동회가 있던 날이었다. 중들이 운동회에 참석하여 뛰고 차고 달리고 하여 상이란 상은 다 휩쓴 김에 기분이 좋아 한 잔씩 걸치고 거나해져 흔들거리며 돌아오는데 마침 경찰서장과 군수가 탄 지프가 봉암사 가는 방향으로 가다가 이들과 마주쳤다. 중들이 길을 떡 가로막고 서서 같이 타고 가자고 험하게 나오니, 경찰서장이 내려 공손하게 "스님들, 보시다시피 자리가 없어 태워드리지 못하니 양해하시기 바랍니다." 하고 사정하여 겨우 길을 열어 비켜갈 수 있었다고 한다.

그들의 행보는 거기서 끝나지 않았다. 그들이 봉암사로 오는 길목의 술집 앞을 지나다 보니 지방 깡패들이 여자들과 술을 마시며 노닥거리는지라 무작정 들어가 술을 빼앗아 먹고 두들겨 팬 것이다. 이 소식이 깡패들 사이에 사발통문으로 전해지자 지방의 깡패들(그 무렵에는 세상에 웬 깡패들이 그리도 많았던지) 수백 명이 모여들어 전쟁이라도 하듯이 대치했다.

깡패 대장이 앞으로 나와서는 "이놈의 중들 모두 나와라. 본때를 보여주겠다"고 하자, 수좌들이 달려 나와 "야, 그거 잘됐다. 여기가 양산박인 줄을 알고나 왔느냐, 컬컬하던 참에 네놈들 간 좀 내어 술안주나 해야겠다."라며 고방 문을 열어 각종 흉기 비슷한

1993년 하안거 태고선원 결제

것들을 꺼냈다.

깡패들은 그 꼴을 보고 중들이 과연 말대로 일을 내겠다 싶었던지 도망가서는 경찰서에 고소했다. 그런 일이 생기면 으레 원적사에 있던 내가 불려갔다. 경찰서에 가 무마하고 얻어맞은 사람들에게 치료비도 주고 하여 수습한 일도 있었다.

한편으로 단순한 게 수좌들이다. 병역을 마친 후 받는 훈련이 있었는데, 훈련장에서 한 청년이 중을 업신여겨 뭐라고 한마디 하자 한 주먹 날린 게 잘못되었다. 하필이면 총이 부러지고 맞은 사람은 별반 다치지 않았으나 그가 고소를 해버린 것이다. 순진하면서도 또한 무서운 게 중들이다. 마누라가 있나 자식이 있나, 여차하면 삼십육계를 놔버리면 되니 겁날 게 없었다. 양산박이라는 이름에 걸맞은 생활이었다. 저질러 놓은 일에 불려나가는 건 언제나 나였다.

봉암사 수좌들은 이상하게도 마을 구장과 뒤틀려 툭하면 주먹질을 했다. 아무리 시골 구장이라고 해도 맞고 사는 데는 억울했는지 참지 못하고 드디어 경찰에 투서를 해버렸다. 투서 내용은 뻔했다. 봉암사의 중들은 거의가 군 기피자들이고, 생나무를 마구 자르는 등 한마디로 무법천지라는 것이었다.

그날도 원적사에 있는데 구장이 고발을 했다면서 사람이 급하게 달려왔다. 땔감이 떨어지자 수좌들은 꾸불꾸불한 것은 베기가 힘이 드니 좋은 재목감을 나 몰래 잘라다가 때고는 했다. 가보니 아니나 다를까, 마당이고 고방이고 곧고 굵은 나무들이 잔뜩 쌓여 있었다. 이미 순경 둘과 구장이 와서 주지와 다투고 있는 중이었다. 주지도 한 가닥 하는 사람인지라, 앙숙끼리 붙여두면 일이나 저지를 것이었다.

지금은 방이 조금 나아졌지만 그때는 조실처가 아주 좁은 방이었다. 세 사람에게 손짓을 해서 내 방으로 오라고 했다. 나이도 많았지만 평소 다른 수좌들과는 달리 만나면 인사도 잘하고 하니 그들도 나를 보자 험악했던 인상을 바꾸어 인사라도 하는 체했다. 그러면서 하는 말이 "승려들이 사람이나 패고 생나무를 마구 자르고 거기다 모두 군 기피자들이니 더 참을 수가 없습니다. 모조리 조사를 해야겠습니다"라는 것이었다.

"문경군, 더구나 우리 가은면 인심이 어찌 이리 고약해졌는가. 양처럼 순한 스님네들이 주먹질을 한 데는 다 까닭이 있지 않겠나. 오죽이나 사람을 못살게 굴었으면 참지 못했겠나. 나무만 해도 그렇네. 어디를 가도 민둥산인데 눈썹마냥 남아 있는 게 그나마 절에 딸린 산 아닌가. 지나다가도 나무를 베는 게 눈에 띄면 말리는 게 또한 스님이네. 스님네만큼만 나무를 아끼라고 하게. 저기 쌓아놓은 나무, 저 기둥감 좀 보게. 저게 마을 사람들이 다 도벌한 것들인데, 내가 져 오라고 해서 저기에 쌓아 놓은 것이네. 우리 스님네는 땔감이 필요해도 천하에 쓸모없는 나무만 골라서 베어 온다네. 그리고 군 기피자를 조사한다니, 그래 경찰은 평소에는 낮잠만 자다가 기껏 부락에서 고발했다고 잡으러 온 것인가. 지금은 부모가 죽어도 절대 밖으로 안 나가는 결제 기간이야. 도대체 문경 경찰 인심이 왜 이리 고약한가. 단순히 마을에서 고발했다고 오라 가라 조사를 한다니, 이래 가지고 어디 이곳에서 큰 인물이 날 수가 있겠는가."

고약한 인심이란 말은 시골 사람들의 가슴을 뜨끔하게 만들어 조사도 안 하고 그냥 가버렸다. 물론 시골 순경들과 나와의 사이에서 이루어진 신뢰가 바탕이 된 것이다. 그들은 한 잔 하라는 차도 안 마시고 도망치듯이 내려갔다.

경찰이 오더라도 한 방 쥐어 갈기고 튀는 삼십육계주의가 제일이었던 양산박의 수좌들. 치고 도망가도 지금처럼 전국에 수배령이 내리거나 하지 않았기 때문에 쉽게 택한 방법이었다.

수행자의 기상으로 가꾼 봉암사

이런 말썽이 심심하면 한 번씩 일어나자 뜻있는 수좌들이 원적사에 있는 내게로 와서 아예 봉암사로 와달라며 사정을 했다. 천년 전통의 봉암사가 황폐화되어 가는 것을 잘 알면서도 모른 척한다면 불자의 도리가 아니었다. 하는 수 없이 봉암사로 들어가자, 그곳 수좌들은 자기들 마음대로 나를 조실로 불렀다. 나는 조실이 아니라고 끝까지 거절했지만 10년 세월을 있다 보니 내 뜻과는 상관없이 어느덧 조실이 되어버렸다.

내가 봉암사에 들어앉은 뒤로부터는 황폐화된 이 절의 풍모가 조금씩 달라지기 시작했다. 관할 본사인 직지사에서도 일체 간섭을 끊고 나에게 이 고찰의 중흥을 맡겼다.

생각했던 대로 원적사에 있으면서 가끔씩 보던 것보다도 절 형편은 더 엉망이었다. 어디를 둘러봐도 손이 가야 할 곳뿐이었다. 차근차근 정리해야겠다는 생각으로, 제일 먼저 손을 댄 곳은 측간이었다. 그리고 살림살이 집, 선방 순으로 고쳐 나갔다. 법당은 절 살림이 점점 나아져 가는 맨 나중에 지었기 때문에 다른 건물보다 여유 있게 지을 수가 있었다. 계곡물도 산 밑으로 흐름을 돌려 운치도 좋아졌고 무엇보다 터가 넓어졌다.

봉암사는 도벌꾼에 의해 산이 많이 망가져 있었다. 목재감이 마구 잘려 나간 자리에는 쓰지 못할 잡목들만 우거져 갔다. 몇 해를 두고 나무를 심었더니 숲은 점차 본래의 푸른 모습으로 회복해 갔다. 봉암사를 중심으로 산중에 함께 살면서 시비가 많던 사람들도 모두 산 아래 마을로 이주시켜 근원을 없애버렸다.

한 번은 봉암사가 아예 무너져 내릴 뻔한 일도 있었다. 사람들이 절 주변에다 돌 광산을 한다고 불도저를 들이댄 것이다. 마침 도지사가 근처에 왔길래 달려가서 이의를 제기했다. 돌 광산을 하면 나라가 망한다는 것을 역사적인 사례를 대며 설득했더니 이 항의가 대통령에게 접수되고, 즉시 청와대로부터 '돌 광산은 봉암사에서 허락 받기 전에는 내주지 마라'는 공문이 내려왔다.

다급해진 업자들이 봉암사를 찾아왔다. 지방관청에서는 자기들 입장이 곤란하니 봉암사에 가서 산주 허락을 받아 오라고 한 것이다. 그들은 수억을 들여 광산사업을 시작했는데 못하게 하면 어쩌냐며 항의했다.

"오히려 나에게 감사해야 할 일입니다. 돌 광산을 하면 물론 당장은 이익이 되는지 모르지만 결국은 집안에 재앙이 오고 망합니다. 명당에는 주령이 있고 청룡 백호가 있는데 이 백호 돌을 건드리면 집안에 재앙이 오는 것은 당연합니다. 더구나 수천 년을 지탱해 온 명당의 산맥을 끊고서 닥치는 그 재앙을 어찌 막으려고 합니까. 그러니 내가 사업만 못하게 한다고 원망을 해서는 안 됩니다. 고마운 일인지 원망해야 할 일인지 잘 생각해 보십시오. 임진왜란 때 이여송은 우리나라에 와 산마다 혈을 찔렀는데, 나중에 보니 자기 조상의 혈까지 찔러 집안이 망했다고 합니다. 혈을 찌른다는 것은 산맥의 정기를 죽이는 일입니다. 혈만 찔러도 망하는데 산을 몽땅 파헤치면 그 집안이 온당하겠습니까. 이래도 내게 감사하지 않겠소."

돈에 욕심이 있는 사람들 앞에서 이런 말이 제대로 먹혀 들어간 것은 아니었지만, 그래도 업자들은 아무 말 못하고 돌아갔다. 그런데 그중 내 말을 듣지 않고 고집스럽게 산을 파헤치던 젊은이 하나가 아무런 병도 없이 죽고 그가 하던 광산도 폐광이 되었다. 사람이 하나 죽어 나가자 그때까지 미련을 못 버리고 있던 나머지 업자들도 정신을 차리고 황급히 광산에서 손을 뗐다. 이상하게도 광산을 하려던 사람들은 모두 다른 종교의 성직자들이었다.

일본 사람들은 중국에서 나온 돌이 질이 좋고 값도 싼데도 굳이 한국 돌을 수입해 갔다. 그들로서는 한국이 망해야 대륙 진출이 쉬워지는데, 한국 사람들은 스스로 망할 짓을 하니, 그들은 열심히 돌만 사주면 되는 것이다. 그것도 모르고 사람들은 나라가 망하든 말든 몇 푼 되지도 않는 돈을 벌겠다고 산을 마구 파서 외국으로 수출한다고 난리니, 이는 노적가리에 불 질러 싸라기 줍는 것과 다름없는 어리석은 짓이었다. 사람들은 내가 봉암사 산을 파헤치는 것을 막기 위해 억지로 꾸민 이야기라 할지도 모른다. 그러나 위에서 말한 것은 모두 사실이기도 하지만 이치가 그렇지 않은가.

내가 들어가 자리를 잡은 이래 봉암사의 관광객 출입을 막아버렸다. 결코 봉암사라는 조그마한 울타리 하나를 보호하기 위해 고집스럽게 절 입구를 막고 입산 금지시킨 것은 아니었다. 그리고 절은 스님네 절이 아니라, 국가의 절이며 국민의 절이다. 나는 이런 정신으로 봉암사를 이끌어왔고 관청 사람들에게도 항상 이 점을 강조했다. 얼마가 지나자 도지사나 서장들이 자주 찾아와 인사도 하고 의논도 하기 시작했는데 그들도 나와 뜻이 같았기 때문이었을 것이다.

여러 가지 곡절을 겪으면서 봉암사는 이렇게 점진적으로 기강이 잡혀갔다. 절집의 기강이라는 것도 하루아침에 이루어지는 것은 아니다. 분에 맞지도 않는 조실 자리를 맡아 걱정이었는데, 나로서는 내 할 일을 다 한 뒤에 떠나왔기 때문에 오히려 잘되었다 싶다. 누구든지 맡아 선방을 잘 운영해주기를 바랄 뿐이다.

봉암사도 원적사만큼이나 나와 세월을 함께한 절이다. 정화 바람 틈에 주인을 잃고 양산박 망나니들의 소굴로 돌아설 뻔했던 봉암사. 세월의 격동기를 벗어나 사찰로서의 면모를 단단히 갖춘 봉암사는 언제나 살아 있는 수행자들의 드높은 발원으로 기상이 넘쳐흐르기를 바라고 있다.

산문 출입을 막고 천년 가람을 지키다

오늘날 봉암사처럼 천년의 적막을 그대로 보존하고 있는 고찰
은 거의 사라진 지 오래다. 산세가 깊다 싶은 산은 모두 국립공원
화 하여 개발하는 바람에 아무리 깊이 숨어 있는 가람이라도 인간
의 아우성이 밀려들어와 수도 도량으로서의 최우선 조건인 고요
함을 잃게 된 것이다. 봉암사도 희양산 국립공원화 계획으로 예외
없이 개발의 바람에 휘말려 천년의 침묵이 깨질 위기에 처한 적이
있었다.

그 무렵 봉암사에는 전 주지가 나가고 그 후임자가 오지 않아
주지 자리가 약 1년간 공석으로 비어 있었다. 이때 문경 출신의 국
회의원 채문식 씨가 국회의장으로 있었는데, 그 참에 봉암사를 국
립공원으로 설정해 버렸다. 나중에 알고 보니 이 계획은 그가 이
지방에서 출마하면서 실업가들과 내밀하게 약속한 일종의 공약사
항이었던 모양이다. 절에서는 알지도 못하는 사이에 전격적으로
부락 부락에 공문을 돌려 7천~8천 명의 찬성 서명을 받은 후 정부
에 올려 국립공원으로 결정해 버린 것이다.

나라에서 이미 결정한 일이라 뒤집어엎기가 수월찮을 텐데 이
일을 장차 어떻게 하면 좋을까 궁리하던 차에 미국에 가 있던 무
궁화 보살이 왔기에 그와 의논했다. 그 보살은 정계에도 아는 사

람이 많은 신도였다.

"스님께서 직접 나서면 저지할 길이 있을지도 모릅니다."

그 보살의 말을 듣고 내가 직접 부딪치기로 작정하고 나섰다. 우선 찾아간 곳은 건설부였다. 그쪽에서는 이미 결정된 일이라 되돌릴 수 없다고 한마디로 잘라 말했다. 건설부 단독으로 한 일도 아니고 각부 장관이 협의하여 결정한 일이기 때문에 단독으로 철회할 길이 없다는 것이었다.

"그래도 잘못된 결정은 고쳐야 옳지 않겠소."

"우리는 지난 12년 동안 단 한 번도 계획을 번복한 일이 없습니다."

"12년간 번복한 일이 없다는 전통을 지키기 위해 대사를 그쳐서야 되겠소. 아침에 한 결정이라도 저녁에 잘못이 발견되면 당장 고치는 것이 현명한 태도가 아니겠소."

"민의를 무시할 수는 없습니다. 지역주민들의 서명을 받아 추진한 것이지 정부가 일방적으로 추진한 일이 아닙니다."

"민의라면 그까짓 서명 날인의 몇 십 배라도 얻어 올 수 있소. 우리나라뿐 아니라 세계 여러 나라 사람들의 반대 여론도 수집해 올 수 있소. 도대체 천년이 넘는 수도 도량을 도량으로 살리는 것이 좋은지 아니면 관광지로 만드는 것이 좋은지를 물었을 때 관광지로 해야 한다고 대답할 얼빠진 사람이 이 세상에 얼마나 많으리라고 보시오?"

"봉암사 주변 십 리 안에는 아무런 관광시설이 들어가지 못하도록 막아주겠습니다."

말이 궁해지자 건설부 간부가 내놓은 협상안이었다.

"안 되오. 십 리 안이라고 사람들이 들어오는 것을 억지로 막을 수는 없을 것이오. 해인사를 국립공원으로 만들 때도 도량은 지킨다고 했지만 지금 밀려드는 관광객으로부터 과연 수행 도량이 지켜지고 있소? 절이 앉은 산이란 스님들이 아무 데고 앉아 수행하는 장소인데 이곳을 모두 관광객들의 유회장으로 만들어버리고 스님들은 좁은 공간 안에 가두어버린다면 그게 무슨 도량이오, 감옥이지."

그래도 건설부에서는 여전히 '번복할 수 없다'는 입장만 내세웠다.

그 다음에는 청와대의 비서실장이라는 사람을 만났다. 내가 반대하는 이유를 한참 동안 듣다가 하는 말이 희한했다.

"스님, 참 이상한 일입니다. 다른 절에서는 국립공원으로 지정해 달라고 요청을 해오는데, 스님은 정부가 해주려고 하는 일도 마다하십니까."

"방금 하신 그 말씀은 설마 농담이겠지요. 그래 정신이상자가 아니고서야 어떻게 절을 국립공원으로 만들어 달라는 중이 있겠습니까."

그러자 비서실장은 아래 사람에게 "전에 국립공원 지정을 요청해 온 절이 있었지 않느냐"며 확인을 했다. 부끄럽게도 그런 절이 있기는 있었다. 그렇거나 말거나 내가 그 부당성을 거듭 역설하자 비서실장은 "협조해 주겠다"는 약속을 했다.

마지막으로 찾아간 곳은 채문식 의원의 사무실이었다. 채 의원은 외유 중이고 비서실장을 만나는데도 무려 세 시간이나 무료하게 기다린 후에야 겨우 기회를 얻을 수 있었다. 점심도 안 먹고 끝까지 버티고 기다리자 겨우 상대를 해주었다.

"채 의장이야말로 문경이 낳은 인물이 아닙니까. 그런 사람이 코앞의 이익만 추구하는 사업가들의 말만 듣고 천년 도량을 유흥장으로 만드는 큰 실수를 하다니 안타깝습니다. 그렇게 하여 유권자들의 지지를 받을 줄로 생각하면 큰 오산입니다. 가서 여론을 조사해 보십시오. 절대 다수의 주민들은 봉암사가 술 마시고 흥청거리는 외지인들의 놀이터가 되는 것을 반대하고 있소. 그런 사실을 모르지 않을 채 의장이 이 일을 찬성했을 것으로 보지는 않습니다."

이야기를 들어보니 채문식 의원을 질책하는 것도 아니고, 자기들에게도 이익이 안 된다는 계산이 섰던 모양이다. 자기들 소관이 아니라 건설부 소관이라며 슬그머니 피하려고 했다.

"소관이 아닌 줄은 알지만, 다른 사람 수천 명이 말하는 것보다도 문경을 아끼는 채 의장의 한마디가 효력이 있을 것이오."

말을 마치고 나올 때는 비서가 저 밖의 아래까지 배웅을 했다.

마침내 정부가 움직이고 새로 조사를 나왔다. 그들도 와보니 실제로 산속 구석구석 바위마다 수좌들이 참선을 하고, 암자마다 공부를 하고 있으니 산 전체가 수도 도량이었다. 마침내 봉암사 국립공원화 계획은 없었던 일이 되었다. 하지만 공원화 계획으로 땅값이 올라 기뻐하던 사람들은 하루아침에 취소 소식을 듣고 매우 놀랐다. 지방 유지가 내게 찾아와 따지기도 했다.

"내가 한 일이 아니고 수좌들 공부하는 데 지장이 될까 봐 총무원에서 조치해 준 것 같다"며 시침을 뗐다.

국립공원화 계획이 취소됨에 따라 산 입구에 수위실을 만들어 등산객들의 출입을 막자 거센 항의가 들어오기 시작했다.

어느 날 타종교 청년들 수십 명이 술을 마시고 와 항의를 했다. 앞에서 술을 마시며 횡포만을 부린 것이 아니라, 동시에 한쪽으로는 수백 명의 교도들을 뒷산으로 끌고 넘어와 천막을 쳐놓고 수련을 한다며 일부러 시끄럽게 와글와글 댔다.

봉암사의 산중은 깊어서 입구의 소동은 한참이 지나서야 전해졌다. 보고를 듣고 부랴부랴 내려가 설득하고 있는데, 마침 부산에서 1백여 명의 신도들이 봉암사에 공양을 올린다고 와 있었다. 국수·과일 등을 입구에 내려놓다가 양자 간에 벌어진 대치전을 본 것이다. 그런데도 신도들은 계속해서 공양물을 내려놓고 있었다. 일이 더 크게 났다 싶었는데 전혀 그게 아니었다. 신도들은 두 대의 차에서 시주물을 모두 내리자 절 입구에서 일제히 합장을 하고는 두말 않고 돌아서서 가는 것이었다.

부산에서 찾아온 신도들마저 절 입구에서 말없이 돌아가는 것을 직접 눈으로 보자 청년들도 뭔가 깨우친 게 있었는지 얌전히 물러갔다. 천 마디의 말보다도 큰 효과를 낸 현명한 처신이었다. 그렇게 진땀을 빼며 설득해도 막무가내이던 술 취한 청년들을 얌전히 돌려보낸 그 신도들은 틀림없이 봉암사를 지켜주는 신장님이 불러들인 것 같다.

그 일이 있은 후로는 어쩌다 한 번씩 심술을 부리는 사람이 있기는 했어도 거의 방해꾼은 오지 않았다. 그 결과 오늘날에는 봉암사 하면 아예 함부로 들어갈 수 없는 절로 인식되어 수좌들이 마음 놓고 공부할 수 있게 되었다. 어쩌다 몰래 들어오는 사람도 숨어서 조용히 구경하고 돌아갔다. 이제는 눈만 어떻게 떠도 몸들을 움찔하며 조심한다. 상황이 완전히 바뀐 것이다. 가람의 본 모습을 잃을 뻔했던 봉암사의 위기를 잘 넘긴 것이다.

그렇다고 오는 사람을 무조건 막지는 않는다. 자연경관을 해치지 않고 조용히만 하면 얼마든지 이용할 수 있다. 고요히 인생을 반성하는 곳이 도량이다. 그리고 봉암사는 특별히 전매특허를 낸 별천지가 아닌 우리 국민의 산사로 입산을 막을 권리는 누구에게도 없다. 절에서 막는 것은 다만 망나니처럼 설치는 금수일 뿐 사람을 막는 법은 없다.

해인사의 망가진 모습을 보라. 팔만대장경은 세계적인 보물이며 대가람은 국가적 차원에서 가꾸고 보존해야 할 도량이다. 그런데 국립공원이라는 이름으로 오히려 아름다운 해인사를 장터로 만들어버렸다. 긴 안목 없이 단지 몇 푼 안 되는 관광 수입을 위해 수천 년 내려온 정신의 산실을 팔아버린 것이다.

우리나라 곳곳에 산재해 있는 빼어난 경관은 모두 절을 안고 있다. 그런데 '중의 절'이라는, 위정자들의 그릇된 생각이 절의 가풍을 죽이고 있다. 절의 가풍을 죽이는 것은 내 나라 정신을 말살하는 짓이다. 절은 중의 전유물이 아니다. 나라가 있고 나서 절도 있고 승려도 있는 법이다. 국가적 차원에서 보호해야 할 곳이 천년 가람이다. 절마저 장터로 만들어버리면 한국인의 정신과 기상은 더 이상 배어나올 곳이 없을 것이다.

살아 있는 봉암사의 선풍

사람들이 많이 하는 질문 중의 하나가 봉암사의 선풍이 무엇인가 하는 것이다. 수행승이라면 누구나 한철 나기를 소망하는 곳이 봉암사 선원이라는 소문 때문에 분명히 독특한 선풍이 전해지리라는 기대도 만만치 않았다.

선풍禪風이란 참선하는 집안의 가풍으로, 선가에는 오래 전부터 흘러오는 가풍이 있다. 그 가운데 가장 모범적인 것이 중국의 백장 스님이 수좌들이 모여 수행하는 데 지켜야 할 법도와 규칙, 즉 운력은 어떻게 하고 공부하는 태도는 어떠해야 한다는 등의 규율을 정해놓은 백장청규百丈淸規이다. 오늘날에 와서 약간의 가감첨삭은 있으나 그 근본은 변하지 않고 있으니 이것을 잘 지켜가는 것을 선풍이라고 한다. 봉암사의 선풍이란 별것이 아니고 백장청규를 잘 지켜 수행에 어긋남이 없도록 하는 것이다. 아마도 우리나라의 선방들 중에서 그처럼 조직적인 곳, 엄격한 규율이 지켜지고 있는 곳, 선방체계가 여법하게 세워져 있는 곳도 찾기 어려울 것이다. 다른 곳에서 해이해졌던 사람들도 봉암사에 오면 정신이 번쩍 난다.

봉암사는 신라시대 달마의 선법을 전래한 아홉 산문 중의 하나로 오늘날까지 산문의 근본 도량이 남아 있는 유일한 절이다. 따라서 중간에 퇴락하는 경우도 있었으나 이 도량에 깃들어 있는 선인들의 원력과 기백은 언제든지 되살아나는 생명력을 지니고 있었다. 이 원력과 기백은 해방 후 청담, 성철 스님 등에 의해 크게 떨치고 일어나 한국 불교 정화의 정신적 원류를 이루었으나 아깝게도 6·25로 인하여 다시 퇴락한 절이 되고 말았다. 그러나 면면히 흐르는 정신은 결코 죽지 않았다. 그것이 곧 봉암사의 선풍이며, 그 선풍을 다시 불러일으키는 것이 내가 할 일이었다.

이 같은 선풍 말고 또 한 가지 수행에 도움이 되는 것이 있다면 뛰어난 환경이다. 이미 절 입구에서부터 관광객들의 출입을 금지시켜 어떤 절에서도 찾아볼 수 없는 고즈넉한 분위기를 스스로 만들었고, 삼십 리 계곡의 완만한 경사와 서출동류의 티 없는 물이 모두 자연 삼매에 젖어들게 하는 천연의 수행 도량이다. 유감스러운 것이 있다면 아직도 선원 중창의 불사가 끝나지 않아 선방의 수용 인원이 많을 때는 110명, 후원 대중까지 합하면 150명 정도를 수용하는 것이 고작이라는 점이다. 이제 곧 공사가 끝나면 수용 인원도 늘어날 것이므로 수좌들이 공부하는 처소로는 최적의 자리가 될 것이다.

사실 훌륭한 전통과 자연환경은 선원의 부차적인 조건이다. 보다 중요한 것은 수행을 지도하는 조실의 풍모와 수좌들의 공부를 향한 열정이다. 옛날에는 수좌들이 조실 스님의 가르침과 명령에 절대 복종하였다. 또한 조실은 부처님 법에 합당하게 지도하지 어굿나게 지도하는 법이 없었다. 그렇게 하여 선원은 일사불란한 질서가 섰다. 조실과 수좌가 다투는 것은 공부 때문이다. 자신은 공부가 다 됐다고 생각하는데도 조실 스님이 인정을 해주지 않으니 조실의 멱살을 잡아끌거나 하는 이상한 일이 벌어지기도 했는데 그것은 아름다운 광경이었다.

조실로서는 이런 일을 당해도 그저 기쁠 뿐이다. 자기 밑에서 훌륭한 공부인이 나와서 자신을 밀쳐내면 비록 그 자리에서 쫓겨나도 환희심이 날 수밖에 없다. 마을에서도 자식이 부모보다 잘되면 얼마나 좋아하는가. 같은 이치이다. 바로 이것을 선풍의 백미라 불러도 좋을 것이다. 도력이 모자라면 스승이 제자에게 잘못을 인정하고, 제자가 아무리 자신에 차 있어도 인정하지 않을 것은 절대로 인정하지 않는 투쟁, 이것이 진정한 의미의 선풍이다. 그러나 근래에는 공부와는 상관없는 일로 조실과 수좌가 서로 비방하고 시비, 갈등하며 문중의 이권과 지위 관계로 다투는 경우가 있는데 참으로 우습고 냄새나는 일이다. 여기서는 이미 선풍이 무너지고 없다고 봐야 한다.

요즈음도 선원에는 똑똑한 수좌가 많다. 그 수좌들이 참말로 안목이 되면 반갑지만 그렇지 않을 때는 싸운다. 이렇게 하여 몇 철 지나면 마침내 항복해 온다. 이런 진취적인 일이 가끔씩 있다. 어떤 때는 "아무것도 아닌 것이" 하고 마구 욕을 하며 덤비기도 한다. 소견이 막혔을 때는 자기가 막힌 줄도 몰라 무슨 말을 해도 알

아듣지 못한다. 그 막힌 것을 열어주기 위해 조실은 살활자재殺活自
在로 뿌리기도 하고 거두기도 한다. 안목이 없는 사람은 아무리 잘
하려고 해도 될 수가 없고 눈 밝은 사람은 잘못 지도할 수가 없는
것이다.

인류가 지닌 정신세계의 일 중에서 가장 특이한 것이 선풍이다.
선풍은 인간의 지혜로는 따질 수 없는 드높은 세계를 함께 논의하
는 마당이다. 여기서는 눈 밝은 사람만이 경계를 안다. 지혜 있는
사람은 어리석은 사람을 꾸짖지 않는다. 다만, 달래서 지혜로 인
도할 뿐이다.

백장청규의 정신이 올곧게 지켜지는 한 봉암사에 흐르는 선풍
은 영원을 넘나들며 인류의 정신세계에 오롯한 생명력을 불어넣
어 줄 것이다. 미련할 만큼 철저한 구도심만이 희양산 자락에 넘
쳐 있다. 백척간두百尺竿頭 진일보進一步의 기운이 봉암사 가람 속에
유장하게 흐르고 있는 것이다.

제3장
잃어버린 붓다

정화라는 목적에 매달려 불러들였던 폭력은 아예 오늘날까지도 불교계에 자리 잡고 앉아 불교 발전을 저해하는 근본 요인이 되었다. 승려의 질은 떨어졌고, 권력을 차지하기 위한 치열한 경쟁의 도가니가 되어버렸다.

한국 불교 근현대사의 중심, 비구

해방된 지 반세기 가까운 지금 우리 사회의 다른 부문들, 예를 들면 정치의 민주화나 경제의 선진화, 교육의 질적·양적 성장 등은 괄목할만한 성과를 이루어 왔다. 그러나 유독 불교계만은 일제시대가 남긴 아픔과 후유증을 스스로 치유하지 못하고 악순환의 와류 속에 잠겨 있는 듯한 느낌이 크다. 그 원인이 어디에 있는 것일까.

오늘날 우리 불교계 혼란의 근원에는 일제의 한국 불교 말살정책이 있다. 일제는 31본산제도를 만들어 계획적으로 일본 불교화를 추진하였다. 우리 불교계가 똑바로 정신 차리고 있었으면 여기에 말려들지 않았을 것이다. 하지만 조선시대 때부터 오랫동안 멸시당해 온 불교계와 비천한 신분으로 천대받아 온 스님들은 일본 제국이 승려들의 지위를 향상시켜 주고 대처를 유도하니 멋모르는 사람들은 그저 황송하여 일본 사람들이 이끄는 대로 따르게 되었다.

지금까지 비천한 지위에 있었던 승려들이 서슬 퍼런 일본의 고관대작들과 맞담배질을 하고 사회 지도층으로 대접받으니 마침내 수행하는 승려들은 사라지고 비불교적인 불교가 판을 치게 된 것이다. 그 와중에서도 몇몇 스님들이 뜻을 모아 지금까지 조계종

종지를 살려왔으니 그 고마움을 뭐라 말로 표현할 길이 없다.

일제 말기에 이르면, 수행승을 대표할 만한 인물들은 고작 30~40명에 지나지 않아 불교는 완전히 몰락할 상태에 놓여 있었다. 이에 반해 7천여 명에 이르는 대처승들이 한국 불교를 완전히 장악함으로써 불교의 근본을 제대로 아는 사람이 없어졌고, 한국 불교의 전통적인 참 모습은 일부 학문을 연구하는 사람들이 역사적으로 이해하는 정도로 형태만 남은 채 해방을 맞았다.

해방과 함께 그동안 외부적인 강압에 의하여 속으로 곪았던 종기가 터지기 시작하려는 움직임이 일었다. 몇 안 되는 비구들은 모이기만 하면 불교의 본래 모습을 되찾기 위한 방법을 생각하게 되었고, 자신들의 힘만으로는 어려우니 정치인을 움직여야겠다는 생각을 하게 되었다.

마침 이승만 대통령도 관악산의 연주암이나 논산의 관촉사 등을 방문하고 절에 치맛자락이 펄럭이고, 법당에 아직도 황국신민서사가 나부끼고 있는 광경에 대경실색하여 이를 왜색불교라 이름 짓고 척결을 종용하는 유시를 내려 표면적으로는 이것이 불교 정화운동의 도화선으로 일컬어졌다. 바로 1954년의 일이다. 이때부터 1960년까지 이른바 제1차 정화불사라는 커다란 투쟁의 역사가 전개되었다.

그러나 불교 정화가 이박사의 유시에 의하여 발동된 것으로 알려져 있으나, 사실은 그 유시가 나오도록 정치를 움직이게 한 것은 몇몇 비구승들이었다.

어쨌든 이승만 대통령의 유시가 나오자 이를 기회로 정화불사를 단행하게 되었는데 20~30명의 뜻있는 스님들이 선학원에 모여 정화의 불씨를 지폈다. 이들 초기의 정화 주역들은 정화의 방법을 놓고 두 가지 생각으로 나누어져 있었다. 하나는 과격파로, 대처승은 모두 절에서 물러나야 한다는 주장을 폈고, 하나는 온건파로, 그 당시 형편으로는 대처승이 모두 물러나고 절을 비구승에게 다 준다 하더라도 이를 지키고 수행할 비구승이 모자란다, 현재의 비구승 숫자로는 해인사·통도사·범어사 등 3개 사찰도 운영하기 어렵다, 그러므로 일단 이 3개 사찰만 받아내어 여법하게 수행하며 우리 불교의 참다운 전통을 이어가자, 그리하여 본래의 승단 면목을 세운 후에 차츰 이 땅의 불교 전체를 정화시켜 나가는 것이 옳다는 주장이었다.

그러나 대처 측은 비구 측이 요구하는 '몇 개의 사찰 양보'라는 최소한의 요구에도 응하지 않았다. 그 결과 이승만 대통령의 유시가 모두 일곱 차례나 내려왔고 비구 측의 행동은 '투쟁'으로 발전하기 시작했다.

해방 직후의 분위기로 보아서 왜색 불교화된 대처 측이 명분을 잃었고, 대통령마저 척결의 유시를 내렸기 때문에 '투쟁'이라는 단계까지 가지 않고서도 정화가 쉽게 이루어질 수 있지 않았겠느냐는 생각도 가질 수 있다. 그러나 문제는 명분이나 대통령의 말

한마디 가지고 해결될 정도로 간단하지 않았다. 일제시대를 통하여 이미 불교 전체가 대처승에 의해 장악되었고, 7천 명이나 되는 대처승 중에는 정치·경제·문화·언론의 모든 부문에서 뛰어난 활약을 하는 사람도 많았다. 거기에 그들의 사돈 팔촌까지 가세하여 실로 막강한 세력을 형성하고 있었으므로 단숨에, 그것도 수십 명의 대항세력으로 그 뿌리를 뽑는다는 것은 사실상 불가능한 일이었다.

그러나 정화불사, 즉 대처승을 몰아내고 비구 종단에 의한 한국 불교 재건이라는 투쟁과 혁명은 막이 올랐다. 여기서 당연히 예측했던 부작용이 생겨났다. 명분과 현실 정치의 지원을 등에 업은 비구 측이 물리적인 힘을 앞세워 각 사찰을 점령·접수하기 시작하는데 워낙 그 숫자가 부족하니 깡패들을 중으로 둔갑시켜 '투쟁'에 동원시킨 것이다. 이렇게 하여 벌어진 전국 사찰의 절 뺏기 싸움은 한마디로 아수라장이었다.

그중에는 아주 점잖게 인수인계가 이루어진 절도 있었고 몇 번에 걸쳐 피비린내 나는 공방전을 되풀이한 격전장도 있었다. 보문 스님이 종단의 뜻을 받아들여 접수한 대구 보문사의 경우는 충돌 없이 평화적으로 일이 이루어졌다.

워낙 명분이 앞서고 대통령을 비롯한 관청이 밀어주니 싸움은 비구 측의 승리로 기울어져 대처 측은 하나씩 전국의 사암에서 물러나고 한국 불교는 본래의 비구승단으로 되돌아가는 형세였다.

그러나 명분과 목적이 훌륭했던 정화불사는 추진 과정에서 정치세력의 비호를 등에 업고, 폭력배들을 앞세운 결정적인 잘못을 저질렀다. 그 때문에 오늘의 불교가 왜곡되고 새로운 정화가 끊임없이 요구되는 악순환의 고리를 형성하게 된 것이다.

왜색 불교의 척결과 정치 권력의 결탁

말이 나왔으니 얘기지만, 정치 세력과 종교와의 관계처럼 미묘한 관계도 드물다. 오늘날 민주국가의 정교 분리는 하나의 원칙이나 정부의 눈에 보이지 않는 선택과 작용에 따라 종교는 알게 모르게 큰 영향을 받고 있는 것이 숨길 수 없는 사실이다.

신라·고려 때는 나라가 불교를 보호하고 숭상하니 이 땅에 불교가 꽃을 피웠고, 조선조에 와서 국가적으로 배불정책을 쓰니 불교가 쇠잔해졌다. 광복 후 미국의 원조 정책과 공산주의 이데올로기에 대한 대항 이데올로기의 하나로 기독교를 보호·육성하는 정책을 펴는 바람에 이 나라는 세계에서 유례를 찾기 어려울 정도로 짧은 기간에 기독교화 된 나라로 손꼽히게 되었다. 반대로 북쪽에서는 기존의 종교를 아편이라 하여 누르고 김일성 개인 숭배의 신흥종교를 만들어내니 전 주민이 그 신도가 되어 광란하고 있다.

이처럼 싫든 좋든 정치권력, 특히 한 나라 정부와 권력자의 특정 종교에 대한 이해와 선호, 그에 따른 공개적·비공개적 정책의 방향과 태도는 종교에 심각한 영향을 끼치게 마련이다. 예를 들어 1980년의 10·27법난 때 갓 출범한 5공 정부가 종교의 비리를 발본색원拔本塞源하겠다고 칼을 뽑았을 때 기독교를 비롯한 다른 종교도 그 정도의 비리라면 털기만 하면 얼마든지 쏟아져 나올 것은 뻔한데, 왜 하필이면 불교를 택하여 표본으로 삼았느냐, 하는 것은 권력자의 선택 문제라 할 수 있다.

종교는 권력에 아부할 필요는 없지만 나라가 위기에 처할 때는 분연히 일어나 항거를 하기도 하고 평상시에는 권력과의 사이에 적당한 거리를 두고 협력하지 않을 수 없는 것이 현실이다.

당시 한국 불교는 일제의 왜색 불교화 정책으로 인해 면면히 이어져온 전통이 단절될 위기에 처해 있었다. 그것을 몇몇의 정신 맑은 비구가 갖은 어려움을 무릅쓰고 명맥을 유지시켜 왔다. 그러나 왜색 불교로부터 간신히 기사회생한 불교를 새로운 난장판으로 이끌고 간 것은 기이하게도 정화라는 이름의 불사였다. 정화불사가 그 이후 명분에 맞는 결과보다는 후유증을 더 많이 남긴 까닭은 폭력을 불러들인 때문이었다.

정화라는 목적에 매달려 불러들였던 폭력은 아예 오늘날까지도 불교계에 자리 잡고 앉아 불교 발전을 저해하는 근본요인이 되었다. 승려의 질은 떨어졌고, 권력을 차지하기 위한 치열한 경쟁의 도가니가 되어버렸다. 그나마 뚜렷한 명분마저 사라진 이후의 종단 분규는 거의 종권 다툼으로 일관되어 왔다. 한국 불교계는 이렇게 부질없는 싸움으로 스스로 퇴보의 길을 걸었고, 정권에 덜미가 잡혀 만신창이가 되어왔다.

지금 해결해야 할 시급한 문제는, 누가 낸 상처인지를 따지며 서로 칼자루를 쥐고 싸우는 게 아니라 제대로 치료하고 갈무리하는 일이다. 환부가 점점 커져 가면 선택은 자멸뿐이고, 몰락은 순식간이다. 한국 불교는 독화살을 맞은 채 중환자실에 누워 있는 환자와 같은 형상이다.

정화불사의 아쉬움

잃어버린 한국 불교의 제 모습을 찾아야겠다는 정화불사의 기운은 광복 직후부터 자연발생적으로 솟아나기 시작했다. 서울의 선학원에서는 비구들의 모임이 잦아졌고, 원적사에 있던 젊은 수좌들도 하나 둘 빠져 나가기 시작했다. 여기에 1954년 이승만 대통령이 1차 유시로 불을 당기자 정화불사는 본격적인 궤도에 올라 무르익어갔다.

나도 몇 안 되는 수행승 중의 한 사람이었기 때문에 무슨 일만 있으면 서울에서 불러올리는 바람에 정화 초기부터 이 일에 가담하게 되었다.

그러나 많지 않은 정화의 주역들 사이에서도 정화 방법에 대해서는 일찍부터 온건파와 과격파로 의견이 갈라졌다. 나는 일단 몇 개의 사찰만 인수하여 불교의 본래 면목을 되찾아야 한다는 주장이었기 때문에 온건파 또는 중도파로 분류되었고, '투쟁'에는 적극적으로 가세하지 않았다. 때문에 서울의 정화불사 주도세력들은 반가워하지 않았다. 청담 스님도 내가 상경하면 "아, 중도파가 왔으니 이번 일은 잘 되겠어" 할 정도였다.

제1차 정화를 위해 모인 30여 명의 비구승 명단에는 처음부터 내 이름이 들어갔다. 이들 중에서 노장들은 주로 점진적으로 정화

해야 한다는 생각이 많았고, 젊은 사람들은 한꺼번에 몰아내야 한다는 과격한 주장을 폈다. 원래 역사의 물굽이가 급하게 소용돌이칠 때는 목소리 크고 강경한 주장이 득세하는 법이다. 정화 주역들의 의견도 강경파가 이끄는 대로 끌려가고 있었다. 내가 절 서너 개만 인수하여 여법하게 수행하자는 주장을 내어 놓으니, "자기 것도 찾아 먹지 못하고 남의 것 빌어먹으려 하는 어리석은 소리 말라"고 공박하는 목소리가 컸다.

중도파인데다가 서울에 잘 올라가지도 않았는데 경우에 틀린 얘기는 하지 않는다고 생각했는지 정화 주도세력들은 나를 3인 대표니 5인 대표니 하는 대표단 속에 넣었다.

당시 종교문제는 문교부장관의 소관이었는데 바로 그 장관이 대처승과 가까운 사람이었다. 대통령의 유시가 있어 어쩔 수 없이 비구 측 편을 들었지만 결정적인 순간에는 교묘하게 정화불사를 반대하고 대처 측을 비호하는 행위를 서슴지 않았다.

그래서 5인 대표를 구성하여 문교부에 들어가 장관에게 함께 항의를 했는데, 청담, 탄허, 지효, 소천 스님과 나 이렇게 다섯 사람이었다.

밖에서는 수많은 스님과 신도들이 정법수호의 머리띠를 두르고 중앙청을 에워싼 채 지지를 보내니 문교부장관도 크게 놀랐던 것 같다. 평소에는 아무것도 아닌 것 같았던 스님들이 유사시에는 생명을 내던지며 덤벼드니 놀랄 수밖에 없었을 것이다.

이런 과정 속에서 비구 측 과격파들이 전국 사찰에서 절 뺏기를 계속하고 일부에서는 깡패들을 앞장세우니 그 부작용에 대한 책임이 결국은 정화를 주도한 몇몇 헌신적인 스님들에게 돌아오게 되었다.

워낙 수적으로 열세한 채 추진되어 부작용이 많았던 정화불사였던 것은 이미 다 아는 사실이다. 명분이야 어찌 되었든 사찰을 차지하려는 마음 자체가 물욕으로, 그때부터 일은 이미 정법으로부터 팔만사천 리 어긋난 것이었다. 당시 중도파의 주장대로 몇 개의 사찰만 인수하여 수행처로 삼았다면 한국 불교 판도는 상당히 달라졌을 것이고, 다른 무엇보다도 불교의 위상이 지금처럼 실추되지는 않았을 것은 분명하다.

지금의 난마는 모두 자격도 없는 중들이 강제로 차지한 절로 인해 종단이 지나치게 비대해지고 수도자가 배불러 일어난 일이기 때문이다. 설령 그 뒤로 아무런 문제가 없었다고 하더라도 얼굴에 기름기 흐르고 배 나온 수행자는 우선 사람들 눈살을 찌푸리게 만들고 생각 있는 이들을 슬프게 한다. 오히려 몇 개 안 되는 사찰만을 인수해 아끼고 귀히 여기는 마음으로 도량을 수호했더라면 그것이 모범이 되어 한국 불교는 올바른 방향으로 나아가고 있었을 것이고, 지금쯤 눈빛 형형한 수좌들을 더 많이 배출하지 않았을까.

경북 불교를 위해 고생 좀 해달라

정화가 일단 비구 측의 승리로 끝나자 조계사에서 정식으로 승려대회를 개최하였다. 당시에는 각 도마다 종무원을 두어 도내의 사암을 관할케 했는데, 승려대회에서는 나를 경북 종무원장으로 선출했다. 종단과 인연이 된 첫 감투였다. 1958년의 일로 정화가 무르익어 대처승들이 대부분 물러나고 그들로부터 전국의 사암과 종권을 한창 인수할 때였다.

경북 종무원은 대구 시내의 대안사라는 절에 있었다. 내가 종무원장을 맡기에 앞서 대처승을 몰아내고 그 자리를 접수한 비구승이 앞서의 대처승보다 더 시원치 못한 사람이라 혼란이 일어나는 바람에 노장들이 원적사에 있는 날더러 가서 수습하라고 강권한 것이었다. 당시 참된 수도승들은 큰 절의 주지나 종무원장의 자리를 막론하고 사판승事判僧의 자리에는 일체 나가지 않으려 했다. 그 대신 선방이라고는 가본 일도 없는 엉터리 비구승들이 점령군처럼 각 사찰과 종무원을 차지해 절집 재산 빼먹느라 혈안이 되어 설치는 바람에 그 폐해와 혼란은 이만저만이 아니었다.

경북 종무원은 그야말로 난장판이었다. 해방 직후 경북 종무원의 대처승들은 일본이 망했으니 일본 사람들의 비호 아래 차지했던 종무원 관할 사찰 소유의 토지를 국가에 뺏길 것이라 지레 짐작하고 그 토지들을 팔아 대구 시내에 있는 자유극장과 양조장을 매입했다. 사찰의 토지를 1백 원에 팔았으면 10원만 종무원의 재산으로 내놓고 나머지는 개인이 착복하여 빼돌리는 수법으로 사찰 재산을 난도질했다. 그러고도 남은 돈으로 극장과 양조장을 매입하여 경영했으니 중들이 참 지지리도 못난 '사업'만 골라서 한 셈이다.

그 못난 사업을 정화 후 이번에는 비구승들이 맡았다. 맡은 후 이번에는 비구승들이 팔아먹기 시작했는데 그 탐욕이나 수법이 대처승에 조금도 뒤지지 않았다. 태백산 각황사의 산판은 이중삼중으로 팔아먹어 난리가 났다. 마누라가 없어 명색이 비구승이었으나 마누라도 인간이 못나서 얻지 못한 것이지 수행하느라고 얻지 않은 것은 아니었다.

내 앞에 대처승으로부터 종무원을 인수하여 부임했던 비구승 종무원장이 일으켜놓은 혼란을 날더러 수습하라고 보낸 것인데, 싫었지만 정화를 위해서는 내 일신상의 안일함만을 고집할 수도 없어 부임했다. 승려대회에서 나를 선출했는데도 사양하고 나가지 않으니 동화사의 노장 스님이 산꼭대기에 있는 원적사까지 올라와 "경북 불교를 위해 고생 좀 해 달라"고 간청하는 바람에 노장 스님의 말대접이라도 해야겠다는 생각으로 내려왔다.

내려오자마자 붙들려 간 곳이 검찰청이었다. 젊은 담당 검사가 법률 책을 펴놓고 가리키면서 내게 따지듯이 말했다.

"스님, 도대체 이럴 수가 있습니까. 스님들이 사찰 소유 토지를, 그것도 이중삼중으로 팔아먹고 이래도 되는 겁니까."

가만히 보니 재판에도 지고 아까운 종단의 재산이 모두 넘어갈 판이었다. 선임자였던 가짜 비구승 종무원장이라는 자가 관할 사찰의 토지를 팔아 넘겨 착복하는 바람에 문제가 생긴 것이었다.

"지난날 대처승들은 비록 합법적으로 토지를 팔았다 하더라도 그것은 그들 개인을 위한 치부일 뿐 불교 발전을 위해서는 아무런 도움이 안 되는 일이었습니다. 그러나 우리 비구승들은 누더기 하나에 바리때 하나면 족하여 따로 재산이 필요 없는 사람들이라 설사 토지를 매각하는 방법에 문제가 있었다 하더라도 그것은 종단을 위해 하는 일이지 개인을 위해 한 일은 아니었습니다."

요즘 같으면 어림없는 말이었지만 이렇게 억지 주장이 통하여 그럭저럭 재판에 승소했다. 산판에 관한 일은 일단 마무리가 됐지만 이미 엉망이 된 경북 종무원을 본연의 위치로 복원하기는 요원했다. 또 이런 일도 있었다.

경북 종무원 관할의 은해사 주지가 학교를 짓는다는 명목으로 산판을 팔아먹으려 한다는 소식을 듣고 나는 밤중에 택시를 대절해 타고 은해사로 갔다. 먼저 문서를 압수한 후 서울 총무원으로 올려 보냈다. 그러자 은해사 주지는 꿀 한 통을 챙겨들고 서울의 총무원장인 청담 스님에게 찾아가 눈물을 흘리며 하소연했다. 청담 스님이 은해사 주지의 하소연을 듣고 덜컥 문서를 내주고 말았다. 은해사 주지는 망설일 것 없이 산을 팔아 치웠다. 나는 기가 막혀서 서울로 올라가 청담 스님에게 항의했다.

"사찰 재산 수백 정보를 팔아먹도록 문서를 내주시다니 그럴 수가 있습니까."

"허, 그 자가 꿀단지를 가지고 와서 참회의 눈물을 흘리는데 어쩌겠소."

"그 참회가 어디 진짜 참회입니까. 스님께서는 그것도 구분하지 못하십니까."

"그럼, 스님은 누가 와서 눈물로 참회하는데도 원을 들어주지 않겠소?"

"나 같으면 절대 내주지 않습니다. 그 정도의 지혜는 있습니다."

"아무리 그래도 사람이 눈물을 흘리며 참회하는데 들어주지 않을 수가 있소? 이 정화는 금생에만 하는 것 아닙니다. 몇 생에 걸쳐 계속해야 합니다. 스님은 지금 눈앞의 일만 보고 있으니 어찌 그리 답답하시오."

청담 스님은 은해사 주지의 그릇을 알면서도 속아준 것이었다. 이에 반해 나는 눈앞의 시시비비만 가려 해결하려 했을 뿐이다. 청담 스님의 도인다운, 아름다운 그 한마디에 나는 꼼짝 못하고 말을 잃었다. 그러나 검찰에 불려가서는 뭐라고 변명을 하지 않을 수 없었다.

4개월쯤을 버티는데 도저히 될 일이 아니었다. 종무원의 다른

스님들이 자꾸만 딴전을 피웠다. 내게 뇌물 비슷한 것을 가지고
와서 물리쳐 놓으면 그 물건이 다른 스님들 방에 가 있었다. 또 종
무원 직원들이 말사에 내려가 돈도 받아쓰고 각종 이권에 개입하
는 것이 눈에 보이는데 워낙 체질화된 일이라 막을 재간이 없었
다. 에라, 그만두자 하고 원적사로 돌아와 버렸다. 이것이 처음으
로 종단의 감투를 썼다가 벗은 사건의 전말이다.

　대처승보다 못했던 비구들. 겉모습의 허구를 여실히 드러낸 작
태를 그들은 내게 보여주었다. 정화 일꾼이 아니라 점령군으로 행
세했던 일부 가짜 비구들의 몰지각한 행동은 얼마 되지도 않은 시
간 동안에 벌써 썩은 냄새를 풍기기 시작했으니 한국 불교의 앞날
에 먹구름이 몰려오는 징조였다.

문제는 사람이다

대처승의 조직적이고 끈질긴 저항으로 정화가 끝나지 않으니 종단이 어수선할 수밖에 없었고 종무행정도 허술했다. 이런 때를 틈타 재빨리 먹이 냄새를 맡고 몰려드는 까마귀 같은 무리가 등장하는 것은 언제나 있는 일이다.

나의 전임이었던 경북 종무원장이나 그 수하들은 아직 절에서 나가지 않고 있는 각 사암의 대처승들 처소에 찾아가서 공갈·협박으로 돈을 뜯어 흥청망청 쓴 모양이었다. 그리고 이런 사실을 아는 신문기자들이나 경찰 등 기관의 사람들이 또다시 종무원장과 그 수하들을 뜯어먹는 먹이사슬이 이루어져 있었다. 나는 정확히 4개월 동안 종무원장직을 맡았는데 내가 그 자리에 있는 동안 단돈 한 푼도 누구에게 뇌물로 준 일이 없었다. 한 번은 신문사 사람들이라며 10여 명이 몰려와 돈을 달라고 요구하기에 이렇게 대답했다.

"언론에 계신 분들이라면 알 만한 사람들인데 절에 있는 스님을 찾아오면 과자 한 봉지라도 가져와서 대접을 해야지 거꾸로 중한테 돈을 달라니 말이 되는가. 내가 무슨 기업체를 가진 사람도 아니고 돈을 버는 장사꾼은 더더구나 아니지 않은가. 나는 신도들이 시주한 것을 얻어먹는 걸사인데 여기 와서 돈을 요구하는 것은 물이 거꾸로 흐르는 것과 같은 소리 아닌가."

그러자 그들이 협박했다.

"스님, 거 큰소리치지 마시고. 스님도 밥 먹고 똥 싸고 하는 대한민국 국민이오. 우리들 비위 틀리게 하면 스님 재미없을 거요."

나는 허허 웃었다.

"나는 대한민국이 다 썩어도 언론기관만은 그래도 살아 있는 줄 알고 희망을 가졌는데 당신들 언론인이라는 사람들이 그런 말을 해서야 되겠는가. 물론 농담인 줄 알지만 농담이라도 그런 소리는 할 소리가 아니지."

어느 때는 경찰이 와서 마구 떼를 썼다.

"스님, 미안하지만 제가 술잔이나 마시다 보니 돈이 떨어져 부득이 찾아왔습니다. 마침 우리 내자가 해산을 하게 돼 사정이 딱해서 그렇습니다. 스님이 좀 봐주셔야겠습니다."

"내가 공직에 있지 않았더라면 그런 사정을 알고 어찌 가만 있겠소. 동냥을 해서라도 미역하고 쌀말을 받아줄 아량이 없는 사람이 아니오. 하지만 그대도 알다시피 내가 공무를 보는 사람이므로 공적인 재산을 어찌 함부로 하겠소."

마침 운문사에서 실어다 놓은 장작이 마당에 쌓여 있었다. 경찰은 그 장작을 가리켰다.

"스님, 저기 장작 한 리어카 하고 쌀가마니나 좀 주시면 안 되겠습니까?"

"내가 사찰 재산을 관리할 의무는 있지만 사사로이 처분할 권리는 없으니 안 되겠소. 그러나 내게 좋은 생각이 있소. 내 방을 따뜻하게 해놓고 차를 마련해 보내 드릴 테니 산모와 아기를 태워 보내시오. 다른 스님들이 보기에도 울타리 안에서 나눠 먹는 거야 크게 문책하지 않을 것이오."

경찰은 얼굴이 붉으락푸르락 하며 물러갔다.

모두 다 어려웠던 시절, 배고픈 시절에 일어난 일들이었지만 이런 일이 결코 그때만 일어났다가 끝난 일은 아닐 것이다. 어쨌든 세간에서도 끊어져야 할 이런 형태의 먹이사슬이 출세간에까지 보기 흉하게 이어지도록 빌미를 제공한 쪽은 역시 이쪽이었다. 파리가 끓는 것은 오물이 있기 때문이다.

이렇게 얘기하면 불교계 전체가 모순투성이인 것처럼 생각할 수도 있지만 하얗고 깨끗한 천일수록 작은 얼룩도 더 돋보이고, 오물은 그 양에 관계없이 냄새가 지독해 파리를 쉽게 불러들이는 법이다. 물론 절에 돈을 뜯으러 온 그 기자와 경찰도 제자리에 제대로 놓인 사람들이 아니었지만, 언제 어디서나 자리 자체가 아니라 사람이 문제다. 나의 종무원장직 마감을 좀더 앞당겨 준 것은 산재한 무명의 편린들 뒤에 언제나 따라붙게 마련인 이런 일들도 한몫을 했다.

총무원장의 감투를 쓰고

내가 두 번째로 조계종단의 중요한 직책을 맡은 것은 1975년, 총무원장직을 맡은 일이었다.

태고종이 완전히 분리되어 나가고, 정화불사가 겉으로나마 일단락된 1970년대 초부터 조계종은 끝없는 자체 분열과 암투로 파국의 벼랑으로 굴러가고 있었다.

그해 나는 원적사에 있었다. 서울에서 자꾸 사람이 내려와 중요한 직책을 맡아 종단을 수습해 달라는 전갈을 전했으나 한마디로 거절했다. 그런데 어느 날, 지금은 열반하신 이대희 노장과 비룡 스님이 종정인 서옹 스님의 편지를 가지고 내려왔다. 종단 일이 이렇게 어려우니 함께 와서 수습하는 일에 힘을 보태 달라는 내용이었다. 원적사 오는 길이 험하고 멀어 노인네들이 찾아오기 어려운 길인데도 직접 찾아준 것이 고맙기는 했으나 나는 그래도 사양했다. 종단 일을 훤히 아는 나로서는 내가 나설 자리가 아니라고 느꼈기 때문이다. 그러자 원로 스님들이 화를 냈다.

"늙은 놈이 여기까지 왔는데 일을 맡든지 안 맡든지 사람대접으로라도 함께 가기는 가줘야 할 것이 아니오."

아무래도 꿈쩍하지 않을 것 같으니 노장들은 역정을 부려서라도 데려갈 작정이었던 것 같다. 나로서는 듣고 보니 발뺌하기 힘

1975년 조계종 총무원장 취임기념

든 말이라 그 길로 노장들을 모시고 서울로 갔다.

　서울로 가니 아니나 다를까, 서옹 종정이 총무원장을 맡아 달라고 밤새도록 설득했다. 나는 거절했는데 이튿날, 내가 총무원장직을 수락했다고 공식 발표해 버렸다. 신문기자들이 몰려와 마이크를 들이대고 회견을 한답시고 북적거렸다. 앞으로 조계종을 어떻게 끌어갈 것인가 하는 질문들이 쏟아졌다. 가만 생각해 보니 노장들이 험한 길 더듬어 나를 데리러 왔고, 종정 스님이 간곡하게 권하여 이미 발표까지 해버렸는데, 지금 와서 하느니 안 하느니 하면 안 되겠다 싶고, 이것도 운명이다 싶어 정성을 다해 종단 일을 해보겠다는 마음으로 돌아섰다.

　그렇게 해서 총무원장이 됐다. 이미 된 이상 뭔가 바른 일을 해야겠다는 생각이 들었다. 그때 종단 돌아가는 형세는 참으로 가관이었다. 종단 분규로 전 총무원장이 서대문 형무소에 들어가 있었고, 종정 스님 주위에는 자질이 의심스러운 스님들이 무슨 일인가를 꾸미느라고 늘 분주했다. 이런 사람들 틈바구니에서 서옹 종정은 나하고 굳게 약속을 해놓고도 다음날이면 번복했다.

　바로 그 '측근'들 때문이라는 것을 알 수 있었다. 그들 중 일부가 아마 종정 스님에게 "홍근 스님(이때까지 나는 서암이라는 호를 사용하지 않고 본명을 사용했다) 알고 보니 보통이 아니던데, 잘못하면 종단의 권리를 그 사람한테 다 뺏길지도 모른다"고 쑥덕거린 모양이었다. 아무튼 무슨 일이든지 총무원장인 나와는 정반대로

만 나가는 것이었다. 처음에는 이상하다고만 생각했는데 한 달쯤 지나자 그 정체를 알게 되었다.

총무원장이 되면서 자연히 따라오는 갈등은 조계사 운영권에 대한 문제였다. 총무원장이 됐으므로 조계사 운영도 내 책임 안으로 들어왔다. 나는 깨끗한 학승 출신인 휴암 스님을 주지로 하고 고우 스님을 재무로 하여 조계사의 살림살이를 일신토록 했다. 그 스님네들은 지성을 다하여 열심히 일해 줬다.

조계사를 수행 도량으로

당시의 조계사는 별 수입도 없었고, 늘 혼란의 와중에 있었기 때문에 신도 수도 보잘것없었다. 사찰로서의 기강도 서 있지 않았다. 내가 들어가 밤만 되면 양복 입고 돌아다니는 엉터리 중들을 다 쫓아버리고, 새벽 일찍 일어나 직접 마당 청소하고 밥을 먹은 후에는 밥상도 직접 갖다 주는, 행자와 다름없는 생활을 솔선수범하여 보여주니 신도들이 그렇게 좋아할 수가 없었다.

밤늦도록 방에 불이 켜져 있어 공부하는가 싶어 대견한 마음으로 문을 열어보니 중이 텔레비전을 켜놓은 채로 처박혀 자고 있었다. 다음날 아침 당장 모든 텔레비전을 압수하여 골방에 처넣어버렸다. 양복 입고 외출하는 것을 엄금하고 기강을 세웠다. 그러자 신도들이 이불을 가져온다, 좌복을 가져온다, 다투어 보시를 했다. 신도들이 겉으로 말을 안 해서 그렇지 다 보고 느끼는 눈이 있는 것이다.

조계사 경내에는 정화기념관이라는 건물이 있었는데 그걸 관음회라는 신행단체가 쓰고 있었다. 나는 선방을 개설해야겠는데 마땅한 장소가 없어 관음회가 사용하는 정화기념관을 비워 달라고 했다. 그러자 관음회 회장이라는 사람이 정면으로 반대를 하고 나섰다. 어느 날 노란 옷을 입은 여자 회원 수백 명이 지켜보는 앞에서 회장이라는 사람이 큰소리로 말했다.

"스님 말이오. 세상 물정도 모르고 도심 한가운데서 무슨 선방을 연다고 그러시오."

"당신은 누구시오?"

"나는 관음회 회장이오."

"그대가 참선이 무언지 아시오?"

"나는 참선 따위는 모릅니다."

"주제넘게 참선이 무언지 알지도 못하면서 참선을 해서 되느니 안 되느니, 그런 무식한 소리가 어디 있소. 그대하고 이런 얘기할 시간이 없소."

나는 소리를 버럭 질렀다. 그러고 나와 버렸더니 며칠 뒤 찾아와 내게 절을 수십 번이나 하며 사과했다.

"스님, 잘못했습니다. 스님께서 하자는 대로 따르겠습니다."

이런 식으로 하니 한국일보 장기영 사장이 나를 찾아와 "소신껏 일하면 적극 돕겠다"고 격려해 주었고, 당시 황산덕 문교부장관도 "적극 협조하겠다"며 지원을 약속했다. 나는 인기가 좋았다. 어떤 신문은 "자갈밭에서 옥돌을 구해냈다"고 했고, 또 어떤 신문은 내가 사무실에서 짚신 신고 있는 것을 보고 "촌에서 짚신 신고 온 총무원장이다"며 애교 있게 봐주었다. 중이 인기가 있으면 뭘 하겠는가마는 일을 하는데 주위 사람들이 '잘한다'고 해야지 '못한다'고 하면 그런 일을 왜 하겠는가.

그러나 조계사가 자리를 잡아가니 여기에 무슨 큰 이권이라도 있는 줄 알았는지, 또는 새 총무원장이 허수아비가 아니라 뭔가 일을 하려 드니 이대로 둬서는 불안하다고 느낀 사람들이 많아서인지 조계사 주지를 갈아치우려는 분위기가 일어나고, 새로 설립한 선원의 조실 스님 추대를 놓고 의견이 엇갈리는 등 새로운 암초에 부딪쳤다. 그 뒷이야기는 입에 담기도 싫다.

나는 도저히 일할 여건이 안 된다고 느껴 더 돌아볼 것 없이 하룻밤 사이에 보따리를 싸서 총무원장 자리를 내던지고 원적사로 돌아왔다.

나는 중으로서 눈곱만큼이라도 세력다툼 같은 어설픈 싸움에는 끼어들기 싫었다. 총무원장 자리에 있었던 기간이 딱 두 달에서 이틀이 모자라는 짧은 세월이었으나 내게는 참으로 길고 지루한 세월이었다.

10 · 27법난은 부끄러운 일

1970년대 말 3년 동안 조계종단은 심각한 내분상태에 빠져 있었다. 이른바 조계사 측(윤고암 종정, 배송원 총무원장)과 개운사 측(윤월하 종정, 송월주 총무원장)으로 양분되어 전개된 종권 싸움은 세상 사람들의 빈축을 사며 3년 가까이 끌어오다 1980년 3월 30일에야 양측의 합의로 일단 해결의 실마리를 찾았다. 그러나 그 후에도 내부적으로 갈등과 분규가 가라앉지 않는 가운데 10 · 27법난을 맞았다.

1980년의 10 · 27법난은 1600년 한국 불교 역사를 통하여 정치권력에 의한 불교 탄압의 중요한 사례 중의 하나로 기록될 사건이었다. 봉암사 대중은 이 일의 수습을 위해 그때 잠깐 타의에 의해 중앙 종단의 운영에 참여한 일이 있었다.

5공 정권 초기, 그날 나는 봉암사 조실 방에 있었다. 날이 새기 전 새벽 미명 속에 변소에 가는데 총을 멘 군인들이 뒷산에서 불쑥불쑥 튀어나왔다. '또 인민군이 왔나' 하고 생각하니 참담한 느낌이 들었다. 알고 보니 국군이었다. 국군들은 우리 스님들을 비롯하여 절집 식구들이 다른 곳으로 나가지 못하도록 사방에서 절을 포위하고 있었던 것이다. 평화 시에 군인들이 총을 메고 스님들을 포위하다니……

이것이 10·27법난으로 전국 모든 사찰에서 일제히 벌어진 군사 작전의 모습이었다. 군인들은 스님들을 모두 불러내 마당에 세워 놓고 죄인 다루듯이 조사하고 불온한 인사들을 숨겨두지 않았는지 수색을 했다. 절의 살림살이를 기록한 장부는 모두 압수당했다. 비리를 캐기 위해서였다.

그날 서울로부터 봉암사 대중은 급히 올라와 달라는 연락을 받았다. 탄성 스님이 먼저 올라갔고 뒤이어 활성 스님이 불려 올라갔다. 올라가자마자 탄성 스님은 임시로 총무원장을 맡았고 활성 스님은 기획업무를 맡아 중요한 역할을 수행했다. 그런 비상한 시국에 왜 봉암사 대중에게 수습을 맡기고자 했는지는 알 수 없으나, 아마도 봉암사에 깨끗한 수행승들이 있다는 생각에서 그랬던 것으로 짐작된다.

정부에서는 승려들을 협잡꾼의 집단인 양 마구 잡아들여 그 비리를 떠들썩하게 공표했다. 그러나 막상 털어보니 별것 없는지라 그들이 만들어낸 불교 비상사태에 대한 타당성을 마련하고 종단을 원로 중심으로 운영하기 위하여 원로 스님들에게 일일이 도장을 받도록 지시했다. 권력을 쥔 쪽에서 보기에는 늙은 노장 몇 사람 휘두르기는 쉬운 일이었다. 원로 스님 모두가 저들의 요구대로 도장을 찍어 줬다. 마지막으로 내게 왔기에 반대했다.

"이런 일은 있을 수 없는 일이오. 정 그렇다면 정부에서 불교를 다 맡아서 운영하시오. 늙은 사람들이 이 종단을 모두 맡아서 어떻게 하라는 것이오. 마을에서도 늙은이들은 집안일을 젊은 자손들에게 맡기는 법이오. 젊은이들에게 다소 허물이 있었다 치더라도 그것을 빌미로 송장 감들이 일을 맡을 수는 없지 않소."

내가 도장을 찍지 않고 버티는 바람에 일은 결국 성사되지 못했다. 이렇게 하여 비상사태 수습 책임을 떠맡았던 봉암사 대중은 새로 종헌을 개정하고 종정을 추대하여 종단의 중심을 잡은 후에 미련 없이 산으로 돌아갔다. 중요한 역할을 했던 활성 스님 등 모두가 짧은 기간의 종단 업무에 환멸을 느끼고 수행자 본래의 자리로 되돌아간 것이다.

그동안 불교는 정부로부터도 제대로 된 대접을 못 받았고 일반 국민으로부터도 관제불교니 하는 좋지 못한 평을 들어왔다. 제대로 응집된 모습을 보이지 못했기 때문이다. 응집된 힘은 어디에서부터 솟아나오는가. 부처님의 가르침에 입각하여 승단이 여법하게 운용될 때 힘은 자연발생적으로 우러난다. 그러나 한국 불교는 내분으로 인해 지리멸렬해졌고, 저항 한 번 못하고 정치의 희생양이 된 것이 10·27법난이라는 어처구니없는 사건이었다. 억울하다기보다는 부끄러운 일로 각인되어야 할 사건이었다.

정치 권력의 무자비함을 탓하기 전에 그 같은 군대의 군홧발을 끌어들였던 스스로의 허물을 먼저 반성해야 할 것이다. 불교를 새 정권 탄생 뒤의 정통성 확보를 위한 희생물로 삼으려 했던 당시 신군부 운영자들의 무식을 나무라기 전에 그들로 하여금 '깡패 소탕'과 같은 차원에서 '불교 비리'에 칼을 들이대도록 유인했던 종단에 먼저 질책의 화살을 돌려야 할 것이다.

실제로 다시 억울하게 짓밟힌 불교계에서는 분노를 삭이고 있었으나 일반 국민들 사이에서는 "중들 하는 짓이 싸움질뿐이더니 속이 후련하다"고 느낀 사람들이 없었던 것은 아니다.

성철 스님을 종정으로 추대하다

10·27법난이 일어나자 종단의 모든 기능은 마비되었고 종회도 제 기능을 다하지 못해 원로회의에서 종정을 추대하게 되었다. 그때 몇몇 스님들은 진작부터 종정이 되기 위해 여러 가지 노력을 하고 있던 중이었다. 나는 이들의 뜻에 반하여 종정 자리에 터럭만큼의 관심도 없던 성철 스님 추대를 강력히 주장했다. 석주 스님도 나와 같은 생각이었다.

일부에서는 나를 종정으로 추대해야 한다는 얘기도 있었으나 나는 그런 말은 아예 귀담아 듣지 않았다. 그 시기 공백상태가 된 종단은 봉암사 대중이 수습의 모든 책임을 맡아서 하고 있었으므로 만약 내가 종정 욕심이 조금이라도 있었다면 그때가 꿈을 실현할 수 있는 절호의 기회였을 것이다.

나의 끈질긴 권유에, 처음에는 완강하게 거절했던 성철 스님은 '한국 불교의 중흥을 위해서'라는 명분에 밀려 마침내 종정 직을 수락했고, 1981년 1월 10일 제7대 종정에 추대되었다. 1981년 정초, 한국 불교는 드디어 성철이라는 거대한 정신적 스승을 탄생시키며 깨어났다. 그로부터 10년의 임기가 흐른 1991년, 새 종정의 자리를 놓고 조계종은 해묵은 종권 싸움이 재연되면서 심각한 갈등이 일어났다.

성철 스님도 종정 재추대를 완강하게 거절했다. 어떤 권유에도 수락할 자세를 보이지 않은 것은 물론이었고 찾아간 사람들도 만나주지 않았다. 내가 가서 종단이 처해 있는 상황을 설명하고 스님이 맡아 주어야 할 까닭을 얘기하자 성철 스님은 다음과 같이 말씀하셨다.

"종정 할 사람이 많은데 구태여 나를 시키느냐."

그러자 사람들은 다시 말했다.

"지금 종정 할 사람은 스님뿐이니 아무 소리 말고 맡아주시오."

종정을 지내고 싶어 애쓰는 사람도 더러 있었다. 그러나 그들 중 누구에게 맡겨도 종단은 내분이 격화될 뿐이므로 성철 스님이 계속 맡는 것 외에는 대안이 따로 없다는 것이 내 생각이었다. 다른 원로 스님들의 생각도 나와 같았다.

성철 스님은 완강하게 거절했으나 나도 그에 못지않게 완강하게 설득했다. 마침내 성철 스님이 조건부로 승낙을 했다. "언제든지 그만두겠다"는 것이 그 조건이었다. 그를 위해 스님은 미리 사표를 써서 내주었다. 나는 사표를 받아두되 한 가지 약속을 해두자고 제의했다.

"벙어리가 되시오. 종정을 하겠다는 소리도, 안 하겠다는 소리도 하지 마시오."

스님은 한참 생각하더니 내 뜻에 따르겠다고 했다. 과연 그로부터 한 1년 동안 성철 스님은 침묵을 잘 지켰다. 종정직에 연연하여

'운동'을 하고 있던 측에서는 성철 스님이 다시 한 번 안 하겠다고 고사하면 자신들에게 기회가 올 것으로 보고 잔뜩 고대하고 있었는데 성철 스님이 이렇다 저렇다 하지 않고 침묵을 지키니 실망이 보통이 아니었을 것이다.

스님은 종정이 된 뒤에도 여전히 해인사 백련암에서 꼼짝하지 않고 자신의 독특한 수행법을 고집하며 불교를 이끌어갔다. 이리 흔들리고 저리 흔들려 갈피를 잡을 수 없었던 한국 불교의 맥을 한 가닥으로 잡고 더 이상 떨어질 곳이 없던 한국 불교의 위상을 우뚝 솟게 한 것은 그의 법력이었다. 그럼에도 불구하고 열반에 이르러서는 "한평생 무수한 사람을 속였으니 그 죄업 하늘에 가득 차 수미산보다 더하다"라는 게송을 남겼다.

스님의 수행 이력은 여기서 일일이 더듬지 않아도 될 만큼 세상에 널리 알려져 있다. 분명히 한국 불교는 성철 스님을 만난 후부터 이전과 다르게 불교의 정신적 골수를 회생시켜 나갔다. 분명 그는 한 시대 불교의 정신사를 가꾸어 놓은 거인이었다.

종정이 되고 싶어 애를 쓰는 사람들보다는 이런 대선사를 큰 어른으로 모셔놓고 보다 큰 원력을 세워 나가자는 것이, 두 번이나 그로 하여금 종정이라는 번거로운 일을 맡도록 권유한 내 본래의 뜻이었다.

법에 의지할지언정 사람에 의지하지 말라

오늘날 한국 불교는 그 종권이 문중의 힘에서 나오고 있다. 현재의 문중은 대개 위로 세력이 큰 스승을 모셔 뿌리가 튼튼하거나, 아래로 상좌를 많이 두어 당대에 가지를 많이 뻗었거나 하는 두 가지 방법에 의해 형성된다.

본시 문중이란 중국에서 오종가풍五宗家風이 벌어지면서 생겨난 것이다. 예를 들어 육조 스님 쪽의 돈종頓宗이니 신수 스님 쪽의 점종漸宗이니 하는 문중이 바로 그 원류이다. 그러나 오늘날 우리나라 불교의 문중이란 무슨 독특한 종지에서 비롯된 것이 아니고 그저 세력집단으로 존재할 뿐이니 이게 모두 폐단의 근원이 되는 것은 당연한 일이다.

옛날에는 제자를 두는 것도 함부로 두지 않고 엄격하게 두었다. 그런데 요즘에는 자기 제자의 얼굴도 잘 모르는 스승이 있을 정도다. 나는 본시 내 성격을 잘 알기 때문에 제자를 전혀 두지 않았다. 그런데 봉암사에 조실로 떠받들어져 가서부터는 행자들이 가끔 들어왔다. 해인사 같은 큰 절에는 처음 입산하여 행자로 들어오는 사람이 제법 많지만 봉암사 같은 절에서는 그런 일이 드문데 그래도 가끔씩 출가한 젊은이들이 들어온다. 이들을 부리다가 결국은 중으로 만들어야 하는데 마땅히 맡을 사람이 없어 천상 나이 많고 조실인 내게 떠맡겼다. 나는 조실 자격도 없고 이미 늙어서 젊은 수좌들의 공부를 책임질 수도 없어 한사코 피했지만 그래도 늘 피할 수 없어 가끔 받아들인 것이 지난 10여 년 동안 여남은 명은 된다. 그러나 그 중에서 자기 업력 때문에 절반은 나가버리고 지금 남아 있는 사람이 다섯 손가락에 꼽힐 정도밖에 안 된다. 그런데 스승인 내가 조계종단을 떠났으니 이제 이 사람들의 처지가 어려워졌다. 그러나 출가승이란 한 사람 한 사람이 모두 부처가 되고 원력을 세운 사람들이다. 누구의 상좌였다든가, 누구의 법제자라는 인연이 중요한 것이 아니므로 보다 대승적인 자세로 해결해 나갈 수 있을 것이다.

이렇게 하여 내게는 문중이라는 이름의 울타리가 없다. 누가 내게 문중을 물으면 '석가문중'이라 대답하고, 무슨 종이냐고 물으면 '석가종'이라 답해왔다. 나는 처음부터 문중이라는 잘못된 세력집단을 배격해왔고 지금도 그것이 한국 불교를 망하게 하는 요인이라고 생각한다. 자기 문중의 은사 스님이라도 잘못된 길을 가면 따르지 말아야 하고 남의 문중이라도 그것이 불법이면 따라야 한다.

불법을 따라야 하는 것이지 스님을 따르는 것은 수행자의 도리가 아니다. 부처님께서도 "단의법但依法이언정 불의인佛依人이라"고 하셨다. 즉 다만 부처님 법에 의지할지언정 사람에 의지하지 말라고 하셨다. 모두 그런 것은 아니지만 요즘은 자기 문중의 일이라면 모두 옳고 다른 문중의 일이라면 옳은 일도 아니라고 우기는 풍조가 있으니 이것은 패싸움이나 마찬가지로 냄새나는 일이다. 이래서는 어찌 불교가 발전을 하겠는가. 김일성·김정일의 세습왕조를 비웃기 전에 상좌에게 절을 세습적으로 인계하는 지극히 세속적인 풍습부터 고쳐야 한다.

그렇지 않아도 세상은 지금 집단 이기주의가 팽배해 있다. 종교가 각자의 울타리를 만든 지는 이미 오래고, 또 각 종교 안에서도 종파라는 가지를 만들어 한몫 하는 판이다. 불교는 그 아래 문중이라는 또 하나의 이기집단을 형성하고 있다. 이런 불법은 없다. 승가는 무엇보다도 울타리 없는 대화합의 장이어야 한다.

한국 불교가 제대로 중생제도의 역할을 수행하려면 집단 이기주의의 표본으로 변해버린 문중 이기주의에서 벗어나지 않으면 안 된다. 스승과 제자 사이의 아름다운 끈을 끊어버리자는 것은 아니다. 그 아름다운 끈이 세속적인 이기심과 욕구 충족의 집단으로 작용하는 현상을 어떤 이유를 막론하고 막아야 한다는 얘기다. 그래야만 대승보살도를 바르게 실현할 수 있는 마음의 눈을 뜰 수 있다.

조계종 8대 종정으로 취임

내가 종정이 되려고 생각한 적이 한 번도 없었던 것은 천하가 다 아는 일이다. 어떤 이들처럼 무슨 운동인가를 한 일도 없다. 종정은커녕 종권에 관계된 일은 내 체질에도 맞지 않고 관심도 없다. 그건 종단에 있는 사람들이 더 잘 알고 있을 것이다.

종정에 추대된 과정부터가 일이 이상하게 진행되었다. 성철 종정 열반 후에 문중 간의 힘겨루기가 팽팽하던 때에 원로회의를 중심으로 차기 종정을 맡아 달라는 요청이 자주 있었다. 종단이 워낙 혼란스러운 때이고, 자칫하면 문중 대결이 격화되어 종단이 두 쪽으로 갈라지는 내분이 일어날지도 모르니 파벌에 초연한 내가 어른이 되어야 한다는 것이 나를 추대하는 여러 명분 중의 하나였다.

일이 여기에 이르자 안 하겠다고 무작정 발을 뺄 수만은 없어 "성철 스님 49재나 지내 놓고 보자"고 보류해 두었던 것인데 49재 때 혜암 스님이 수많은 대중 앞에서 나로부터 종정 직을 수락 받았다고 선포해 버렸다. 성철 스님에게 맡겨 두었던 불자와 주장자 그리고 법장까지 종정의 상징물을 부랴부랴 가지고 와서 내게 줌으로써 그 자리가 뜻밖에도 종정 추대식이 돼버린 셈이다. 그날이 1993년 12월 24일이었다.

종정에 추대된 직후 중앙일보 논설위원으로 불교계 사정에 밝던 이은윤 씨가 신문에 다음과 같은 내용의 글을 썼다.

"서암 스님은 문중 세력이라는 힘의 뒷받침이 전혀 없이 강력한 세력을 지닌 두 문중의 종권다툼 와중에서 오직 수행의 깊이와 고고한 명성으로 하여 종단의 최고 어른으로 추대되었다. 그러나 그는 전 종정 성철 스님과는 달리 사판승의 일을 나 몰라라 하고 팽개친 채 산속에 앉아 있을 스타일은 아니다. 옳은 것은 옳고 그른 것은 그르다는 식으로 종단의 일을 챙기고 종정의 직책을 제대로 수행하려 들 것이다. 힘의 뒷받침이 없는 종정이 허수아비처럼 가만히 있지 않고 일을 챙기려 들 때 필시 종단에는 커다란 갈등이 생길 것이고, 이 갈등은 새 종정의 수명을 의외로 단명케 할지도 모른다."

그 글을 보고 속인들 중에서도 '종단 돌아가는 사정을 제대로 꿰뚫어보는 사람이 있구나' 하고 내심 감탄을 했다. 결과는 그 양반의 말처럼 나의 종정직 수명이 아주 단명하게 끝나버렸다.

지난 반세기의 역사를 통하여 이상하게도 종단이 어지러울 때마다 산사에 있는 나를 데려다가 마음에도 없고 팔자에도 없는 감투를 씌워 함정에 빠뜨린 일이 여러 번이었다.

1950년대 정화가 한창일 때 경북 종무원장을 잠시 맡았는데 그때도 서로 하겠다는 사람들을 다 제쳐놓고 맡지 않겠다는 나에게 한사코 그 일을 맡기는 바람에 팔자에 없는 감투를 쓴 일이 있었다. 일단 일을 맡은 이상 제대로 하지 않고서는 배기지 못하는 것

이 내 성미인지라 잘못된 것을 척결해 나가려니 모두들 아우성이었다. 결국 내가 때려치우고 산으로 돌아왔다.

1980년대에 들어와서는 원로회의 의장직을 맡게 됐는데, 그 직분을 맡긴 까닭도 이렇다. 종권을 두고 벌어지는 문중 간의 힘겨루기가 가라앉기는커녕 더욱 심화되고 있었다. 어느 한 문중이 전체를 먹느냐 마느냐 하는 세속적 권력 투쟁의 양상이 전개되고 있었다. 어느 특정 문중이 종단을 좌지우지하여 종단이 잘된다면 모르겠으나 그들에게 종단을 통째로 맡겨서는 안 될 사람들이었다. 그대로 됐다가는 안 될 것 같아서 종단의 앞날을 걱정하는 발언을 자주 하게 되었다. 그러니 비록 문중 파벌은 없지만 내 이야기를 옳게 여기는 사람들이 있었던지 나를 원로회의 의장도 시키고 마침내는 종정까지 맡게 된 것이다.

불교 개혁을 시작하다

　나는 종정으로 추대되기 2년 전인 1991년 6월 3일 조계종 원로
회의 의장으로 선출되어, 환골탈태의 새 출발을 해야 할 조계종의
길잡이 역할을 담당할 한 사람이 되었다. 그로부터 한 달 뒤인 7월
8일 해인사에서 3천 명이 참석한 가운데 열린 전국 승려대표자대
회는 나를 불교 개혁위원회 의장으로 추대하였다. 나는 우리 불교
를 부처님 법에 맞는 모습으로 다시 만들어 나갈 책임을 지게 된
것이었다.

　불교 개혁의 원리는 간단하다. '부처님 법에 맞는 도리'를 모르
는 사람은 없다. 문제는 실천을 하고자 하는 의지에 있을 뿐이다.

　스님들과 동국대 교수들 그리고 재가 신도들을 비롯하여 불교
계 안팎의 중요 인사들을 모두 타워호텔에 모아놓고 '석존의 교법
에 따른 종단의 재건'이라는 주제 아래 개혁의 방향과 방법에 대한
세미나를 가졌다. 그 자리는 당시의 '개혁'에 대한 성토장이 돼버
렸다. 여기서 나온 의견들을 수렴하여 개혁백서를 만든 후 총무원
에 제시케 했더니 총무원과 종회는 들은 척도 하지 않았다.

　이때 총무원은 서의현 총무원장 체제였으나 중앙종회 의원 중에
는 서 원장 체제에 반대하는 스님들도 많았다. 이상한 것은 '반反
서의현' 성향의 종회 의원들도 개혁위원회가 성안시킨 개혁안의

채택과 실시에 부정적이거나 반대를 한 것이었다.

1차 성안된 개혁안이 종단 집행부와 종회로부터 외면을 당했으면서도 개혁위원회는 1992년 11월 16일 대각사에서 2차 개혁안을 발표했다. 이것도 수용되지 않았다.

몇 차례 제시한 개혁안이 실천에 옮겨지지 못하자 나는 개혁위원회로 하여금 기존의 종헌 종법을 고치지 않고도 개혁이 가능한 부분부터 실천에 옮길 방법을 강구해 보도록 했다.

기존의 종법에는 승려 교육제도와 법계고시를 실시하도록 명문화되어 있었다. 그렇다면 당장 교육원을 개설하고 법계고시를 실시하도록 하자, 이것이 나와 개혁위원회의 궁여지책으로 나온 최종안이었다. 실제로 조계종에서 일어나는 모든 문제는 승려의 자질이 불투명한 데서 발생하는 것이므로 승려교육과 법계고시야말로 개혁을 위한 근본 처방이었다. 그러나 이것마저도 실천에 옮겨지지 못했다.

마침내 1993년 11월 30일, 나는 개혁위원회 의장으로서 불교개혁의 최종안을 성안하여 신문에 공고하도록 했다. 개혁을 피할 수 없는 과제로 못 박기 위해 고심한 결과였다.

이때 내가 제시한 개혁의 근본 줄기는 두 가지였다.

첫째는 교육이다. 한국 불교가 잘못되어 있는 것은 승려의 자격이 일정치 않고 종단 차원의 교육 제도가 확립되어 있지 않다는 것이다. 이것을 바로잡으면 '심심한 놈, 사업에 실패하여 도망치고 싶은 놈, 사랑에 실패하여 자살하고 싶은 놈, 이도 저도 아닌 낙오자¹들이 마음만 먹으면 중이 될 수 있고, 중이 된 후 일정한 세월이 가면 주지도 하고 총무도 하여 거들먹거리며 살 수 있는 곳, 절이 곧 그런 장소이며, 불교가 곧 그런 종교라는 잘못된 인식은 바뀔 것이다.

둘째는 재정의 투명성이다. 모든 병폐는 돈에서 나온다. 그것을 투명하게 하지 않고서는 그 어떤 개혁과 혁명도 공염불이다. 이것을 실천하지 않는 개혁은 불전함을 차지하기 위한 권력투쟁은 될지언정 진정한 개혁과는 거리가 멀다.

그러나 이 두 가지 근본적인 물줄기를 바로 돌리기 위해서는 많은 아픔을 감수해야 하고 많은 시간이 소요되어야 할 것이었다. 나중에 '개혁'에 참여한 많은 스님 중에서도 내가 내놓은 이 개혁안에 도장 찍기를 꺼려하고 망설였던 사람이 많았던 이유도 여기에 있었다. '과연 해낼 수 있을까' 하는 의구심과 기득권을 지키려는 자기 방어 본능이 작용했기 때문이었을 것이다.

이러한 개혁의 방향과 근본 줄기를 세워 놓은 후에도 현실적인 장벽은 너무나 높았다. 가장 중요한 문제는 불교의 개혁에 무관심하고 장기집권을 위하여 무리한 수를 강행한 서의현 체제를 어떻게 할 것인가 하는 것이었다. 이에 대해서 내 나름의 생각이 있었다. 즉 점진적으로 종단에서 물러나도록 한다는 생각이었다. 때가 되면 총무원장과 원로회의 의원들 그리고 종단을 대표하는 여러 스님이 다 모인 자리에서 "여론이 이러하니 서 원장은 좀 쉬도록 하시오. 그동안 동화사에 불사도 많이 했으니 그곳에 안주하며 불법을 펴는 일에만 전념하는 것이 좋겠소." 이 정도로 이야기하면 물러나지 않을 사람이 없을 것이고, 그것이 산중공사를 통하여 어려운 일을 해결해온 불가의 아름다운 전통을 지켜 가는 유일한 방법이라 생각했던 것이다.

이 같은 생각을 실천에 옮기기 위해 1994년 3월 23일 원로 책임자들의 회의를 열고 '서 원장이 3월 30일 종회에서 다시 총무원장으로 선출되더라도 이를 인준치 않는다'는 결의를 했다.

폭력은 또 다른 폭력을 낳을 뿐

성철 전 종정 스님의 49재일 직후인 1993년 12월 24일 나는 조계종 제8대 종정으로 추대되어 재임 140일 만인 1994년 4월 26일 사임하고 아예 종단을 떠나 늘그막에 참으로 홀가분한 길을 걸을 수 있었다.

전에 경북 종무원장을 했을 때도, 총무원장을 했을 때도, 또 이번에 종정이라는 이름으로 종단의 가장 큰 어른으로 추대되었을 때도 그 무거운 자리에 앉아 있었던 시간은 반 년을 넘기지 못했다. 정황은 각각 달랐지만 내 발로 모든 것을 떨치고 홀홀히 떠나온 것은 모두 같았다.

나는 애당초 '그런 자리'와는 어울리지 않는 사람이었던 모양이다. 그런 내가 왜 종정의 자리에 나갔으며 또 물러났을까.

종정의 자리에 나갈 수밖에 없었던 사연은 이미 앞 장에서 밝힌 그대로다. 이번에는 그 자리에서 물러나야만 했던 전후 사정을 간단하게나마 살펴보아야 할 차례다.

나는 원로회의 의장의 중책을 맡으면서, 오늘날 조계종단의 모든 병폐의 근원은 종권을 잡은 측이나 그 반대편에 서 있는 측(장차 종권을 잡기 위해 투쟁하는 사람들)이나 모두 부처님의 가르침과 종헌·종법을 무시하고 행동하는 데서 비롯된다고 생각했다. 따라서 내가 해야 할 첫 번째 일은 종단의 대소사를 여법하게 이루어 나가는 절차의 확립이었다. 이러한 절차의 정당성이 없으면 사회도 부지되기 어렵다. 하물며 종교 집단은 어떻겠는가. 절차의 정당성이 없는 종교 집단은 존립의 기반조차 세우지 못한다.

종정에 추대된 이후 내게 부여된 임무란 오직 종단의 개혁이요, 파벌을 넘어선 화합을 이루는 일이었다. 그러나 이 같은 일에 미처 손을 대기도 전에 총무원장 선출 문제로 1994년 3월 30일 중앙종회가 소집되자 서 원장의 3임을 반대하는 측에서는 이를 물리적으로 저지하기 위해 힘을 결집하고 있었다.

물리적 충돌과 파국을 우려한 원로 의원들이 봉암사로 내려와서 '서 원장 3선 인준 불가' 원칙을 결의하고 이를 통보했으나 서원장 측은 이를 무시하고 종회를 강행, 3임의 무리를 범하여 마침내 폭력 사태가 빚어지고 말았다.

언제나 그랬듯이 종권을 둘러싼 분쟁은 조계사에서의 폭력적인 대치로 막을 열고 막을 내렸다. 이번에도 젊은 승려들의 시위가 격렬해지자 권력을 지키려는 측에서는 급한 김에 깡패들까지 동원하여 이를 방어코자 하였고, 경찰마저 그들을 비호하는 듯한 인상을 주어 시위 군중을 더욱 자극하였다. 그리하여 극한적인 폭력 대결이 이루어졌다.

나는 두 가지의 폭력에 모두 반대했다. 그 어느 것도 불교의 발전과 종단의 화합에는 도움이 되지 않는다는 생각에서였다. 비록 어느 쪽이 승리하여 기존의 종권을 지키거나 새로운 종권을 창출한다 하더라도 유장한 역사의 저편에서 볼 때 얻는 것보다는 잃는 것이 더 많으며 이 땅의 불교가 입는 상처는 깊고도 크리라는 것이 나의 우려였다.

그러나 어찌 된 셈인지 나와 같은 생각을 지니고 있던 원로회의 노장 스님들이 어느 날 갑자기 시위하는 젊은 스님들의 앞에 서서 그들과 같이 주먹을 허공에 휘두르며 고함을 지르기 시작했다. 승려대회라는 것을 열고 '시위 군중의 폭력'으로 기존의 질서를 뒤엎는 '혁명'을 시도하였다. 그 목표는 '개혁'이었다.

종정, 개혁의 대상이 되다

후에 들으니 개혁회의 쪽에서는 내가 서의현 전 총무원장 체제를 비호하고 개인적으로도 서 원장을 지지해 개혁의 걸림돌이었기 때문에 불신임이라는 혁명적인 방법을 사용할 수밖에 없었다고 하는 것 같았다. 그러나 종정인 내게 짐 지워진 유일한 과제가 개혁이었고, 이를 내가 모르는 바 아니었는데 개혁 그 자체를 반대할 이유가 어디 있었겠는가. 다만 우리가 세속적인 역사에서도 보아왔듯이 수단과 방법이 나쁘면 아무리 숭고한 목적도 퇴색되고 왜곡되기 쉬우며, 항차 종교에 있어서 폭력이란 종교 자체의 뿌리를 흔들고 스스로를 부정하는 결과에 이르게 한다. 이런 자기부정의 길을 가도록 방관할 종정이 어디 있겠는가.

서 원장이 퇴진해야 한다는 데는 당연히 동의했지만 불교적인 방법과 절차에 따라서 할 생각이었다. 남들은 1년도 못 넘긴 경우가 허다한 자리를 어쨌든 그는 8년이란 긴 세월을 견디면서 일해왔고, 어느덧 한국 불교를 대표하는 인물로 널리 각인된 사람이다. 그런 사람을 하루아침에 체탈도첩攡奪度牒이라는 극약처방으로 내몰면 우리 불교는 온전하겠는가 하는 생각을 하지 않을 수 없었다. 그래서 닭을 쫓아도 나갈 구멍을 보고 쫓으라는 우리 속담처럼 순리에 따라 물갈이를 하려고 했던 것인데, 그게 내가 종정에서 '쫓겨난' 이유라면 이유이고, 개혁의 걸림돌이라면 걸림돌이었다.

또 봉암사 불사 때 서의현 전 총무원장으로부터 거액의 돈을 지원받았다던가 하는 얘기도 많이 떠돌았던 모양이나 사실은 이렇다.

당시는 나라 안에 큼직한 화재 사고가 많아 뒤숭숭하던 때였다. 그때 봉암사에 새로 지었던 선방이 불에 타버렸다. 당국에서는 봉암사의 불도 불온분자의 방화가 아닌가 의심을 하고 있었다. 누군가 나에게 귀띔하기를 불에 탄 선방을 다시 지으려면 정부에 협조를 구하라고 했다. 내 생전 처음으로 불사 도움을 얻기 위해 현직 장관을 찾아가서 청했더니 정부와 경상북도에서 얼마간의 보조를 해주었다. 그리고 나머지는 신도들의 정성으로 7~8년에 걸쳐 불사를 마무리했다. 그런데 서의현 총무원장이 이 일을 두고 자신이 '정부의 높은 사람들에게 잘 이야기해서 보조를 받게 해주었다'고 생색을 낸 모양이었다. 그는 어느 날 뜬금없이 내게 전화를 했다.

"거기 돈 내려갔지요?"

"돈은 무슨 돈?"

"제가 장관한테 다 이야기 했습니다."

"……."

소문 끝에 액수도 엄청나게 불어나 개혁의 바람이 불자 어느 신문에서까지 서 원장이 나에게 50억 원을 주었느니 차를 사줬느니 하는 식으로 풍선처럼 부풀어 오르기 시작했다.

여러 스님이 모인 자리에서 어느 원로 스님이 이른바 서 원장이 내게 사줬다는 자동차 건에 대해 문제를 삼자 월서 스님이 "서암 스님에게는 자동차가 없다"고 바른대로 얘기를 해줬다고 한다. 월서 스님은 봉암사 선방에 함께 있어 봐서 나를 잘 알고 있었다.

"무슨 소리냐. 서 원장이 자동차를 사줬다고 하던데."

"그 스님은 차가 없습니다. 서울 오면 지하철이나 버스를 타고 다닙니다."

사람들은 내가 봉암사 조실이고 이제는 종정이니 호화로운 자동차를 굴리는 게 당연한 일이라고 생각했던 모양이다. 그러나 수좌 가풍을 말로서가 아니라 실질적으로 지켜야지 그렇지 않으면 절집 살림을 제대로 살 수가 없고, 부처님께서 가르친 도리를 다 할 수도 없었다.

다른 사람들이 툭하면 택시를 불러 탈 때도 나는 시외버스를 타고 나갔다. 택시비는 봉암사에서 점촌까지 1만 5천 원 정도, 가은까지는 6천 원을 받는다. 이것은 내가 굳이 모범을 보이겠다는 작심을 하고 했던 것이 아니다. 한평생 걸사와 같은 비구의 삶에 젖은 나의 생활 습관 때문이었다.

이야기가 약간 벗어났으나, 사실 여부를 제쳐놓고 누군가가 고의적으로 소문을 만들어내고 회자된다는 자체가 우리 불교의 서글픈 현상을 말해주는 일인 것만은 숨길 수 없는 사실이다.

불교적인 방법으로 일을 도모하고자 하는 종정의 생각을 깨끗이 무시해 버리고 무엇이 그리도 급한지 모든 체제를 뒤집어엎어야 겠다는 일부 스님과 신도들의 조급한 생각에는 따를 수 없었다.

내가 '개혁회의'에 의하여 배척당한 이유는 '비불교적인 방법의 개혁은 또 다른 악의 근원이다'는 이유에서 '개혁회의'측의 비정상적인 방법에 반대했기 때문이다. 개혁 의지가 아무리 훌륭하다 해도 방법이 여법하지 않다면 의미가 없다. 세속에서도 마찬가지지만 특히나 불가의 일에 결과주의적인 사고를 가지고 단지 개혁을 성공시키기 위해 칼자루를 무리하게 휘두르면 자칫 또 다른 개혁의 빌미를 제공할 수도 있다. 악순환의 고리를 끊을 줄 아는 게 불가의 지혜. 특히 정화불사의 후유증을 두고두고 앓고 있는 모습을 똑똑히 보아온 나로서는 그런 후유증을 남기게 될 일에 동의할 수 없었다. 이것이 내가 반개혁 세력의 한 사람으로 지목이 되고, 나아가 '개혁의 대상'이 되었던 사유다.

종정 불신임과 종정 사퇴

그들의 목표는 내가 추구해온 것과 다르지 않았다. 그렇다면 정상적인 방법으로 그 목표를 달성하는 것이 불가의 전통을 위하여 훨씬 바람직스럽지 않겠는가. 나는 기회 있을 때마다 '진중합시다', '화합합시다', '절차를 따릅시다' 라고 세 차례나 유시를 통해 나의 뜻을 밝혔으나 이미 내 말이 먹혀 들어갈 자리는 보이지 않았다. 나는 유시를 통하여 승려대회를 금지시키고 그 대신 범종단 세력이 참여하는 수습위원회를 구성하였다. 이 위원회로 하여금 종단의 모든 문제를 해결하도록 하자는 방안을 제시하였다. 그러나 승려대회는 열렸고, 오로지 내가 승려대회를 금지시켰다는 이유로 '종정 불신임'을 동네 아이들 골목대장 바꾸듯이 가볍게 결의하고 말았다.

들리는 소문으로는 이미 어느 문중의 누가 종정 자리를 두고 물밑에서 치열하게 싸우고 있다고도 했다. 젊은 스님들도 자주 나를 찾아와서 종정 직을 내놓으라고 독촉이 성화같았다.

이 무렵 나를 찾아온 소장 스님들이나 중진 스님들 중에는 진실로 불교의 앞날을 걱정하고 뼈를 깎는 고뇌를 하는 사람들도 많았다. 그러나 그런 스님들보다는 눈앞에 보이는 종권을 확실하게 붙들기 위하여 초조하게 설치는, 제정신을 반쯤 잃은 사람이 더 많았다. 내 마음속으로 생각해 보니 이들 젊은 사람들이 종단의 일을 맡으면 그래도 지금까지 맡아왔던 어떤 세력들보다 올바른 열정을 가지고 해 나아갈 것이라는 기대도 없지 않았다. 그러나 그런 아까운 열정이 하필이면 비정상적인 투쟁을 통해서만 설 자리를 만든단 말인가. 이래서야 수 년, 또는 십여 년 후에 똑같은 일이 반복되지 않는다는 보장이 있겠는가. 오늘의 '개혁 세력'은 내일의 '반개혁 세력'이 된다. 그 악습과 선례를 하필이면 내가 종정일 때 남긴단 말인가.

그러나 부질없는 걱정이었다. 일반 사회에서나 종교 집단에서나 묵은 힘과 새로운 힘이 거세게 부딪칠 때는 정상적인 방법을 제시하는 사람들의 의견은 무시된다. 하물며 어느 편이든 '세력'을 업지 않는 권위는 이미 권위가 아니다. 나는 이름만 종정이었지 '권력'은 없었다. 권력은 힘에서 나온다. 힘의 원천은 '문중'이었다. 바로 이 시기가 '힘이 지배하는 시간'이었다.

나는 더 이상 종정 자리에 앉아 있을 필요가 없다고 느꼈다. 종정이란 최고 어른의 자리는 어른으로서의 권위를 가지고 어른으로서의 일을 할 수 있을 때만 그 가치를 지닌다고 믿고 있다. 그러나 나는 그 어느 것도 할 수 없는 지경에 와 있었다. 제일 한심한 것은 원로회의 의원 스님들까지 젊은 사람들과 마찬가지로 시위에 나서거나 그간의 결정사항을 부끄러움 없이 뒤바꾸는 추태였다. 이래서는 누구와도 함께 일할 수 없다는 생각이 들었고, 나는 사표를 냈다.

그러나 나의 사표는 승려대회의 '불신임 결의'를 받아들인 것은 아니었다. 나를 종정으로 추대해 준 것이 원로회의였기 때문에 원로회의에서 사의를 표명하는 것이 정당한 절차였다. 그리하여 나는 4월 26일 오전 10시를 기하여 종로의 대각사에서 원로회의를 소집하였다. 불행하게도 이 회의에는 두 명의 위원과 두 명의 원로 스님들만 참석했을 뿐이다.

오랜 도반으로 함께 불자의 길을 걸어왔던 두 분 원로 스님에게 나는 "소임을 다하지 못하고 떠나게 되어 죄송하다"는 말과 함께 사의를 전하고, 담당자들에게 뒷일 정리를 부탁한 후 대각사 법당에서 종정직을 포함한 종단 일체의 소임에 대한 사퇴를 선언했다.

이때 어느 신문에서는 "봉암사 모 스님이 서암 스님이 봉암사로 내려오지 못하도록 조실 방의 구들장을 파겠다고 했다"는 보도를 했다. 나중에 그 신문은 '오보'라고 고쳤지만 당시의 분위기를 말해주는 작은 일화다. 나는 이미 종정은 물론이고 종단마저 떠났으니 봉암사 조실로 돌아갈 이유가 없었다. 나는 참으로 오랜만에 걸사 비구로서의 자유를 얻은 셈이었다.

종정에서 자유인으로

나는 지난 1994년 4월 26일 조계종 종정직을 사퇴했고, 그날부로 종단을 떠나 이제는 정말 아무것에도 구속받지 않는 자유인·자연인으로 살고 있다.

종정의 자리와 함께 종단을 떠난 이후 한편에서는 내가 다시 종단으로 복귀해 옛 허물을 잊고 함께 일해주기를 바라는 듯한 얘기가 들려왔다. 봉암사와 지역 신도들이 중심이 되어 나를 다시 데려오자는 대책위원회까지 구성해 일을 추진했다고도 한다. 그러자 여기저기서 나의 의중을 확인하려 했다. 그때 나는 분명히 종단을 떠났으며 조계종단의 승려가 아니라고 말했다.

봉암사 조실로 복귀한다는 것도 당찮은 소리였다. 어쨌거나 나는 이 나라 불교의 최고 어른의 자리에 있었던 사람인데, 아이들 장난처럼 말을 뒤집어 탈종과 귀속을 번갈아 하면서 들락거려서는 안 될 일이었다. 만일 종단이 나를 끌어안아야 화합종단의 모습을 보일 수 있다는 정치적 계산에서 나를 끌어들이려 했다면 그건 작은 것을 탐하여 큰 것을 잃은 바보짓에 불과하다. 그렇게 되면 장차 이 나라 스님들이 무슨 말을 해도 신도나 일반 국민들이 믿으려 들지 않을 것이기 때문이다. 정치하는 사람들이야 말 뒤집기를 밥 먹듯이 하지만 그건 그 사람들의 직업이 워낙 그렇기 때문이고 종교인들이 정치인의 못된 버릇이나 배워서 답습할 수는 없는 노릇 아닌가.

탈종한 늙은 중을 다시 끌어들이려 하는 것을 보니 불교계에 여전히 사람이 없구나 하는 안타까운 생각이 들었다. 만약 사람이 있다면 설혹 내가 노망기가 들어 한 번 떠난 종단에 다시 들어가고 싶어 하더라도 못 들어오게 막아야 할 것이다.

종정에서 물러난 후 봉암사 주변에서 벌여온 재추대 운동의 이면에는 또 다른 계산이 깔려 있었다.

내가 조실로 주석하는 동안 봉암사는 부처님의 가피를 입어 크게 중창되었다. 그중에는 마무리 짓지 못하고 계속 이어지는 불사도 많았다. 하던 불사는 계속해야겠는데 그 불사를 이끌어오던 조실 스님이 없으니 일이 제대로 추진되지 않았다. 그러니 안팎으로 나를 다시 추대한다, 곧 돌아올 것이다, 때가 되면 돌아온다는 등 별의별 소문을 다 낸 것 같았다. 이른바 대책위원회라는 것을 조직하고 현수막까지 내걸어 이상한 짓을 하고 있다는 소문까지 들려왔다. 앞으로도 당분간은 누가 봉암사를 맡든지 나를 끌어안는 것이 유익하겠다는 생각도 작용했을 것이다. 모두 부질없는 생각이었다.

나는 종단보다는 한국 불교가 필요로 하는 사람이길 원한다. 그러기 위해서 흔연히 종단 밖으로 나왔으니 이제 늙은 몸을 이끌고 여법하게 살아가는 일만 남았다. 종단이라는 작은 울타리에 연연

하여 들고 나는 것에 의미를 둘 까닭이 없다. 비록 종단은 떠났으나 불교를 떠난 것은 아니지 않는가. 앞으로도 불교를 위해서라면 늙은 몸 아끼지 않고 정진하여 중생들을 위해 조그만 보탬이라도 더 얹을 작정이다. 이런 면에서는 오히려 그들이 내게 비로소 큰 자유를 돌려줬다는 생각도 든다.

자유인

처음 내가 종정직을 그만두고 종단마저 탈종하여 홀홀히 떠났을 때, 불교계는 물론이고 일반인들이나 언론들도 '종정 직은 어쩔 수 없는 일이었다 치더라도 탈종까지는 하지 않을 것'이라고 생각했던 것 같다. 그리하여 봉암사 대중이나 문경·예천·안동 등지의 신도들을 중심으로 '서암 스님 모셔오기 운동'이라는 이상한 이름의 운동도 있었고, 앞장서서 밝힌 것처럼 종단의 지도적 위치에 있는 원로 스님들이 나를 만나기 위해 거제도까지 내려오는 수고도 아끼지 않았다. 어느 불교신문에서는 '서암 스님은 탈종한 것이 아니다. 그는 돌아올 것'이라는 추측 기사도 썼다.

이러한 모든 운동과 추측은 잘못된 것이었다. 나는 종단 자체를 떠났다. 종단이란 인위적인 집합체다. 우리나라만 해도 적어도 수십 개의 불교 종단이 있다. 따라서 종단에 소속되고 안 되고 하는 것은 승려 자격과는 무관하다. 하물며 승려의 수행 깊이와는 아무런 관계가 없다. 그러므로 내가 종단에 연연할 필요가 어디 있겠는가.

한국 불교 조계종단의 뿌리는 신라시대에 이 땅에 불교가 도래한 때로부터 발원하여 보조 지눌과 태고 보우 같은 위대한 스님들을 거쳐 종지를 확고하게 굳힌 데 있다. 그 정통적인 맥을 이어 오고 있는 것이 오늘의 조계종단임은 더 말할 필요도 없다. 나도 그 속에서 70년 가깝도록 승려생활을 해왔고, 앞으로도 그 정신과 규범 속에서 수행하며 살아갈 것이다. 그러나 나는 종단 테두리 내에는 들어가지 않는 자유인이고 싶다.

해방 후 정화불사의 회오리 속에서 싸움을 일삼고, 정화가 일단 마무리 된 후에는 단 하루도 바람 잘 날 없을 정도로 종권싸움으로 날을 지새웠던 종단. 그 속에서 총무원장의 감투를 쓰고 의욕적인 일을 해보려다 암초에 부딪쳐 내던지고 돌아왔는가 하면, 원로회의 의장이 되어 종단의 앞날을 걱정하다 마침내 종정이라는 이름의 최고 어른으로 추대되어 '개혁'을 하려다가 오히려 '반개혁'으로 몰려 물러나야 했던 것도 이 종단이었다.

다시는 좋은 일이든 나쁜 일이든 집안싸움에 휘말리지 않아도 좋을 정도로 할 만큼은 일을 했고, 부를 때마다 산사를 떠나 서울의 냄새 나는 공기를 잘도 참아냈다. 이제 이 모든 것을 떠나 내 마음 그 자리에 고요히 머물 권리가 왜 없겠는가.

일찍이 종정을 지낸 스님 중에 종단을 떠난 사람이 아주 없었던 것은 아니었다. 조계종 종정이던 송만암 스님이 비구와 대처의 싸움 중에 비구 측이 갑자기 종조를 태고 보우 선사에서 보조 지눌 선사로 바꾸자 환부역조換父易祖, 즉 아비를 바꾸고 할아비를 팔아먹는 짓이라 꾸짖으며 종단을 떠나버렸던 일이 있었고, 청담 스님도 종정 직을 내던지고 종단을 아예 떠나겠다고 선언한 일도 있었다. 그러나 청담 스님은 그 뒤 종정보다 실권이 강한 총무원장 직을 맡아 다시 종단에 복귀했다. 아니, 탈종 자체가 선언적인 것이어서 실제로 이루어지지 않았다.

옛날 중국에서는 덕이 높은 한 스님이 불교 집안의 종권 싸움에 넌덜머리가 나서 다 집어치우고 절을 떠나 뱃사공이 되었다. 오고가는 손님들 중에 한 스님이 있어 사공을 알아보았다.

"스님처럼 덕이 높은 분이 머리를 기르고 뱃사공 노릇이나 한대서야 말이 됩니까. 돌아가서 제자들에게 불법을 가르치고 중생을 제도하셔야지요."

"이놈아, 불법이 머리에 있다더냐."

말을 걸었던 스님은 아무 대꾸도 하지 못하고 물러갔다. 따지고 보면 중이니 속인이니 하는 구별조차도 참으로 부질없는 것이다. 하물며 중이 직업이 될 때 그것보다 한심스러운 인생살이도 다시보기 힘들 것이다. 그렇거늘 종단이 대체 무엇인가. 그것을 떠나고 안 떠나는 것이 부처님의 도리를 깨닫고 이를 중생에게 돌려주는 일과도 무슨 관계가 있단 말인가.

나는 종단이라는 집단의 의미를 이제 내 얼마 남지 않은 수행자의 삶에서 제외시켜 버리고 싶었을 뿐이다. 그것은 또 그것대로 열심히 붙들고 가꾸는 사람들이 있을 것이므로 그들에게 맡겨놓으면 되는 것이다. 나는 애당초 그런 일과는 맞지 않는 사람이었는데 어쩌다 사람이 없어 궁할 때마다 불려나가 반년도 견디지 못하고 되돌아오는 일이 몇 번 거듭되었을 뿐이다. 그런 번잡한 일에서 이제는 해방되어도 좋을 나이가 아닌가.

제4장
태어나기 전의 나는 무엇이었나

인간의 '운명'에는 누구의 허물도 제삼자의 간섭도 없다. 이런 사실을 바로 깨우쳐
주는 것이 참선이다. 참선은 마음에 이는 불꽃을 스스로 끄는 진화작업이다. 시비
에 빠지면 미운 생각, 고운 생각이 뒤엉켜 구름같이 일어나지만 한 생각 돌이켜 참
선을 하고 나면 그 모든 것이 다 부서진다.

마음을 쉬는 것이 참선이다

선이란 무엇인가. 자기 인생을 회광반조廻光返照하는 것이 선이다. 즉 이 각박한 시대, 인간 상실의 시대를 살아가면서 내 정신부터 차리고 보자는 것이 선이다. 그러므로 출가승에게만 필요한 것이 아니라 재가신자에게도 누구에게나 필요한 것이 선이다.

선을 불교라는 종교의 좁은 틀 속에서 이해하려고 하면 오히려 본질에서 멀어지고 이해하기도 어렵다. 선은 불교의 전매특허가 아니다. 나아가 불교라는 이름이 없는 것이 진정한 불교다.

불교라 부르면 이미 거추장스러운 누더기를 하나 덮어씌운 것과 같은 꼴이 되고 만다. 불교가 어디 따로 있는가. 정신 차리고 살자는 도리가 불교일 뿐이지, 거기에 복잡한 종교적 교리를 만들고 색칠하는 것은 모두 헛된 일이다.

한마디로 정신 차리고 살자는 게 불교다. 그런 면에서 보면 불교는 특색이 없다. 즉 부처님이 하늘이 놀랄 만한 특별한 이야기를 따로 한 것이 아니라는 말이다. 부처님께서 왕자의 몸으로 출가하여 성도 후에 한 말과 행동이 무엇인가. 고집멸도苦集滅道, 십이 인연법 모두가 세상의 이치를 설명한 것뿐이다.

서양의 종교는 인간 외에 위대한 힘의 존재를 설정하고 그 힘에 의탁하여 복을 빌고 영생을 갈구하는 것이 근본이다. 이러한 서양 문화의 영향을 받아 우리나라에서도 종교라 하면 으레 서양 종교의 틀에서 이해하려고 드는데 이는 한참 잘못된 것이다. 불교에서는 인간 외의 절대자를 설정하여 구원을 갈구하는 짓은 하지 않는다.

고집멸도를 어느 위대한 신의 계시로 말한 것이 아니다. 인간이 받는 고통, 이것이 왜 일어났는가, 그것은 자기 스스로에 의해 일어난 것이다, 라고 가르치는 것이 불교 가르침의 시작이자 끝이다. 여기에 무슨 신의 목소리가 있는가. 우주창생과 인간 삶의 이치를 바로 보고 깨달은 사람의 평범한 가르침일 뿐이다. 인간의 어리석은 생각이 만들어낸 때를 완전히 벗어버리자는 것이 부처의 가르침이며, 그 길이 부처의 길이다. 거기에 이르게 되면 부처라는 이름조차 묻지 않는다. 그렇기 때문에 부처라는 이름이 붙어 있는 자리는 참된 부처의 자리가 아니다.

어찌 보면 노장사상과 비슷하다. "도道가 도道면 도道가 아니요, 명名이 명名이면 명名이 아니다"라는 말같이, 부처님을 부처님이라 하면 이미 부처님의 참뜻에 어긋난다. 그래서 부처님은 "본시 부처"라고 하셨는데 사람마다 부처 아닌 이가 없다는 뜻이다.

그런데 사람들이 본시 자기가 부처인 줄 모르고 헤매고 다니는데 문제가 있는 것이니, 어찌하여 자기 속의 부처를 찾지 못하고 밖으로 찾아 헤매며 고통 속에 젖어 있는가, 부처님은 그것을 탈피하여 참된 자유를 찾으라고 가르친 것이다.

생명은 무시무종無始無終이라, 천지만물이 생기기 이전의 공겁空劫부터 존재해 왔던 것으로 시작도 끝도 없는 것이 인간의 생명이다. 그 자리에 군이 이름을 붙이자니 부처라 하는 것뿐이다. 생명은 모두 동등하여 사생四生이 동본同本이다. 사생이란 모든 생물을 말한다. 여기에는 원래 중생이니 부처니 하는 차별의 이름이 없다. 그런데 본바탕에서 한 생각 어긋나 사생육도四生六道가 벌어지는 것이다. 사람의 도리를 하면 사람이 되는 것이고 짐승의 도리를 하면 짐승이 되는 것이다.

같은 물이라도 탁하게 쓰면 탁해지고, 깨끗하게 쓰면 깨끗한 물이 된다. 또 물이 얼면 얼음이 되고, 다시 녹으면 물이 되며, 뜨거워지면 수증기가 되고, 수증기가 모이면 구름이 된다. 이처럼 현상은 천변만화하지만 근본 자리는 다르지 않고 절대 평등한 것이 생명과 물질의 당체當體이다.

마조馬祖 스님이 말하기를 "부처님이 태어나 일곱 걸음을 내디디며 한 손으론 땅을, 한 손으론 하늘을 가리키며 '천상천하유아독존'이라 했는데, 내가 만일 그때 있었다면 한 방망이로 쳐서 개밥으로 줘버렸으면 천하가 태평했을 것"이라고 했다.

마조야말로 석가모니 부처의 골수를 알아낸 사람이다. '천상천하유아독존'이란 소리는 어리석은 중생을 깨우치기 위한 방편의 소리이지 그 말이 곧이곧대로 진리가 될 수는 없다. 마조는 이 같은 진리를 터득했던 사람이고 참된 자유의 정신을 깨달았던 사람이다. 또한 부처님을 진리로 이해했던 많지 않은 사람 중의 한 사람이었다.

이로 미루어볼 때, 진실로 그 자리는 이름이 붙지 않는다. 부처와 중생의 경계도 없다. 사생육도·지옥·극락이 벌어진 것은 인간 스스로 만들어놓은 분별이며 경계일 뿐이지 조물주나 또 어떤 제3의 힘이 만들어놓은 것은 아니다. 인간이 세상에서 불행하고 고통스럽게 사는 것은 자기 업력대로 자기가 만든 것이다. 그러므로 사람들이 고통 속에서 이 세상을 비방하고 원인을 밖에서 찾는다면 그보다 어리석은 일도 없을 것이다. 지금 그 자리에서 불평을 하고 있는 것은 그만한 고통과 불행을 받을 만한 업을 지었기 때문이다.

인간의 '운명'에는 누구의 허물도 제삼자의 간섭도 없다. 이런 사실을 바로 깨우쳐주는 것이 참선이다. 참선은 마음에 이는 불꽃을 스스로 끄는 진화 작업이다. 시비에 빠지면 미운 생각, 고운 생각이 뒤엉켜 구름같이 일어나지만 한 생각 돌이켜 참선을 하고 나면 그 모든 것이 다 부서진다. 이런 마음의 파도가 다 부서지고 명경지수와 같이 고요한 자리를 얻고 난 후에야 비로소 자기 인생의 바른 길을 찾아갈 수 있는 안심입명의 길이 열리게 된다. 성이 난다고 바위를 차면 자기 발가락만 아플 뿐이다. 그러므로 망상이 끓고 있는 마음을 쉬게 해야 한다. 쉬게 하는 것, 이것이 참선이다.

사부대중 누구나 다 마음을 쉬게 하고 적정에 들어야 한다. 그러므로 스님만 참선을 하라는 법은 없다. 그런 의미에서 선원은 근본적으로 모든 사람에게 개방되어 있는 곳이기도 하다.

참선은 자유를 얻는 길

참선은 자유를 얻는 길, 마음을 쉬게 하는 길이다. 그렇다면 그 길은 어디로 들어가는가. 부처님께서 별것도 아닌 이야기를 가지고 장장 45년 동안 왜 그리 잔소리를 많이 하셨겠는가. 사람의 근기가 달랐기 때문이다.

대학생은 하루아침에 대학생이 되는 것이 아니다. 어머니 품에서 배운 것부터 시작하여 유치원·국민학교·중학교·고등학교를 거친 후에야 대학생이 되는 것이다. 유치원생에게 대학의 학문을 가르칠 수는 없는 일 아닌가.

참선을 할 수 있도록 끌어올리는 잔소리, 이것이 법문이다. 영리한 사람은 몇 마디 안 해도 알아듣는데 어리석은 사람은 아무리 두들겨도 깨어나지 못한다. 손가락으로 가리켜도 길을 보지 못하는 장님과 같은 것이다.

내가 미국에 갔을 때 서양의 철학자와 얘기를 나눈 적이 있는데, 이 사람들은 사물의 근본, 철학과 종교의 궁극적인 질문을 알고 있었다. 그는 지금 자신에게 필요한 것은 철학과 신학의 이론이 아니라 실제로 인간의 정신이 도달할 수 있는 그 어떤 경지라고 했다. "이론으로 더 이상 갈 곳이 없다면 그 다음에는 할 일이 없는가"라고 물었더니 우물쭈물 대답을 못했다. 이론의 자리는 더

갈 데 없이 끊겼는데 뭔가 통쾌한 길이 보이지 않아 고통스러워하는 모습이었다. 이론이 끊어진 그 자리에서 통쾌하게 새 길을 열어가는 것, 그것이 바로 참선이다.

전문적인 불교 교육을 받지 않은 사람에게 선을 얘기하려면 우선 벽을 대한 것처럼 답답해진다. 그러나 한편으로 생각하면 그런 사람들이 오히려 때 묻지 않아 곧장 참선의 본령에 진입할 수도 있다.

육조六祖 스님 같은 분은 글을 배우지 않았지만 "모든 마음은 뿌리 없이 일어나는구나"라는 한마디에 홀연히 깨달았다. 육조 스님은 영리한 사람이었기에 금방 깨쳤으나, 미련하거나 눈앞의 살아가는 이해관계에만 빠져 있는 사람들은 아무리 가르쳐도 알아듣지 못한다. 이런 사람들의 마음의 문을 여는 데는 오랜 시간이 걸리므로 한발 한발 깨쳐가야 하는데 그 방법이 바로 설법이다.

미국에서 만났던 그 서양 철학 교수는 생전에 불교 설법을 들어본 적이 없는 사람이었으나 마음이 이미 궁극의 문턱에 가 있었으므로 조금만 자극을 주면 금방 깨칠 수 있는 사람이었다.

신부든 목사든 참선을 해보고 나면 참으로 얻는 것이 많을 것이다. 그래서 나는 그 사람들에게 특히 참선을 권하고 싶다. 참선은 불교의 전매특허가 아니라 진리에 접근하는 하나의 방법에 불과하기 때문에 종교적인 결벽증 때문에 참선을 기피할 필요는 없다고 본다.

참선으로 들어가는 길은 어디인가. 그 문제에 대해서 생각해 보자. 아무리 행복하게 잘사는 사람이라 하더라도 지나간 일을 돌아보며 앞으로의 일을 설계하다 보면 어딘가에 틈이 있고 후회스러우며 사방이 막혀 있는 것을 느낄 것이다. 하지만 바로 그것이 인생이다. 인생에 있어 중요한 것은 목전의 현실이며, 정작 고통스러운 것은 과거도 미래도 아닌 현전의 일념이다.

눈 앞의 현전일념現前一念, 이것을 어떻게 처리하느냐, 그 길을 아는 것이 참선의 목적이다. 세상 사람들은 고통 속에 잠긴 채 그것을 해결코자 하므로 아무리 발버둥 쳐도 고통의 바다에서 헤어날 수가 없는 것이다. 그러나 참선을 하게 되면 하는 그 순간에 자기가 해야 할 일, 가야 할 길을 스스로 깨닫게 된다. 현전일념에서 도피하는 것이 아니라 그것을 응시하면 마침내 마음이 통쾌해지고 안심입명의 자리를 얻게 된다. 그러므로 참선은 눈앞의 자기 인생을 응시하고 그 결과를 알아내는 작업이다. 그 방법이 일천칠백 공안이고, 팔만사천 법문이다.

어머니 뱃속에 들기 이전에
그대의 생명은 어디 있었는가

　이렇게 얘기를 해도 중생이 알아듣지 못하니 예를 들어 가까운 길로 끌어들인다.

　"그대의 몸은 어디서 생겼는가? 부모로부터 받은 것이 아닌가?"

　"그렇습니다."

　"그대의 생명이 부모의 몸 안에 있을 때를 기억하는가?"

　"알지 못합니다."

　"그때도 분명히 그대의 생명은 있었다. 그런데도 살아 있었다는 사실을 기억하지 못하니 문제가 아닌가?"

　"따지고 보니 그렇습니다."

　"분명 그대의 생명이 존재했는데도 까맣게 모르다니 어째서 그런 일이 있을 수 있는가? 이 문제를 모르는 채로 덮어놓고 그냥 살아가도 되는가?"

　"……."

　"그건 그렇다 치고 어머니 뱃속에 들기 이전에 그대의 생명은 어디 있었는가?"

　"모르겠습니다."

"그대 생명의 근원도 모르는가? 그런 혼미한 마음을 끌고 어찌 편안하게 살아갈 수 있단 말인가?"

"그럼 지금 현재 그대는 어디 있는가?"

"……"

"내일, 더 긴 미래에 그대는 무엇이 되어 어디에 있을 것인가?"

"……"

"아는 것이 없지 않은가. 꽉 막힌 절벽처럼 그대는 아는 것이 아무것도 없지 않은가. 그러고도 모른다는 그 사실조차 알지 못하고 있지 않은가. 모르거든 의문을 가져라. 의문을 품고 참구해라."

이것이 무엇인가. 모든 일에 의문을 가져라. 통쾌하게 의문이 풀릴 때까지 그 의문을 놓지 말라. '이 뭣고' 이것은 모든 공안의 공안이며, 화두의 화두이다. 자신의 생명과 관련되는 일인데도 모른다는 것은 답답하기 짝이 없는 일이다. 그 자리에서 막히면 한 발자국도 나아갈 수 없는 중대한 의문, 그것을 해결하려는 생각이 저절로 나는데 이것이 참선에 이르는 길이다.

선지식을 믿고 따르려는 마음을 가지고 있으면 그 사람은 올바른 참선에 들기 쉽다. 선지식을 인생의 길을 열어주고 끌어주는 지도자로 생각하여 그가 고함을 지르거나 방망이질을 하는데도 다 까닭이 있을 것으로 겸허하게 받아들이고 열심히 참구하면 쉽게 참선의 길에 들어설 수 있다.

대중을 이런 경지로 끌어들이기 위해 길게 설명할 필요는 없다.

스스로 의문을 자아내고, 의문을 붙들고 끝까지 추궁해 가도록 끌어주기만 하면 된다. 이렇게 하는 데는 여러 가지 방법이 있겠으나 여러 사람이 한꺼번에 이 같은 목표에 도달하기 위해 공부하는 장소로는 선방이 가장 이상적인 곳이다.

선이 진리에 도달하는 가장 좋은 방법이라는 것은 이미 세계적으로 입증된 통념이다. 선은 이론으로 따지는 것이 아니라 실천을 통해 자신이 노력한 만큼 얻어내는 가장 공평한 방법이기도 하다. 진리를 밖에서 얻으려고 헤매고 다니면 끝이 없으나 우리는 선을 통해 자신의 안에서 흔들리지 않는 진리를 찾아낸다. 고통과 업으로부터 완전히 자유로운 정신에 도달한다.

참선 수행을 하면 세상을 살아가는 데도 도움이 된다. 큰 깨달음을 얻지 못했다 하더라도 노력한 만큼 정신의 여유와 풍요로움을 얻게 된다.

나는 정치인들에게 참선하라고 강력히 권하고 싶다. 참선을 하게 되면 우선 협잡질을 멈추게 될 것이다. 협잡질을 하면 결국 자신에게 그 업보가 돌아오고 얼마 가지 않아 스스로 그 덫에 걸리고 만다는 사실을 정치인들이 참선을 통해 바로 볼 수 있었으면 좋겠다.

옛날 국사와 왕사들이 "불교가 발전하면 나라가 발전한다"고 역설해 왔는데 그 말이 빈말이 아님을 알 수 있다. 불교는 알지 못하는 신에 의지해 보물단지를 얻으려는 도깨비 장난과는 다르다.

스스로 자기 인생을 관조하고, 반성하여 정신 차리고 바르게 살자는 도리이니 정치하는 사람들이 이 도리를 제대로 알 때 세상은 지금보다 한결 나아지리라 생각한다.

모든 죄는 그 자체가 곧 형벌이다. 국가 기관이 강제로 벌을 가하지 않더라도 죄를 지은 사람의 마음에 있는 지옥의 형벌이 그를 벌하므로, 죄 자체가 가장 무서운 벌이 되는 셈이다. 이것을 가르치는 것이 불교이다. 그리고 이 도리를 깨쳐 아는 것이 곧 참선이다.

세상 사람들은 이처럼 단순한 이치를 깨치지 못해 가시밭에서 얽히고설켜 자기도 힘들게 하고 남도 못살게 괴롭히며 살아가고 있다. 이런 와중에서 평탄하고 쉬운 길을 가르치고 이끌어주는 것이 불교이며 그 방법이 선이다.

출가 수행자는 직업이 아니다

때로는 '안심입명에 이르기 위한 발심 때문에 출가하여 중이 된다면 얼마 안 되는 인생이 아깝지 않겠는가'라는 의문을 가질 수도 있다. 그리고 사람이 태어나 한평생을 살면서 할 수 있는, 더 보람 있는 일들도 많지 않은가. 중이 된다는 것, 과연 대장부 한 생애를 걸어볼 만큼 가치 있는 일인가.

직업으로서의 승려생활, 살아가기 위한 방편으로서의 승려생활이라면 그보다 더 비생산적인 일도 없을 것이다. 종교를 아편이라고 질타했던 마르크스의 분노 어린 목소리도 '직업으로서의 성직자'에 대한 개인적인 혐오감이 쌓여 나온 질타라고 생각한다.

오늘날 우리 사회에서 일어나고 있는 종교의 모든 부정적인 현상의 뿌리도 여기에 있다. 그러나 삶과 죽음의 문제, 인간의 궁극적인 구원의 문제를 진지하게 추구하여 그 열망이 승려생활로 이어진다면 그보다 더 가치 있는 삶도 없을 것이다.

부처님의 가르침을 따르고, 큰 각성을 얻기 위해 반드시 출가하여 승려가 되어야만 하는 것은 아니다. 그러나 출가하여 어려운 수행의 길을 걷는 것이 올바른 수행을 위한 가장 빠르고 좋은 길이며, 수행하여 얻은 것을 중생들에게 되돌려주는 스승의 역할을 하기에도 적합한 것이 승려라는 신분이다. 그러므로 모름지기 승려는 자신이 먼저 각성에 이르러야 하고, 어려운 수행을 통해 얻은 각성을 중생들에게 되돌려주어야 하는 의무를 지닌 존재다.

승려생활은 여간 어려운 일이 아니다. 속세 사람들이 어렴풋이 짐작하고 있는 것 이상으로 고통을 참고 이겨내야만 하는 것이 스님들의 삶이다.

승려가 되려고 입산하는 사람들은 대개 두 종류로 나누어진다. 어디에나 있는 일이지만 이 경우에도 출중한 사람과 뒤떨어진 사람이 있다. 세상살이가 고달프고 생존 경쟁에 뒤떨어져 갈 곳이 없어진 나머지 도피처로 절을 찾는 사람이 있는가 하면, 석가모니 부처님이 그랬듯이 인생의 고통을 응시하여 그 실체를 구명하기 위해 산사를 찾아오는 사람이 있다. 전자의 경우라 하더라도 수행을 하는 과정에서 올바른 발심을 하여 새로운 용기를 얻는 사람이 있고, 후자의 경우라 하더라도 승려생활의 일상 관습에 젖어 종단이나 교단 내부에서의 권력이나 재물을 탐하며 그럭저럭 살아가는 부류도 없지 않다.

마음이 지치고 병든 사람, 양극단에 치우친 사람들이 승려가 되려고 찾아오는 경우도 있어 성격이 괴팍한 사람들을 종종 볼 수 있다. 어떤 부류의 사람들이 중이 되려고 하느냐, 또 중이 되려고 지원하는 사람의 수가 많은가 적은가 하는 것은 시대적인 상황과 밀접한 관계가 있다.

당나라 때 불교가 융성하여 오종가풍을 떨칠 때는 당대 사회에서 탁월한 인물들이 너나 가릴 것 없이 스님이 되려고 출가했다. 신라의 출중한 인물들도 당으로 구도 유학을 떠나 위대한 업적을 남겼으니 모두 그 시대의 일이다. 오늘날 우리 불교는 어떠한가. 그 대답은 매우 부정적이다. 이는 기존의 종단, 기존의 승단이 자라나는 젊은이들에게 모범을 보이지 못했고, 오히려 환멸만 안겨준 데서 오는 슬픈 결과다.

요즘은 중이 되려고 찾아오는 사람들의 자질이 갈수록 처진다는 느낌이 든다. 출중한 인물은 더욱 귀해졌다. 나는 의식적으로 상좌를 많이 두지 않았지만 그래도 왜 욕심이 없었겠는가. 눈 밝고 기상이 높은 젊은이가 오면 키워보려고 했는데, 찾아오는 젊은 행자들을 보면 대개가 고행은 안 하고 그저 어떻게 하면 편하게 중질을 할까, 그것부터 생각하고 있다. 중이 된다는 것이 어디 보통 결심, 보통의 인연으로 할 수 있는 일인가. 그러므로 일단 출가하면 죽을 각오로 고행·정진하여 대장부 일대사를 이루어내야 한다. 세속에서처럼 하루 세끼 밥이나 먹고 살려고 한다면 왜 중이 되는가. 그냥 세속에서 살지.

예전에는 행자가 중이 되면 공부는 물론이고 노동도 세상 사람들이 상상도 할 수 없을 정도로 고되게 했다. 그러나 요즘은 처음부터 편하게 지내려고만 하니, 수행의 첫 관문부터 통과하는 것이 아니라 옆으로 비켜 돌아가는 셈이니 옳은 중이 될 수 있겠는가. 제 한 몸 바른 진리의 근처에 가기도 어려운데 항차 중생을 제도

할 큰 스승의 그릇으로서는 너무 모자란다.

그중 일부는 낙오하여 속세로 다시 돌아간다. 그럭저럭 살기에는 절집이 편리한 장소일 수도 있다. 그러나 공부하지 않고 고통을 이겨내지 못하면 입산 출가한 본래의 목적에서는 아득히 멀어질 뿐이다. 대개는 정신 수행하여 큰 깨달음을 얻기보다는 절집생활에 안주하여 그것을 직업으로 인식한 나머지 주지 하나라도 얻으면 그것으로 만족하여 살아가는 경우가 많다. 이처럼 승려가 직업화되면 불교는 발전하지 못하고 거꾸로 후퇴한다. 우리 불교에 이런 현상이 만연되고 있으니 이 병폐를 먼저 고쳐야 한다.

먼저 종단이 안정되고
올바른 지도력을 갖추어야

　승려들이 직업화 되고 천박해지는 것을 막으려면 먼저 종단이 안정되어 올바른 지도력을 갖추어야 하고, 올바르게 수행 정진할 수 있는 가풍을 갖춘 사찰이 늘어나야 한다.

　나는 본의 아니게 종정에 추대되었을 때, 내게 주어진 사명이 종단을 안정시켜 전체 승려들의 갈 길을 밝혀줄 지도력을 회복하는 것이 최우선의 과제라고 생각하여 그것을 추진하기 위해 뜬 눈으로 밤을 새우며 계획들을 세웠다. 하지만 또 본의 아니게 물러나게 되었으니 그 과제는 다음 사람들의 어깨 위에 올려진 셈이다.

　그러나 다른 한 가지의 과제, 즉 스님들이 제대로 공부할 수 있는 가풍의 사찰을 만드는 일에는 내 나름대로 평생을 바쳐 일을 해왔다. 봉암사가 그 대표적인 경우다. 겉으로 보기에 봉암사에 들어오는 관광객들의 출입을 막는 것이 괴팍한 처사로 보일지도 모르나, 그렇게 하지 않고는 선원의 공부하는 분위기와 기강을 도저히 바로 세울 수가 없어 고심하던 끝에 내린 처방이었다.

　처음에는 괴롭고 귀찮아서 하기 싫던 일도 그것이 옳은 일인 이상 적극적으로 추진하면 오히려 마음이 편해지고 거기서 또 새롭고 창조적인 기운이 솟아나는 법이다. 다른 절에서 함부로 지내던 사람들도 봉암사 선원에 들어오면 그 분위기에 물들어 새 사람이 되고, 공부하려는 의욕을 불태우는 경우를 많이 보았다. 올바른 수행 장소로서 절의 가풍이 얼마나 중요하고 필요한가를 보여 주는 증거다. 봉암사만 그런 것이 아니라 전국의 사찰, 선원이 모두 이처럼 체계가 잡혀야 한국 불교는 비로소 바로 설 수 있을 것이다.

봉암사 하나를 바로 세우는 데 많은 세월을 들인 공적을 평가하여 내게 종정의 책무를 주었으니 나는 그 책무가 곧 전국의 사찰, 선원을 봉암사처럼 만들라는 전체 종도들의 명령으로 받아들였다. 그러나 그 명령은 이행할 수 없게 되고 말았다.

누군가가 "사내대장부로 태어나 출가하여 중이 될 만한 가치가 있는가" 라는 질문을 해온다면 나는 그것이 "인간으로 태어나 가장 해볼 만한 일"이라고 대답할 것이다. 그렇다면 중이 된 후에는 어떻게 살아야 하느냐, 중이 되려고 찾아온 사람들을 위해 어떤 환경을 마련하여 공부를 시켜야 하느냐 하는 문제를 생각하다 보니 종단의 안정과 선원의 가풍을 입에 올리게 됐다. 이 일을 위해 내가 해본 일 중에는 역시 봉암사 한 곳을 안정된 수행처로 만든 것이 전부이므로 이 이야기를 좀더 자세히 해보겠다.

봉암사 선원에서는 안거 중 어떤 일이 있어도 산문 밖에 나갈 수가 없다. 부모상을 당하더라도 못 나가도록 했다. 운력할 일이 있으면 스님들 스스로 하도록 했다. 육조 스님의 행각을 그대로 따르지는 못하더라도 그 절반은 따르도록 했다. 영육은 둘이 아니므로 운력하는 것도 공부다. 몸에 병이 나도 병원에 가지 못하게 했다. 제 육신 하나 제대로 다루지 못하면서 무슨 공부를 하겠는가. 육신을 병원에 의지할 것 같으면 정신도 산문 밖의 그 누군가에게 의지해야지 선방에 앉아 있을 필요가 없다. 공부하다가 죽어도 좋다는 각오 없이 어중간하게 공부하면 시간만 허비할 뿐 얻을 수 있는 것은 아무것도 없다. 정작 공부하다가 죽으면 그 또한 행복한 일 아니겠는가. 그러나 그런 식으로 공부하다 병이 깊어지거나 죽은 사람은 여태 보지 못했다. 물론 나 역시 아무리 아파도 병원 신세는 지지 않았다.

이런 가풍이 뿌리 내리니까 수행자들 사이에 '봉암사는 공부하기 좋은 절'이라는 소문이 퍼지게 되었고, 결제 때는 사방에서 뜻있는 수좌들이 한 철을 나기 위해 몰려들게 된 것이다. 그처럼 어렵게 가꾸어놓은 봉암사를 훌훌 털고 일어날 때 마음속으로 한 걱정이 없었던 것은 아니다. 혹시 후임 조실과 주지가 와서 사찰 수익을 올리기 위해 봉암사를 관광 사찰로 개방하면 어쩌나, 선원의 가풍을 누그러뜨리면 또 어쩌나, 이런 노파심을 버리기 어려웠던 것이 사실이다. 그러나 범룡 스님이 조실로 가고 동촌 스님이 주지로 가는 것을 보고 마음을 푹 놓았다. 두 사람 다 수좌가풍을 아는 사람들이라 봉암사의 가풍을 나보다 더 잘 닦아 나갈 것으로 확신했기 때문이다.

세속의 욕망은 산문 밖에 두고 오라

사람마다 성품이 각기 다르듯이 출가의 길을 걷고자 하는 발심자들의 마음엔 제각기 색다른 포부가 있다. 무엇이든지 첫 단추를 잘 끼워야 한다. 이제 막 출가하여 길고 어려운 수행자의 길에 들어선 젊은 사람들에게 요긴한 마음가짐은 어떤 것일까.

출가한 목적을 제대로 이루려면 발심부터 달라야 한다. 중이 되어 무슨 특이한 공부를 해보겠다거나, 종단의 권력을 잡아보겠다거나, 큰 절의 주지가 되어 돈을 많이 벌어보겠다거나, 여자 신도들을 많이 사귀어 보겠다거나 하는 마음을 조금이라도 품었다면 그런 욕망은 산문 밖에서 누더기를 벗듯이 벗어 던지고 오직 깨끗하고 순수한 열정으로 산문에 들어서는 것이 좋다. 글을 배우려면 굳이 절에 들어오지 않아도 얼마든지 배울 곳이 많다. 돈을 벌려면 산문 밖의 모든 세상이 돈 버는 사업장이다. 왜 하필이면 신성한 사찰을 그런 목적으로 이용하겠다는 것인가. 이런 어두운 마음으로 출가하면 자기 한 몸의 재앙에 그치지 않고 중생들에게 미치는 영향이 아주 크다. 그런 사람은 산문 안에 발을 들여놓지 말아야 한다.

일단 출가한 후에는 이론으로 배우려 해서는 안 된다. 실제 행동으로 배워야 한다. 그러니 사찰마다 훌륭한 선배 스님들이 많아야 하고, 가풍이 훌륭해야 후배들이 들어와 보고 따를 것은 당연한 이치다. 자신들은 개차반 노릇을 하면서 젊은 행자들에게만 올바른 정신으로 수행하라고 다그치면 누가 따르겠는가.

이론이 아닌 실천으로, 진지한 마음으로 따르고 배우면 차츰 환희심이 생겨난다. 운력과 심부름을 시켜도 단순히 시키는 것이 아니라 다 까닭이 있어 시키는 것이고, 그 모든 것이 살아 있는 공부다.

그런 후에 차츰 경전도 보고 기도도 하고 마침내 정진에 힘쓰면 날이 갈수록 자신감이 생기고 확신이 여물어간다. 그리고 어느덧 인생이 바뀌게 된다. 세속에서 느끼지 못했던 우주의 신비한 이치를 알게 되고 인생의 오묘한 진리를 깨달아 혼자 미소 짓게 된다.

출가 수행자에게 주어진 가장 큰 선물

산중 새벽잠에서 깨어나 목탁 소리와 종소리를 들을 때야 말로 형언할 수 없는 느낌을 받게 된다. 이는 출가한 사람에게 주어진 가장 큰 선물의 하나다. 하루해가 저물어 먼 산봉우리에 노을 질 때 청아한 염불 소리를 들으며 마음의 때를 닦아내면 생명의 밝은 이치가 절로 그 모습을 드러내지 않을 수 없다. 공기 좋은 곳에 가면 몸과 마음이 다 시원해지고, 시끄럽고 번잡한 곳에 가면 귀찮고 우울해지는 것이 상정이다. 산사의 맑고 깊은 분위기, 자연과 생명의 본질에 더 근접한 분위기 속에서 한 걸음 한 걸음씩 앞으로 나아가면 신앙은 깊어지고 마음은 금강석처럼 여물어진다.

어느 정도 수련이 되면 스스로 뼈를 깎는 고행으로 공부해야겠다고 느끼게 된다. 여기서 본격적인 수행의 길로 들어서게 되는데, 누가 시켜서 그런 일을 한다면 얼마 가지 않아 중도 하차하고 말겠지만, 스스로 큰 용기를 내어 택한 길이라면 끝까지 멈추지 않을 것이다.

마침내 본격적인 참선 수행에 들어가면 시간과 공간을 모두 잊어버리고 화두를 붙들고 참구하며 삼매에 빠지게 된다. 일체 망념을 버리고 삼매에 빠지면 그것만으로도 엄청난 열매를 얻을 수 있다. 여기서 좀더 나아가면 만물의 이치가 훤히 밝아지는 대자유,

대광명의 시계가 열린다. 그 다음에는 누구도, 어떤 상황에서도 흔들리지 않는 확고한 진리의 세계가 구축되는데 이것이 안심입명의 경지다. 그 다음에는 무엇을 하든지, 무엇을 보든지 미혹迷惑하거나 흔들리지 않는다. 그렇게 살아가다 보니 그 사람의 말과 행동이 남에게 피해를 주지 않는 것은 물론 오히려 무엇인가 깨우침을 주게 되는 것이다.

대체로 세상에 태어나 남에게 피해를 주지 않는 것만도 어려운 일이며, 그 정도의 경지를 이룬 사람이라면 큰일을 하나 성취한 것이다. 하물며 남에게 무엇인가 도움을 주고 미혹한 중생의 손을 잡아끌어 그들이 빠진 미혹의 구덩이에서 구출해낼 수 있는 사람이 되려면 결코 경전 몇 구절 외워서 중얼거리거나 낭랑한 목소리로 염불이나 잘한다고 되는 일이 아니다. 또 중생을 돕고 구하는 일은 의도적이기보다는 저절로 이뤄져야 한다.

정신세계는 보이지 않는 세계다. 눈에 보이지는 않으나 삼매에 들어 크게 깨우치고 나면 이 세상을 정화하고, 그 기운이 우주에 확산되면 천지신명이 조화를 일으키는 도가 된다. 바로 이런 일을 하는 도량이 절이다. 시주받아 몇몇 중들이 먹고 사는 집이 아니다. 한 개인이나 집단의 사사로운 복을 갈구하는 장소도 아니며 그런 복을 주는 곳도 아니다. 삶을 참되게 바꾸어 나가는 거대한 운동의 중심지가 절이다.

그런 절이 오늘날 보면 위로는 주지와 조실 간의 싸움으로 날을 지새우고, 아래로는 승속의 욕망이라는 회오리 속에 엉겨 하잘 것 없는 밥그릇 뺏기에 여념 없으니 그 죄를 다 어떻게 갚을지 두려운 마음이 절로 든다.

참으로 이상한 일은 대개 모든 종교가 현세적 욕망을 하잘것없는 것으로 치부한다. 특히 불교는 무상한 욕망의 덫에서 인간을 해방시키는 것을 제일의 목적으로 삼는 가르침이며, 이를 따르기 위해 모든 것을 버리고 추종하는 무리가 바로 스님이며, 그들의 모임이 승단 또는 종단이다. 그런데 바로 이런 승단·종단에서 속세의 그것보다 훨씬 추잡한 감투 싸움과 이권 다툼이 끊임없이 부끄러움도 염치도 없이 일어나고 있다는 사실을 도대체 어떻게 설명해야 할지 난감할 때가 많다.

곰곰이 그 까닭을 생각해 보면, 첫째는 발심부터가 잘못되었다는 생각에 닿는다. 출가한 사람이 세속의 욕망을 그대로 지닌 채 거짓된 표정으로 수행자의 대열에 들어섰기 때문이다. 그리고 이런 사람들을 제대로 가르칠 수 있는 사람도 기관도 많지 않다는 것이 두 번째 이유일 것이다.

영혼과 육체는 하나인가, 둘인가

영혼과 육체는 하나인가, 둘인가. 이는 인간의 사후 세계와 종교의 본질을 구명하기 위해 선결되어야 할 중요한 문제이다.

불교는 불이법不二法이므로 모든 것을 하나로 본다. 표면적으로 관찰하면 어째서 둘이 아니고 하나냐고 반문할 것이다. 사람이 죽으면 육체는 떨어지고 정신만 사후 세계로 가는데 어찌 둘이 아니라 하는가. 살아 있을 때도 육체는 눈에 보이지만 정신은 눈에 보이지 않으면서도 분명히 그 작용은 있으니 서로 다른 존재의 형식으로 존재하는 것이 분명한데 어째서 둘이 아니라 하는가. 이런 질문이 있을 수 있다.

그러나 이것은 너무나 피상적인 관찰에서 나온 소리다. 조금만 더 깊은 생각으로 관찰해 보면 결코 육체와 정신은 둘이 아니라 하나라는 사실을 누구나 쉽게 알 수 있다.

사람이 꿈을 꾸고 있을 때 육체는 방안에 누워 있으나 영혼은 구만리장천을 날아 자유롭게 다니는 것처럼 보인다. 그러나 이것도 자세히 따져보면 꿈속의 영혼이 육체를 떠나 자유롭게 다니는 것이 아니고 육체라는 그릇 속에서 온갖 망념을 일으키고 있는 현상에 불과하다는 것을 알게 된다.

색즉시공色卽是空, 공즉시색空卽是色이란 표현은 참으로 사물의 이치를 정곡으로 꿰뚫은 오묘한 이치다. 색은 모양이 있는 것, 공이란 모양이 없는 것인데, 모양이 있는 것이나 모양이 없는 것이나 모두 둘이 아니라 하나라는 뜻이다. 육체와 영혼의 관계를 이보다 더 잘 설명한 말도 드물 것이다. 영이 없는 육도 있을 수 없고, 육이 없는 영도 있을 수 없다.

현대 과학에서도 물질의 단위를 무한히 쪼개어 미시적으로 살펴 나가다 보면 분자에 이르게 되고, 이 분자가 물질의 성질을 가진 마지막 단위라고 한다. 분자를 다시 쪼개면 원자가 나오고 이 원자를 다시 분할하면 전자와 중성자와 양자의 소립자로 쪼개어진다. 여기에 이르면 개개 물질의 특수성이나 성질 같은 것은 이미 없어진 지 오래다. 그러나 이런 것들이 결합하여 특수하고 개별적인 물질을 생성하고 우리 인간의 몸도 만들어내니, 있는 것이 곧 없는 것이요, 없는 것이 곧 있는 것이라는 불교의 논리가 결코 허황한 말장난이나 사고의 유희가 아니라 우주의 근본 진리 그대로임을 확인할 수 있다.

물리학에서는 진공이라는 것도 '아무것도 없는' 빈 공간이 아니라 전자로 충만한 공간이라는 것이 실험으로 입증되었다. 이는 불교에서 말하는 색즉시공, 공즉시색의 도리이니 영혼과 육체를 둘로 갈라놓는 사고가 얼마나 어리석은 것인지 알 수 있다. 이런 말을 하면 일부에서는 불교 쪽에서 현대 물리학의 성과를 아전인수식으로 왜곡해서 쓰고 있다고 비난할 수도 있는데, 실제로 현대 물리학은 가면 갈수록 불교가 이미 밝혀 놓은 진리에 더욱 접근하고 있고, 앞으로도 더 근접할 수밖에 없어 과학자들 스스로도 놀라고 있다고 한다.

인간이라는 것을 100퍼센트 육체라 해도 틀리고, 반대로 100퍼센트 영혼이라 해도 틀리다. 인간들은 눈에 보이는 이 육체의 껍질을 천년만년 유지하기 위해 갖은 애를 쓰다가 불가능하니 이번에는 영혼만이라도 죽어 저승에 가서 영원무궁토록 살게 된다는 그럴듯한 신앙의 세계를 만들어냈다.

불행하게도 우리 육체는 아무리 길어야 100년을 살지 못한다. 끝없는 시간 속에서 볼 때 그 100년은 눈 깜짝할 정도로 짧은 순간에 지나지 않는다. 그 짧은 순간을 버틴 육체는 결국 지수화풍의 사대四大로 돌아간다. 대체 우리 육체는 어디 있었던 것인가. 그것은 어디로 갔는가. 그것 자체가 무無였다는 것을 알아야 한다.

아버지의 한 방울 정액과 어머니의 피로 열 달 동안 얽혀 만들어진 조그만 주먹덩이 같은 존재가 세상에 나와 온갖 것을 먹고 차츰 굵어지고 굳어진 것이 육체다. 미시적으로 들여다본다면 분자와 원소로 분해되어 남는 것이 없는 존재인 것이다. 실제로 잠깐의 짧은 순간이 지나면 육체는 원래의 무형태로 되돌아갈 뿐이다. 따지고 보면 육체는 아무 감정도 없는 분자와 세균의 덩어리이며 그것이 이합 집산하는 것이 생명의 실체다. 유有가 곧 무이며, 무가 곧 유라는 것을 알 수 있다.

우리 생명의 끝은 어디인가

우리 생명의 어디가 유이고 어디가 무이겠는가. 무도 유도 아닌 무시무종의 생명력이니 본래부터 있었고, 끝도 없는 것이 생명이다. 영이라는 것도 깊이 들어가 보면 형상이 없어지듯이 육 또한 형상이 없다. 생명을 두고 유니 무니 따지는 것 자체가 잘못되었다. 생명에는 유무의 이원론이 붙을 자리가 없다.

유무가 둘이 아니듯이 생사도 둘이 아니며 선과 악, 어둠과 광명이 모두 하나라는 불이법이 불교의 진리다. 이 논리는 당연히 어떤 표면적인 현상에 집착하지 말라는 마음가짐으로 이어진다. 기쁨이니 슬픔이니 하는 것들이 따지고 보면 꿈같은 소리들이다. 기쁨을 느끼는 시간, 슬픔을 느끼는 시간이 길어야 얼마나 가겠는가. 구름처럼 일었다가 구름처럼 사라지는 허상에 지나지 않을 것들이다. 기쁨이니 슬픔이니 하는 것들 자체가 스스로 만들어낸 환상일 뿐이지 조금만 깊이 생각해 보면 희비가 어디 따로 있는 것이 아니다.

이런 헛된 분별을 깨뜨리고 사물의 당체를 보자는 것이 깨달음이며, 그 깨달음의 세계가 곧 열반이다. 여기에는 기쁨과 슬픔이 붙지 않는다. 기쁨이 있다는 것은 슬픔 또한 있다는 것이다. 그러므로 열반의 세계는 기쁨과 슬픔이라는 감정을 모두 여읜 세계이다. 산다는 것도 죽음이 있다는 것 때문에 생긴 견해이다. 원래부터 죽음이 없으며 시작도 끝도 없는 것이 생명인데 죽음의 상대 개념으로서의 삶 또한 없다. 이 같은 진리를 바로 보면 기쁨에도 슬픔에도 무애無碍하며, 삶과 죽음에도 무애하다.

무애하면 이 세계가 곧 피안이 된다. 그러나 우리는 이것을 모르고 조그만 일 하나하나에 얽매여 좋아하고 싫어하고 기뻐하고 슬퍼하며 오르고 내리며 어둠과 밝은 곳을 헤매며 시비 장단에 휘말려 고통이 끊일 새가 없다.

이 같은 시비의 세계를 여의면 모든 사물의 본래 모습을 정확하게 볼 수 있으며, 사물의 본래 모습을 정확하게 보면 거기가 곧 해탈의 자리다. 그러나 말은 쉬우나 그 자리에 도달하기는 어렵다. 그러므로 자꾸만 되씹고 의문을 내어 건곤일척의 용기와 집념으로 의문을 깨뜨려 나가는 근기가 있어야 한다.

이런 것을 이론적으로, 피상적으로 알아서는 아무 소용이 없다. 실제로 무아의 경지에 들어가 어느 경계에 이르러야 비로소 그 진리는 자신의 것으로 된다. 이 세상 살아가는 것이 본시 공이며 허무라는 것을 보게 되는 것이다. 이 공의 본질을 보고 나면 다시는 흔들리지 않는다. 이 경지에 이르러야 비로소 안심입명이 되는 것이며, 사사로운 경계에 팔리면 팔린 만큼 허둥거리고 헤매게 된다는 것을 알게 된다.

사람의 짧은 평생을 두고 경계에 얽매여 허둥거려야 옳은가, 진리의 당체를 응시하고 흔들리지 않는 안심입명의 경지에 이르는 것이 좋은가, 이런 질문이 굳이 필요하겠는가. 그러나 사람들은 여전히 육체와 영혼, 기쁨과 슬픔을 편 갈라놓고 그 속에서 허우적거리고 있으니 딱한 일이 아닐 수 없다.

열반은 생명이 본래 공空임을 깨닫는 것

생명이 본시 공임을 깨닫는 것이 열반이다. 공이란 무엇인가. 있는 것도 아니며 없는 것도 아닌 절대 진리의 세계며, 스스로의 체험을 통해서만 들어갈 수 있는 세계다. 열반의 자리는 설명할 수 없다. 설명할 수 없는 일이므로 문자로 '이런 것이다'라고 설명할 수 있는 정형도 없다. 다만 자신의 경험을 바탕으로 판단할 뿐이다.

대체로 경험해 보지 못한 세계는 추상일 뿐이며, 그럴 것이다하는 개연성의 바탕 위에서 생각하는 것이지 정확한 지식은 아니다. 그러므로 깨달음의 세계가 무엇이냐, 무엇을 깨달으며 어떻게 깨닫느냐 하는 등의 질문에 대한 가장 좋은 대답은 스스로 깨달아야 한다는 것이다. 스스로 삼매에 들고 무아의 경지에서 사물의 이치가 훤해지는 그 경지를 체험해 보지 않고서는 아무리 설명을 들어도 헛된 지식 나부랭이에 그친다는 뜻이다. 꿈꾸는 사람이 아무리 밝은 소리를 해도 꿈속의 얘기이지 꿈 밖의 세계와는 얘기가 안 된다. 세계는 꿈에서 깨어나야 비로소 연결이 되고 대화가 된다. 우리가 미망迷妄에 사로잡혀 있을 때는 꼭 꿈꾸는 것과 같으니 그 꿈을 깨기 위해 참선을 하는 것이다.

화두를 통해 무아 삼매의 경지에 들어간다는 것은 사량 분별思量

分別을 여의고 초월한다는 뜻이다. 대체로 인간의 지식은 사념적이며 이론적이다. 그와 반대로 시시비비의 인간 지식을 완전히 포기하는 것이 화두다. 화두는 동문서답東問西答 유만부득類萬不得으로 이론으로는 도저히 닿지 않는 자리다. 구자무불성狗子無佛性이니 정전백수자庭前柏樹子니 하는 식으로 무미건조한 것을 가지고 들어가는데, 그렇게 들어가면 어느 사이에 상념이 끊어진다. 상념이 끊어지면 상념이 일어나는 그 바탕을 보게 된다. 지금까지 푸르고 누르고 붉고 흰 색깔만 보고 판단했던 것은 이제는 색깔이 없는 곳, 색깔이 일어나지 않는 곳에서 사물을 바라보게 된다. 그 자리에서 바라본 사계, 그 자리에서 바라본 인생, 그 자리에서 바라본 생명의 본질, 이것이 깨달음의 세계인 것이다.

깨달음을 얻은 사람은 그렇지 못한 사람과는 다르다. 이 세상의 보통 사람들은 오욕락을 쟁취하기 위해 밤낮없이 헤매고 있다. 오욕락을 취하면 그 반대인 고통도 달게 받을 각오를 해야 한다. 왜냐하면 낙樂에는 반드시 고苦가 따르기 때문이다. 그러나 사람들은 낙만 취하고 고는 받으려 하지 않는다. 내가 한 근의 오욕락을 취했으면 그에 상응하는 고를 감수해야 하는데도 그것을 피하려 하고 고가 따른다는 것을 인정조차 하지 않으려고 발버둥치는 데서 고통은 무한하게 반복된다. 최소한 고통을 각오하고 있다면 그토록 쩔쩔매지는 않을 것이다. 올라갈 때 내리막이 있다는 것을 안다면 내리막길의 고통도 어느 정도 참을 만할 것이다. 더 바람직하게는, 즐거움이 있으면 반드시 그에 상응하는 괴로움이 있다는 사실을 알아 즐거움 자체를 쟁취하려 애쓰지 않을 것이다.

고와 낙을 모두 끊어버리는 것이 깨달은 사람의 경지다. 사람들은 자기가 짓는 세계를 볼 줄 모른다. 눈을 맑고 크게 뜨지 않으니 그 세계가 보이지 않는 것이다. 옛 도인들은 낙을 취하면 그에 상응하는 고를 받아야 한다는 진리를 터득하고 있었기 때문에 고통의 원인을 만들지 않았다. 그러나 중생들은 그렇지 않아서 남의 것을 훔쳐 먹으면 그것뿐, 필연적으로 오는 고통에 대해 알지 못하므로 괴로움투성이의 삶을 살아가는 것이다.

오욕락에 대한 허황된 꿈에서 벗어나라는 가르침이 불교다. 깨닫는다는 것은 오욕락의 허무와 그에 따르는 고통을 바로 보고 아는 지혜를 얻는다는 뜻이다.

생과 사, 어둠과 밝음, 선과 악이 모두 둘이 아니라 하나인 불이법을 알아 근본 고향을 되찾으며 망상을 제거하는 것, 이것이 또한 깨달음의 세계다.

그렇다면 불교를 믿는 사람, 또 삶이 공이라는 사실을 바로 깨달은 사람들은 이제 아무것도 하지 않고 무위로 지내야 하는가. 일체 행동을 하지 않고 죽은 듯이 가만 있어야 하는가. 그건 아니다. 거꾸로 《천수경》에서는 "지옥이 무너지는 것을 알려면 지옥에 들어가 봐야 한다"고 했다. 나의 본바탕을 알고 나면, 도산지옥에 가면 도산이 무너지고 축생계에 가면 지혜가 생기며, 아귀도에 가면 배가 부르다고도 했다. 크게 눈을 뜨고 깨달으면 어떠한 경계에도 구애받지 않는 세계가 있다는 뜻이다.

부처님도 죄를 지으면 형무소에 갇혀야 하는 것이 바른 도리다. 그러나 부처님은 이미 깨달음의 세계를 이루었으므로 형무소가 곧 극락일 것이다. 부처님이라고 초자연적인 특권을 누린다거나 초자연적인 힘을 가질 수는 없다. 깨달음이란 무슨 도술이나 마술의 세계로 들어간다는 뜻이 아니다. 모든 인간은 부처님을 비롯하여 모두 절대 평등하며 특권을 지닌 자는 없다. 그런 속에서도 생사를 초월한 사람이 있다는 것은 무슨 뜻이겠는가. 탈법해서 고통을 받지 않는다는 뜻일 것이다.

부처와 중생의 씨앗은 다르지 않다

바르게 정진하면 범상한 사람도 부처님이 이르렀던 그 세계에 이를 수 있다. 본래부터 부처와 중생의 씨앗은 다르지 않으며, 깨달았다고 해서 내용이 달라지는 것도 아니다. 달라진다면 우주의 실상을 들여다볼 줄 아는 안목을 갖게 됨으로써 세계관·우주관이 트이는 것뿐이다. 부처님도 우리와 다름없는 인간이었다. 부처님 당신께서도 자신이 초월적인 존재라고 말한 적이 한 번도 없었으며, 초월적인 존재에 대해 말한 일도 없었다. 그러므로 우리는 우리와 똑같은 인간이었던 석가모니가 갔던 경지에 누구나 이를 수가 있다.

어떻게 그 길을 가는가. 길은 여러 갈래가 있을 수 있다. 그중에서 가장 중요한 것이 멍텅구리가 되는 것이다. 역설적으로 멍텅구리야말로 진실로 똑똑한 사람이다. 아무것도 모르면서 다 아는 체하는 자는 똑똑한 멍텅구리다. 하지만 내가 부족해서 꿈속에서 헤매고 있으니 이 꿈에서 깨어나야겠다, 나는 아무것도 아는 것이 없다고 생각하는 멍텅구리야말로 진실로 똑똑한 사람이다. 꿈에서 깨어나야겠다는 생각, 이런 생각을 가진 사람은 최소한 내가 꿈을 꾸고 있다는 사실만은 아는 것이니 얼마나 다행한 일인가. 이런 사람은 자기 인생의 실체가 어떤 것인지 몰라 스스로 답답하게 여겨 누가 시키지 않아도 참선하고 고행하여 상념을 끊고 진리에 가 닿으려는 노력을 한다. 그러나 누구에게 인정받으려고 하는 일이 아니다. 내 몸에 독침이 꽂혀 있으니 내 생명을 위해 당연히 그 독침을 빼야 한다. 안심입명이 안 되고 불안과 고통 속에 잠겨 있는 것, 이것이 내 생명 속에 박힌 독침이다.

정신이 맑은 사람은 자기반성에 인색하지 않다. 서양의 경우를 보면 니체니 하이데거니 하는 철학자들이 지금까지 서양 문명의 근저를 이루어온 신의 존재에 대한 심각한 반성을 했다. 그들도 자기 인생을 심각하게 관조하고 철저하게 해부하다 보니 그 경지에 이른 사람들이었다. 확실한 대오大悟를 얻지는 못했으나 자기 나름대로 인생의 본질을 들여다본 사람들인 것이다. 이들이 한발 더 나아갔으면 마침내 부처님 법에 이르렀을지도 모른다.

그러나 철학자의 사유만으로는 이 세상과 우주 만물의 이치를 모두 꿰뚫는 진리에 이르지는 못한다. 철학자의 사유, 윤리학자의 도덕, 신학자들의 인간 구원, 이 모든 문제를 한꺼번에 완벽하게 해결한 사람이 석가모니였다. 시공을 초월해 누구도 이의를 달 수 없는 진리를 깨달은 것이다. 그 후로 우리 같은 사람들도 그분이 먼저 갔던 길을 따라 쉽게 이 길을 갈 수 있으니 얼마나 고마운 일인가.

중국에서 오종가풍을 드날릴 때 위대한 도인들이 줄줄이 탄생했다. 그들 모두 부처님의 세계를 경험한 사람들이었다. 이른바 조사들이 그들이다. 조사들은 부처님의 경지에 이르기 위한 나름대로의 길을 발견했으니 그것이 바로 참선이며, 참선의 열쇠가 바로 화두였다. 그러나 참선만이 부처님의 세계에 이르는 유일한 길은 아니다. 참선을 모르는 속세 사람들도 깨달을 수가 있다.

많은 철학자의 사유가 부처님 세계의 근처에 가 있는 것을 발견하게 된다. 굳이 불교가 아니라도 인생이 무엇이며 삶과 죽음이 무엇인가, 고통의 실체가 무엇이며 어떻게 하면 그 고통의 바다를 넘어 무애의 경지에 가 닿을 수 있는가 하는 생각은 누구나 하고 있다. 다만 실행하는 방법이 틀리거나 애당초 길을 잘못 드는 수가 많으며, 망상의 껍질 속에서 무위한 노력만 계속하는 중생이 많으니 그 미혹을 깨치기 위해 불교가 있다.

동양의 신선도는 결국 죽지 않으려고 하는 노력이다. 그러나 끝내 생사 초월의 길을 발견하지 못했던 모양이다. 그들이 말하는 천상 세계란 이 세상이 너무나 괴롭고, 유한한 생명이 견딜 수 없으므로 착한 일을 해서 영구히 사는 곳에 가고자 하여 설정해 놓은 세계다. 하지만 이것도 유루有漏의 세계다. 유루의 세계는 아무리 좋은 세계로 간다 하더라도 그 복이 다하고 말면 고통 속으로 떨어진다. 그러나 무루無漏의 세계는 생과 사를 초월했으므로 그것이 바로 부처의 세계다.

우리가 굳이 표현을 하자니 부처라는 이름을 붙이나 사실은 부처라는 이름도 없는 것이다. 마음의 문제다. 달마 스님도 이렇게 말했다.

마음, 마음 이 마음을 찾기 어렵구나.

넓을 때는 우주 법계에 두루 충만하지 않는 곳이 없고,

좁혀지면 바늘 끝 하나 세울 틈이 없다.

내가 이 마음 하나 깨치려고 하는 것이지

밖에서 따로 부처를 찾는 것은 아니다.

따로 부처를 구하지 않으니 욕계가 모두 허깨비 같은 환상이다.

내가 마음을 구하려고 하니, 본시 마음을 가지고 있었다.

그러므로 마음, 마음 하는 이것이 본시 부처구나.

내가 구하는 마음을 본시 가지고 있었으니,

마음을 구하는 데 마음을 기다려 얻어지는 것이 아니며,

부처 그 자리는 마음 밖에서 얻어지는 것이 아니네.

마음이 났을 때는 이미 허물이 났을 때라.

마음이 따로 있고 그 마음의 부처를 얻으려 기다리는 마음이 또 따로 있는 것이 아니라는 것, 그러므로 마음을 냈을 때는 이미 어긋나는 것을 경계하는 게송이다.

'도를 도라 하면 이미 도가 아니다'는 도가의 말도 같은 맥락이다. 그러므로 부처의 세계를 얻었다 하면 이미 그 사람은 잘못 비끄러매어진 것이다. 깨달음이 무엇이고 견성見性이 무엇이다 하는 뚱딴지같은 소리들은 이래서 모두 잘못된 소리들이다.

일천칠백 공안이 어찌 그것뿐이랴

화두를 잡으면 상념이 끊어지고 상념이 끊어진 자리에서 무루의 세계가 열린다. 화두는 원래부터 형체가 없는데 무엇으로 잡아야 하는가. 화두에 잘못 들어 간혹 어긋난 길로 가는 수도 있다. 화두를 들어본 경험이 없는 초심자일수록 여러 가지 의문이 깊을 것이다.

무루의 세계를 여는 작은 열쇠인 화두를 잡고 선정에 드는 일에는 초심자와 경험자가 따로 있을 수 없다. 일체 차별이 끊어진 자리이므로 누구나 절대 평등한 세계이다. 누구나 꼬집으면 다 아프다. 지식이 있는 사람은 덜 아파야 하고 지식이 없는 사람은 더 아파야 하는 법은 없다. 누구나 한 생각 들어가면 그만이다. 초발심시변정각이라, 마음 한 번 바로 깨치면 부처가 되는 것이지, 누가 안거를 몇 번 하고 누가 면벽을 몇 년 했다는 것이 차별의 조건이 되지 않는다. 납자에 신참과 고참이 따로 있을 수 없는 것이 불교의 특색이다. 수행 시간의 길고 짧음으로는 아무것도 잴 수 없다.

육조 스님은 일자무식이었으나 학문과 경륜이 높은 수많은 도반 가운데 가장 먼저 깨달았고, 수없이 살생을 저질러온 백정이 부처님의 가르침 한마디를 듣고 소 잡던 칼을 집어 던지고 그 자리에서 성불했다. 선善이나 시비是非의 제제提題가 끊어진 자리이므로 언제라도 한 생각 돌이키면 대오를 얻을 수 있다.

깜깜하기는 태곳적부터 있던 굴이나 방금 판 굴 속이나 모두 마찬가지다. 수억 년 된 굴이라고 해서 그것을 밝히는 데 새로 판 굴보다 촛불이 더 필요한 것은 아니다. 거기에 차별이 없듯이 지식의 유무, 남녀노소에 구별이 없는 것이 선의 세계다.

참 묘한 것이 불교이다. 찰나에 깨치면 성불할 수 있으니 얼마나 묘한 일인가.

"앞생각이 미혹하면 거꾸러진 중생이요, 뒷생각 깨달으면 곧 부처라."

여기에 무슨 계제가 필요하며 시간차가 있겠는가. 옛날 조사들은 배운 것이 아니라 언하言下에 깨쳤다. 참선의 묘미는 바로 그런 것이니 무분, 즉 차별이 없는 세계. 그러므로 누구나 지금 당장 어디서나 들어갈 수 있는, 활짝 열린 문이다.

오히려 오래 참선을 한 사람들이 더딘 경우가 있다. 이는 기름때가 묻어 참선하는 것조차도 습관이 되어버린 사람들에게 해당되는 이야기다. 이에 비해 초심자는 때가 묻지 않아 오히려 곧바로 정곡에 도달하기가 수월할 수도 있다. 요즘 듣자니 아이들 음악 가르치느라 부모들이 혈안인 모양인데, 학원에서는 다른 학원에 다니다가 온 학생들에게는 처음 학원을 찾은 사람보다 교습비를 더 받는다고 한다. 다른 학원에서 잘못 길들여져 온 버릇을 고쳐가며 가르쳐야 하니 그만큼 가르치기 어렵다는 얘기다. 오랜 세월, 직업적으로 참선을 하고 돌아다닌 사람들에게는 분명 습관성이 있다. 밖으로 냄새를 피우고 선방 안거를 경력이나 훈장처럼 줄줄이 꿰기를 좋아하는 사람들에게서는 좋지 않은 냄새가 난다.

무슨 화두를 잡을 것인가. 정해진 방법은 없다. 약방에는 수천 종류의 약이 있지만 어느 약이 좋다고 일률적으로 말할 수 없다. 눈 밝은 의사가 제대로 쓰면 모두 명약이 될 것이고 서툰 의사가 잘못 쓰면 사약이 될 것이다. 상대의 정도를 살펴 깨우치게 하는 지도 스님들 나름대로의 방법이 있기는 하다. 그러나 아무리 훌륭한 스승이라 하더라도 중생의 병을 모두 고칠 수는 없다. 담배나 아편에 깊이 중독된 사람을 고치려고 애를 써도 애당초 자신의 중독을 고칠 생각이 없는 사람이나 고칠 생각이 있더라도 중독이 너무 깊어 고쳐지지 않는 사람은 그 중독에서 해방시킬 도리가 없다. 반면에 아무리 병이 깊어도 용기 있는 사람은 금방 고칠 수 있다. 스승의 역량이나 참선의 방법도 중요하지만 그보다 더 중요한 근본적인 문제는 병을 고치려는 수행자의 마음, 즉 용기다.

가르치는 방법 역시 따로 정해진 것이 없다. 일천칠백 공안이 어쩌고 하지만 공안이 그것만이라고 누가 정해놓은 것도 아니다. 옛 도인들이 중생을 교화하는 데 그 방법이 10인 10색이라 그 일화를 기록해 놓은 것이 모여 일천칠백 공안이 된 것이지 별다른 뜻은 없다. 그렇다면 세상에 공안 아닌 것이 없다. 팔만사천 공안이라는 말은 이래서 나온 것이다.

알 수 없는 것, 의문을 자아내는 것이 공안, 즉 화두의 한결같은 특징이다. 불법을 물으니 뚱딴지같이 '마른 똥 막대기'라 했고, '뜰 앞의 잣나무'라고 했다.

구자무불성만 해도 그렇다. 부처님은 일체一切 유무정有無情이 개 유불성皆有佛性이라 했는데 조주趙州 스님은 무라고 했다. 무슨 까닭 으로 조주는 부처님과 정반대로 개에게는 불성이 없다고 했는가. 조주가 언어유희나 일삼은 장난꾼이라면 애당초 문제 삼을 필요 도 없었을 것이다. 그러나 그는 이미 조주불이라 해서 당대에 부 처님처럼 이름난 스승이었으니 농담을 할 턱이 없겠고, 그의 입 밖으로 나온 말이 전부 진리일 것이므로 제자들은 진지하게 자신 의 생명의 무게를 실어 질문을 했을 터인데 대답은 기이하게도 무 라, 청천벽력이었을 것이다.

이 말 같지 않은 말, 대답 같지 않은 대답이 여러 사람의 골치를 썩인 것은 그 말을 조주가 했기 때문이다. 조주를 인정하기 때문에 그의 뚱딴지같은 말이 큰 의문의 씨앗이 된 것이다. 조사 스님의 말이라면 금쪽같이 여기던 제자들이 '이것이 무엇인가' 하고 골똘 하게 생각하다가 마침내 깨달음에 이른 사람이 많았다. 언하에 깨 친 사람도 있었지만 이처럼 화두로 삼아 참구하다가 깨친 사람도 많았다. 이렇게 하여 화두는 후세에까지 길이 전해지게 된 것이다.

팔만사천 법문이 모두 마음 깨치라는
한 가지 소리뿐

　　육조 스님 회상의 만제자인 남악회양南岳懷讓은 당대에 이름을 떨친 큰 학자였다. 그러나 정작 자신은 자기 학문에 대하여 뭔가 모자라고 찜찜하여 견딜 수가 없었던 모양이다. 가만히 인생을 돌이켜보니 그 학문이라는 것이 안심입명과는 거리가 먼 것이라. 그러던 차에 육조 스님의 이름을 듣고 불원천리를 찾아간 것이다. 육조 스님이 찾아온 손님을 보니 한눈에 아만我慢이 탱천했다.

　　남악은 "어떤 물건이 왔는가"라는 스님의 한마디에 그만 말문이 막혔다. 평생 갈고 닦은 지식의 금자탑이 일자무식꾼의 한마디에 와르르 무너지고 만 것이다. 분명히 자기가 왔는데 "어떤 물건이 왔는가"라는 한마디에 꽉 막혀버릴 정도로 쓸데없는 학문에만 신경 써온 것이다. 방망이로 정수리를 맞은 듯, 혼 빠진 할머니가 딸네 집 건너다보듯이 앉아 있다가 발길을 돌렸다. 평생 쌓은 지식을 모두 날려버리고 육조의 말 한마디만 온몸에 박혀 잊지를 못하고 굴리고 굴리며, 씹고 또 씹었다. 그러다가 결국 8년 만에야 겨우 깨치고 육조의 만제자가 되었다.

　　이처럼 상대에 따라 문제를 하나 제시해 주고 그 사람으로부터 큰 의문을 자아내게 하는 것이 화두며, 이러한 화두로 깨침을 여는 것이 조사의 가풍이었다. 화두는 말씀 화話, 머리 두頭로, 즉 말 머리라는 뜻이다. 모든 말은 아무리 짤막해도 뜻이 붙는데 화두는 말의 머리이므로 뜻이 닿지 않는 것이다. 그러므로 이것을 뜻풀이 하는 식으로 사량 분별해서는 안 된다. 그래서 화두를 화치, 즉 불무더기라고도 한다. 불무더기에 파리나 나방 같은 것들이 가까이 가면 타 죽는다.

화두란 사량 분별이 닿지 않는 것이라 사량 분별이 닿으면 녹아버린다. 즉 멍텅구리가 된다는 뜻이다. '이 뭣고'는 모른다는 소리다. 몰라서 답답하다는 소리다. 답답한 것을 어찌 그냥 두고 배기겠는가. 답답하게 됐다는 소리가 바로 화두다. 사람이 미련해서 그렇지 영리한 사람에게는 모든 것이 화두 아닌 것이 없다.

그렇다면 우리는 일천칠백 공안을 모두 잡고 참구해야만 할까. 그렇지 않다. 우주 전체가 하나이고 진리는 하나이니, 화두를 하나만 깨치면 전체를 안다. 이것 또한 불교가 지닌 오묘한 이치다. 세상 사람들은 하나를 모르면서 전체를 아는 체하고 산다. 나아가 모른다는 그 사실조차 모르고 살아가는 게 현대인의 모습이다.

내가 모른다는 사실을 자각하면 이 세상의 화두 아닌 것이 없다. 좀 안다고 자만하는 사람들도 대개는 피상적으로 알 뿐이어서 조금 깊이 질문하면 앞뒤가 꽉 막혀버린다.

삼처전심三處傳心, 조사가풍의 원령은 이렇다. 먼저 염화미소가 있다. 부처님이 영산회상에서 꽃 한 송이를 들었으나 수만 대중이 그 뜻을 모르는데 오직 가섭존자만이 빙그레 웃었다. 이에 부처님이 "나에게 정법안장正法眼藏의 미묘한 법문이 있는데 이를 가섭에게 부친다"라고 말씀하셨다. 이것이 이심전심의 조사가풍을 있게 한 최초의 발단이다.

한 번은 부처님이 보리장중에 법문을 하고 있는데 가섭존자가 늦게 도착했다. 이때 부처님은 자신의 자리를 반쯤 비켜 앉으며 가섭에게 내주었다. 이것이 이처전심二處傳心이다.

부처님께서 쿠시나가라에서 열반했을 때도 출타했던 가섭이 늦게 도착했다. 부처님은 관속에서 발을 내밀어 가섭을 맞았다. 이것이 삼처전심三處傳心이다.

불교에 관해 상식으로만 조금 알아도 살아가는 데 크게 헤매지 않는다. 삶의 등 뒤로 늘 죽음의 그림자가 따라온다는 사실을 알고 있기 때문에 살아가는 데 항상 자신이 있고, 모든 것이 필연적이라는 사실을 알고 있기 때문에 마음이 늘 편안하다. 고통을 받을 일이 있으면 고통을 받으며 살지 기적이나 요행을 바라지는 않는다. 연기법 하나만 알고 있어도 허둥거리지는 않는다. 이에 비해 세상의 많은 사람은 콩을 심어놓고 팥이 나오기를 기다리고, 동으로 간다면서 서로 가고, 뚱딴지같은 방향을 헤매면서 어쩔 줄 모른다.

부처님의 살아가는 모습은 일거수일투족이 모두 선이었다. 선이란 글자는 '터 닦을 선禪'으로 마음의 터를 닦는다는 뜻이다. 마음을 안정케 하는 것이 선이다. 마음을 안정케 하려는 지혜가 필요하므로 정혜쌍수定慧雙修를 선의 올바른 길로 본다. 가만히 앉아 참선하는 것만이 선이 아니라 지혜가 번쩍거리면서 마음이 미망에서 깨어나 안정되어 있는 상태, 이것이 불교라는 종교가 구하고자 하는 궁극의 경지다.

학자들이 제 나름으로 소승부·상좌부·대승부로 구분해 놓았으나 말이 좋아 소승부·대승부지 그게 그거다. 부처님이 천 가지, 만 가지 소리를 한 것 같아도 다 같은 소리라는 말이다. 듣는 사람의 듣는 각도가 달라 해석을 달리할 뿐이다. 팔만사천의 법문이 모두 마음 깨치라는 한 가지 소리뿐이다. 얼마나 단순하고도 명료한가.

일본의 선禪

여기서 일본의 선에 대해 얘기를 좀 해야겠다. 일본에 가보니 불교 연구가 왕성하고 불교 신도가 많아 참 부러운 면도 없지 않았다. 그런데 문제가 있었다.

스즈키라는 사람이 선을 철학적으로 풀어 체계화해 놓은 이래 선을 이런 각도, 저런 각도에서 분석하고 정리한 연구들이 굉장히 활발하게 이루어진 것이 일본의 불교학이다. 서양 사람들도 일본어 발음 그대로 '선'을 '젠zen'이라고 한다. 일본으로부터 선을 접한 서양인들이 일본 선을 선의 귀감으로 착각하게 된 것은 당연한 일일 것이다.

그러나 일본 선의 가벼움이 서양에 전파되면서 더욱 와전되어, 마음을 안정시키고 건강상태를 유지하는 이상스러운 방법의 하나가 선이라고 오해하는 경우가 많아졌다. 한심스러운 것은 일본 선이 서양에 전파되어 '정신 건강 유지법'으로 왜곡된 것을 우리나라 일부에서 이것을 또 수입하여 팔아먹고 있다는 사실이다. 이런 상품들을 살펴보면, 모든 이론을 털어버린 것이 참선인데 오히려 번잡한 철학 이론으로 치장하여 요가 비슷하게 상품화하고 있는 특징을 지니고 있다. 요즘에는 우리나라 스님들이 미국에 많이 건너가 잘못된 선을 바로잡고 명칭도 '젠' 대신 '선 센터'로 부르고 있으니 그나마 다행이다.

일본 사람들 하는 짓을 보면 "나는 공안을 몇 개 타파했다"느니 하며, 마치 등산가가 높은 산 몇 개를 정복했다는 식으로 내세우고 있으니 참 놀랄 일이다. 정진하는 것도 5분이나 10분씩 시간을 정해놓고 그 동안에 문제를 하나씩 제시하여 그것을 깨치면 화두 하나를 타파했다고 한다. 껍데기 규칙은 참으로 놀랄 만큼 논리가 정연한데 정작 알맹이는 하나도 없는 것, 이것이 일본의 선이라는 인상을 받았다. 참으로 우습다. 논리 정연한 것 자체를 즐긴다면 모르겠으나 정신을 깨치자면서 규칙에 얽매여 있으니, 그건 일본 류의 사고 훈련이지 참선은 아니었다. 이런 형식주의가 상업주의 와 결탁하면 몇 시간 꼼짝 않고 앉아서 버티면 그 사람 참선 잘한 다고 평하게 되는데 마치 앉은뱅이가 우두커니 앉아 있으면 참선 을 잘한다고 볼 판이다.

참선에는 특정한 모양이 없다. 자기 세계 하나 열리는 게 참선 이지 절구통처럼 앉아서 버티는 것이 참선은 결코 아니다. 일본 사람들은 또 벌에게 쏘여도 움직이지 말라고 하여 요지부동하면 참선 잘한다고 한다. 조용하다고 해서 참선을 잘하는 것도 아니 다. 죽은 사람이 가장 조용한 법이니까.

어떤 화두를 선택해 참구했는가

사람들이 내게 묻는 질문은 주로 어떤 화두를 선택해 참구했는가, 언제 어떤 인연으로 깨쳤는가. 깨친 내용은 무엇인가 하는 것들이 많다. 깨쳤으면 틀림없이 특별한 무엇이 있을 거라는 기대감을 안고 있는 것도 한결같다.

내가 깨친 것이 뭐가 있겠는가. 다만 요즈음 스스로 깨쳤다고 하는 이들 소리를 들어보면 긍정하지 못할 소리가 많음을 느낄 뿐이다. 깨치는 게 따로 있는 것이 아니라 깨쳤다면 모든 생활을 깨친 속에서 살아야 한다. 깨쳤는지 깨치지 못했는지 사람의 마음속을 살펴볼 수는 없으나, 마음은 곧 행동으로 나타나는 법이니 그 사람의 생활이 곧 마음이다. 그러므로 깨친 사람이라면 모름지기 언행에서 무리한 일이 없어야 하고 평화로워야 할 것이다. 그런데 깨쳤다는 사람의 행동이 인간의 윤리마저도 벗어나는 짓을 하는 경우도 많다. 도를 이룬다는 것은 보통 인간이 빠지기 쉬운 온갖 죄업과 미망으로부터 한 발 벗어났다는 뜻이다. 그런데 이처럼 인간을 초월하기는커녕 인간에도 미치지 못하는 도인, 깨친 사람이 있을 수 있겠는가. 어불성설이다.

대체 그 사람들은 무엇을 가지고 깨쳤다고 하는가 살펴보니 내가 누구 제자다, 어느 선원에서 안거를 얼마나 했다, 하는 것을 이력서처럼 내세우며 깨쳤다는 증거로 삼으려고 한다. 원로라는 사람들 중에도 사람의 기본 윤리조차 알지 못하는 사람들이 더러 있는데 이들마저 크게 깨친 사람으로 자임하고 또 추앙을 받고 있다. 사람이 출가하여 다만 절집에서 나이를 먹었다는 이유만으로 깨쳤다고 하는 것은 맞지 않는 말이다. 하물며 그런 사람들이 도인 행세를 하는 데 그치지 않고 그것을 가풍으로 삼고 문중의 기둥으로 삼아 당파를 형성하고 이해관계로 싸우는 무기로 삼을 때 불교는 물론이고 이 사회에 끼치는 폐해가 적지 않다.

나 자신으로 보자면 본래, 출가 이후 화두를 가지고 선원에서 안거를 하며 한 소식을 얻었다는 유의 그런 과정을 거치지 않았다. 그 시절에는 누구나 어려운 환경 속에서 살았겠지만 내 소년기와 청년기는 참으로 파란과 고통의 나날이었다. 독립투사였던 아버지 때문에 집안이 하루아침에 망하여 거지나 다름없이 산속의 움막을 떠돌며 살아야 했고, 고학으로 학교 공부하며 열다섯 살 때 예천 서악사로 들어가 절 머슴살이 4년 끝에 열아홉 살이 되어서야 겨우 김용사 강원에서 공부할 기회를 얻었다. 강원에서 기도나 공부를 제일 잘하니까 일본 유학의 기회가 주어졌고, 일본 대학 종교학과에 다니던 중 폐결핵을 얻어 사형 선고를 받고 귀국, 각혈을 하며 모교인 소학교의 교편을 잡으며 죽을 날을 기다렸다. 그러나 사람의 몸에 깃든 질병은 정신력으로 극복될 수 있다는 사실을 나는 알았다. 죽음을 각오하고 삶에 대해 의연해지니 차츰 내 몸에 깃든 질병이 수그러드는 것이었다. 이때 나는 인간의 영육이 둘이 아니라 하나라는 사실을 확연히 깨달았다.

그 길로 선방에 들어가 사분정진(3시간씩 하루 4회, 모두 12시간 정진)했는데 죽음을 각오했던 터라 두려울 것이 없었다. 피를 토하기는 했으나 약이라고는 입에 댄 일도 없었다. 그 후 오늘까지 나는 병원 신세를 지지 않았다. 의사에게 이 몸뚱이를 맡겨 본 일이 없다. 인간의 몸은 기계가 아니고 신비한 생명력을 지닌 것인데 이를 기계적으로 분류하여 내과·외과·이비인후과 따위로 쪼개놓으니 갈 곳도 없다. 사람의 몸과 마음은 한 덩어리인데 무슨 자동차의 부속품처럼 쪼개서 취급하는 것도 마땅치 않거니와 정신과를 따로 두어 육체에서 정신을 따로 떼어놓는 지경에 이르러서는 더 이상 생각할 틈조차 없다. 서양 의학이 저지르고 있는 이 폐단은 현대인의 정신생활에도 무겁고 깊은 영향을 끼치고 있다. 그래서 나는 선방에 오는 수좌들에게 병원에 몸을 맡기지 않도록 권유해 왔다.

이처럼 죽음을 눈앞에 두고 정진하니 삶과 죽음의 문제가 저절로 생생한 화두가 되었다. 그러나 나고 죽는 것은 별 게 아니라는 것이 분명한데도 이 세상 사물의 이치가 한눈에 들어오는 그 밝은 빛을 보기는 어려웠고, 마음의 근본 자리를 찾는 것 또한 난감했다. 죽는 일은 쉬워도 절대 무애의 세계에서 흔들림 없는 나를 찾기는 쉬운 일이 아니었다.

여기까지 와서 포기할 수도 없고 뒷걸음을 칠 수도 없었다. 한 번은 계룡산 굴속에서 삼·칠 일 동안 물만 마시면서 생명을 내던진 채 '이 뭣고'의 큰 의문을 잡고 놓지 않았다. 견성오도見性悟道라는 말은 호사스러운 말일 터이고, 이때 한 생각이 돌아 눈앞에 밝은 빛을 보았다. 이때부터 내 몸이 내 마음 먹은 대로 되는 것을 느꼈다. 정신은 잠을 잘 때나 깨어 있을 때나 별 차이가 없을 정도로 밝았고, 꿈속에서도 생시나 마찬가지로 의지를 세워 주장을 펴나가니 꿈과 생시의 경계 또한 없어졌다. 나고 죽는 것도 이와 같이 경계가 없음을 비로소 알았다.

죽음의 공포를 극복하는 것이 화두

한 번은 꿈속에 옛 친구들이 나타나 내게 먹을 것을 주며 권하길래 수행 정진하는 사람에게 이런 것을 권하면 안 된다고 거절해 돌려보냈다. 기골이 장대한 거한들이 여럿이 몰려와 내 수행을 막으려 하길래 호통을 치니 그들이 쩔쩔매며 무릎을 꿇기도 했다. 물론 꿈속의 일이었지만 나는 이처럼 생시나 마찬가지로 당당했고, 삶과 죽음을 마음먹은 대로 할 수 있다는 자신감과 용기는 생시나 꿈속에서나 조금도 다름이 없었다.

죽음의 공포로부터의 극복, 이것이 일차적인 내 수행의 목적이었고 절대적인 화두였다. 나는 그것을 해냈다. 우리 생명체의 본질이 이런 것인데 공연히 덫에 걸려 쩔쩔매며 살아온 지난날의 낡은 껍질을 벗어버렸다. 삶과 죽음의 이치를 깨닫고, 마음으로부터 그 공부에서 벗어나니 내 몸은 놀라운 속도로 회복되기 시작했다. 일본의 병원에서 사형선고를 받았던 그 몸뚱이가 약 한 방울 쓰지 않고 오히려 폐결핵에 치명적인 단식을 하면서 회생의 전환점을 맞이한 것이다. 내가 삶과 죽음이 엇갈리는 구덩이를 헤치고 생명의 실상을 바로 보는 순간 내 육체도 함께 밝은 빛을 본 것이다. 이것을 두고 활연대오豁然大悟했다고 말할 수는 없다. 그러나 무엇이 활연대오라는 것은 대충 알 수 있는 경지까지 발을 들여놓았고,

거짓과 참된 것을 구분하여 볼 수 있는 안목을 얻은 것은 사실이었다.

도라는 것은 본시 없다. 모두가 허무한 것이다. 나라는 존재, 이 생명체는 공겁 이전인 우주의 창생 이전에 있었던 것이며, 이 우주가 수명을 다한 후에도 존재한다. 즉 건곤미분乾坤未分 전에 있었던 물건이며 무흠무여無欠無餘라, 모자람도 남음도 없으니 절대 자유의 존재다. 한 점 먼지도 티끌로 붙을 소지가 없으며 중생이니 부처니 하는 이름도 닿지 않는다. 이 모든 것은 문득 한 생각 일으켜 아득하게 벌어진 것일 뿐이다. 토굴에서의 생명을 바친 수행 끝에 나는 생명의 무시무종한 본질에 닿을 수가 있었다.

그런 눈으로 세상을 보니 산은 산이요, 물은 물이요, 꽃은 꽃이요, 풀은 풀이니, 아들딸 낳아 기르고 손자 희롱하며 사는 그 모습이 이 세상의 본지풍광이다. 옛 조사들도 그랬다. 진리가 따로 있는 것이 아니라 불이不二의 도리가 진리라는 것을 그들은 알았다. 다만 중생이 한 생각 거꾸로 맺어 미혹에 빠졌을 뿐 이제 한 생각 돌이키면 처처가 연화국임을 알 것이다.

부처를 찾으려 하나 찾은 부처는 이미 부처가 아니다.
부처를 얻었다 하나 이미 부처가 아니니,
부처를 부처라 하면 부처는 무너진다.
본시 부처의 자리도 없고 부처란 것도 없기 때문이다.

본시 없는 것을 중생이 착각을 일으켜 부처니 중생이니 하는 것
이다. 본시 없는데 내가 무엇을 깨달았겠으며, 본시 없는 것을 내
가 또 무엇을 찾았겠는가.

그대가 묻고 내가 대답하면 그것이 곧 부처

금오 스님이 젊었을 적에 이런 일이 있었다. 길을 가는데 뒤에서 목사 한 사람이 따라오며 "어이 대사, 같이 가자"며 반말을 했다. 금오 스님이 가만히 보니 신사복 입었다고 목에 힘을 주고 거드름을 피우나 한주먹으로 때려눕히면 꼼짝도 못할 위인이었다. 스님이 속에서 치미는 것을 참고 "같이 가려면 빨리 따라오면 될 것 아니냐"고 응수를 해줬다. 그자가 옆에 오더니 자신은 목사라 소개하고 얘기나 하면서 가자고 달라붙었다. "어디 얘기할 상대가 없어 목사하고 얘기하겠느냐"며 스님이 짐짓 부아를 돋우니 목사는 "내가 물을 테니 스님이 대답하라"고 했다. "대답할 가치나 있는 얘기인지 어디 들어봐야 할 것 아니냐" 하자 목사가 "이 우주가 생긴 지 32년이 됐다. 스님은 어떻게 생각하느냐"고 물었다. "그대 나이가 서른두 살이라는 말 아니냐" 하자 "그렇다"고 뽐내며 대답했다. 제법 얘기를 할 줄 아는 목사였다. "자, 대사는 우주가 언제 생겼다고 보느냐" 목사가 물었다. "내가 바른 소리를 하면 당신 머리가 박살나지만, 그대보다 조금 나은 소견으로 말할 테니 잘 들어봐라. 우주가 생긴 지는 5분 됐다." 이에 목사가 무릎을 치며 "대사님 정말 훌륭하다"고 칭찬을 했다. 자기는 나이를 따졌으나 스님은 우주가 생기고 안 생기고 상관없이 자기가 우주의 나이를 따지려고 덤빈 때부터 우주의 나이를 잡았으니 과연 놀라운 지혜라고 감탄한 것이다. 그 목사에게 진짜 격밖의 소리를 해봐야 알아들을 수도 없을 것이니 "그대보다 조금 나은 소견"으로 말한 것이 "우주의 나이 5분"이라는 대답이었던 것이다.

불교의 진리는 일체유심조一切唯心造라는 한마디에 함축되어 있다. 말장난을 하자는 게 아니라 우주의 존재조차도 우리의 관념 속에 있다는 진리를 말하는 것이다. 지옥이니 극락이니 부처니 중생이니 하는 것은 모두 우리의 관념이 만들어낸 것들이다. 세상 사람들도 더러는 껍질을 한 꺼풀 벗는 소리를 하기는 한다. 그 목사만 하더라도 기독교의 교리에서 벗어난 소리를 한 것이다. 나름대로 똑똑한 소리를 했으나 아직도 관념의 틀 속에서 사고하는 경지를 벗지 못하니 금오 스님의 경지에는 아득히 미치지 못했다. 관념 하나 털어버리면 아무것도 남는 것이 없다. 모든 문제는 자기가 만든다. 그래서 경에서는 이렇게 일렀다.

"과거, 현재, 미래의 부처를 알려거든 마땅히 법계의 본성을 보라. 모든 것은 마음에 있다."

일체유심조, 이 말을 깊이 새겨보아야 한다. 말은 말대로 써먹으면서도 실제는 또 실제대로 거리 멀게 살아가니 그렇지, 말 한 마디 하면 거기에 불교의 모든 것이 다 나타난다. 지옥과 극락이 어디 있겠는가. 제행무상諸行無常, 이것이 생명의 본질이다. 그러므로 지옥이 무섭다 하나 자기 생명보다 무서운 것은 없다. 자기 생명을 마음대로 하는 사람이 지옥인들 무서울 것이 있겠는가.

마음 때문에 기쁨도 있고 슬픔도 있다. 마음 하나 정리하면 기쁨도 슬픔도 없어진다. 마음 농사 짓는 것이 불교다. 불교는 다른 종교처럼 신을 만들어 놓고 따라가느라 쩔쩔매는 그런 종교가 아니다. 꿈을 깨라고 하는 자각의 종교다. 자신이 바로 우주 만물의 핵심이라는 것을 깨우쳐 주는 목탁의 소리다.

불교보다 쉬운 도리가 이 세상에 또 있을까. 자기 마음 찾는 일보다 쉬운 일이 어디에 있겠는가. 불교를 어렵다고 하는 것은 갈 길을 제대로 찾지 못하여 처음부터 미로에 접어든 사람들이 하는 소리며, 일부 종교 상업주의자들이 공연히 어렵게 가르쳐 만들어 놓은 폐단이다.

달마 스님이 "네가 네 마음이 없으면 네가 내게 묻지도 못하고, 내가 내 마음이 없으면 너에게 대답하지 못한다"고 했다. 그대가 나에게 묻고 내가 그대에게 대답하면 그것이 곧 부처다. 그밖에 무엇이 더 있겠는가.

제5장

흔들리지 말고 살아라

누군들 자신의 인생을 대신해 줄 수 있겠는가. 누구도 자신의 인생을 어찌지 못한다. 그러므로 인생을 살아가는 도리, 그 근원이 되는 생명의 실상을 깨우치고 알면 보다 행복한 삶을 누릴 수 있지 않겠는가.

신은 어떻게 태어나게 되었는가

인류의 역사를 돌아보면 인간의 역사인지 신의 역사인지 분명치 않을 정도로 인간은 역사의 주역에서 밀려나고 대신 신들이 그 자리의 주역으로 있는 모습을 발견하게 된다.

역사상 크고 작은 전쟁의 대부분이 신의 이름으로 벌어졌다. 무자비한 살육도 현장에는 어김없이 신들이 그 피에 굶주린 모습들을 보이고 있다.

기독교 신·구교 간의 갈등, 기독교와 회교의 끝없는 투쟁, 회교 내부 파벌 간의 대책 없는 격돌. 유사 이전 미개했던 그 시절 곰을 숭배하는 부족과 늑대를 숭배하는 부족 사이에 죽기 살기 식의 싸움질을 하던 모습과 조금도 다르지 않다. 어느 누가 역사는 발전한다고 거짓말을 했는가. 인간의 역사는 한 발자국도 발전하지 않았다.

자신들이 만든 신에 의해 지배당하고, 존재하지도 않는 신의 이름으로 자행하는 어리석은 행위가 멈추지 않는 한 인류 문명은 외형상의 도구 나부랭이는 발전시킬 수 있을지 몰라도 정신은 발전하지 못한다. 정신이 발전하지 않는 한 전쟁과 고통 속에서 헤어날 길도 없다. 인간은 유한한 존재의 굴레에서 벗어나고, 구원의 길을 얻기 위해 신을 만들어냈지만 결국 그 신에게 스스로를 속박

시킴으로써 더욱 더 큰 고통의 바다 속에 잠기게 된다.

신은 어떻게 하여 태어났는가. 역사를 살펴보면 먼저 다신교의 시대가 시작됨을 알 수 있다. 인간의 지혜가 발달되지 못하여 대자연에 비해 상대적으로 힘이 미약했던 미개 시대에 인간은 육척 소구의 자신들을 왜소하게 느껴 거대한 물체만 보고도 공포심을 일으켰다. 그래서 큰 나무, 큰 바다, 산, 허공, 일월성신 등등 기타 모든 외형계에 위축되어 목신, 석신, 해신, 허공신, 일신, 월신, 화신, 풍신 등 수많은 신을 창출해냈다.

인간 위에 수많은 신이 군림하자 인간은 스스로 인간성을 상실하고 신에 예속되어 자승자박, 전전긍긍하며 살게 되었다. 따지고 보면 인간이란 생각 하나로 주인도 되고 스스로 노예가 되기도 하는 기묘한 존재다.

인류의 참된 진보의 역사는 한편으로 자연의 공포를 극복하려는 노력과 함께 일찍이 미개했던 시절에 스스로 만들어놓았던 신의 굴레로부터 인간 자신을 해방시키려는 노력으로 점철되었다. 그리하여 장구한 세월에 걸쳐 신들은 차츰 극복되었다. 정진과 각성을 통하여 신본사상神本思想은 심본사상心本思想으로, 신본주의神本主義는 인본주의人本主義로 제자리를 찾게 되었다.

인간 위에 신이 있을 수 없고, 신 밑에 인간이 있을 수 없다. 인간은 만유의 근본이요, 우주 창조의 핵심체이다. 신이 인간을 창조해낸 것이 아니라 인간이 신을 염출해낸 것이다. 인간이 존재하므로 우주 만유가 있는 것이다. 인간이 없으면 우주는 공허한 껍데기일 뿐이다. 이러한 사고의 대전환, 뒤집힌 인식의 뿌리를 제자리에 바로 세워 주고, 무한한 인간의 창조력을 찾아내는 작업이 곧 선수행이다.

그러나 이것은 동양 문화의 발달 과정이고, 서양 문화의 발달 과정은 사뭇 다르다. 일찍이 다신교의 시대를 지나며 동양 문화가 인간 존재의 대자각에 이르던 그 시기에 서양에서는 다신교를 극복하고 강력한 유일신을 창출해내는 새로운 신본주의의 시대로 돌입한다. 이리하여 서양 문명은 바로 그 유일신의 위상에 대한 변화의 역사로 진행된다.

신은 죽었다

서양 문화의 근간인 기독교는 창조설에 그 바탕을 두고 있다. 인간과 만유 이전에 신이 존재하며, 그 신이 인간과 만유를 창조하였으며, 인격을 지닌 그 신에 의하여 인간의 현재와 미래가 결정된다는 것이 기독교 신앙의 골자이다. 영어에 있어 종교를 뜻하는 'religion'이란 말 자체의 어원이 신에서 비롯되고 있다.

그러나 이 신의 위상은 언제나 한결같을 수는 없었다. 기원후 3세기경에 삼위일체의 이론이 정립되었고, 그리스 철학과 히브리의 유일신 신앙이 완전히 접목되면서 가톨릭의 뼈대가 완성되었으나 근세 초기의 종교 개혁에 의하여 대수술이 단행되었다. 그 이후 지금까지 수십, 수백 종류의 교파가 형성되었고, 신 자체의 절대적인 권위는 물론이고 신과 인간과의 관계, 구원의 방법, 신과 인간을 매개하는 교회의 역할 등에 대한 다양한 견해와 주장들이 만개해온 과정과 실상을 보면서 합리적인 상식을 가진 사람들이 가장 먼저 느끼는 것은 역시 '신은 인간의 피조물'이라는 것이다.

서양에서 신의 존재에 대한 회의가 싹트기 시작한 것은 용기 있는 철학자들에 의해서였다. 니체는 "신은 죽었다"고 외쳤다. 그 뒤를 이어 수많은 철학자가 신의 사형선고에 참여하였다. 그러나 서양에서 이미 사형선고를 받은 이 유일신은 엉뚱하게도 서세동점의 기운을 타고 동양의 몇몇 나라, 그중에서도 특히 한국으로 건너온 이래 역사상 드물게 부흥을 이루고 있다.

한국 땅에서 일어난 기독교의 부흥은 가히 경이적이라 할 만하다. 기독교인들은 모두 이 점을 큰 자랑거리로 삼고 있다. 맹목적인 신앙의 전파 와중에 독버섯처럼 돋아난 것이 사이비 종교였다. 이 땅에서의 전도가 기대 이상으로 잘되니 자칭 예수가 여기저기서 솟아나기 시작했다. 그중 어떤 '한국산 예수'는 전 세계로 자신의 신흥 종교를 수출하여 왜곡된 한국인 상을 세계에 퍼뜨리고 있고, 또 어떤 이들은 자신을 재림 예수라고 떠들며 돈을 갈취하고 여신도를 범하고 마침내 살인까지 저지르다가 감옥에 앉아 있다. 이런 독버섯들이 돋아나는 것은 이 땅의 토양이 습하기 때문일 것이다. 즉 우리나라 사람의 심성이 약하거나 우리가 처해온 현실적 상황이 너무 어려워 쉽게 종교적 열광에 젖어들게 되는 것인지도 모른다.

북한의 실정이 이 같은 우려를 더욱 확인시켜 주고 있다. 전 세계의 공산주의가 막을 내린 후에도 유독 북한에서만은 그 붉은 신앙이 더욱 창궐하여 인민의 삶과 정신을 짓누르고 있다. '어버이 수령'과 '위대한 지도자'에게 열광하는 그 모습은 어떤 사이비종교보다 더 종교적이다. 20세기 후반 한국 사회가 이처럼 잘못된 믿음과 사이비 카리스마에 짓눌려 열광하는 사이에 인간의 진실한 면모를 상실했다는 점에서 볼 때 남·북한은 조금도 다르지 않다.

종교란 무엇인가

서양의 하늘은 천지 창조와 예정 조화豫定調和의 하늘이지만 동양의 하늘은 진리의 하늘이다. 서양의 하늘이 우주 만물을 창조해 냈다는 창조신에 대한 믿음에 바탕을 두고 있는 데 비하여 동양의 하늘은 인간의 거짓 없는 마음을 그 바탕에 두고 있다. 천심이라는 말이 그것이다.

동양에서의 천天은 곧 참된 진리의 대명사이다. 천계의 지배자로 설정된 옥황상제는 실재적인 존재가 아니라 진리를 대행하는 상징적인 인물이다. 이처럼 동양의 종교는 신을 진리 및 인간과 동격으로 설정하여 종교를 발전시켜 왔다.

동양에서의 종교란 말은 글자 그대로 가장 근본 되는 가르침을 말한다. 여러 형제가 있어도 그 맏집이 종가라 하여 가계를 대표하였으며, 집의 대마루를 종이라 하고 서까래가 대들보에 얹혀 집의 골격을 이루므로 가옥의 근본 뼈대를 종마루라 한다.

그러므로 종교란 인류가 발달시켜 온 모든 학설, 문화, 사상 가운데 가장 대표적이고 근본적인 가르침을 지칭하는 말이다. 종교를 가리켜 모든 지혜의 중심이며 만법의 왕이라 하는 것도 그 때문이다. 모든 지혜의 중심이자 만법의 왕이 되려면 만인이 따라갈 수 있는 진리여야 한다. 진리를 접어두고, 이를 회피한 채 편안한 길을 찾느라고 존재하지도 않는 신을 스스로 만들어 마침내 자신을 구속시키는 것은 '근본적인 가르침'의 정도에서 벗어나는 일이다. 올바르지 못한 가설 위에 정립된 진리는 진리일 수가 없으며, 진리가 아닌 교법은 인간을 해방시킬 수 없는 까닭이다.

오늘날 인간의 지혜가 헤어날 길 없는 미궁 속을 헤매고, 풀리지 않는 이율배반의 도그마에 갇혀 있는 원인은 바로 잘못된 종교에서 비롯된다 할 것이다. 근본이 잘못되었으므로 해결이 있을 수 없다. 존재에 대한 근원적인 해결을 얻지 못하면 참된 행복을 얻기는 어렵다. 현대인들이 겪고 있는 고민의 밑바닥을 들여다보면 바로 이 같은 근원적인 정신체계의 혼란이 원인이 되고 있음을 알 수 있다.

우리 사람 밖에 어떤 위대한 존재가 있어서 인간을 지배하는 것은 아니다. 인간 스스로가 자업자득으로 각자 자기 세계를 건립하여 희로애락, 천차만별의 인생살이를 펼치고 있다. 천당과 지옥도 어느 절대자가 저 우주 공간의 어디쯤에 만들어두고 출입을 간섭하는 것이 아니라 자기 스스로가 지어서 천당이 되고 지옥이 될 뿐이다. 불교는 이렇게 인간 각자가 자신의 삶을 책임지는 절대적인 인간 중심의 종교이다.

종교를, 절대적인 창조주 유일신을 인간 밖에다 두고 구원을 청하는 일신교, 둘 이상의 신을 섬기는 다신교, 그리고 이 세상 모든 것이 그 자체가 곧 신이라는 범신교로 나눌 때 불교는 어느 편에도 속하지 않는 무신교요, 인간 중심의 세계관·우주관이다. 인간의 위대한 창조력을 최대한으로 개발하여 철두철미하게 자기완성에 이르고자 하는 인본교로서 '천상천하유아독존'의 견지를 완성시키고자 하는 종교이다.

인간 중심의 근본 진리

마음 한 번 돌려 깨달으면 인간이 이 우주의 중심이요, 부처가 될 수 있다는 위대한 진리를 최초로 깨달은 사람은 싯다르타였다. 어지럽게 얽혀 미궁에서 헤어나지 못하던 인간의 사상계에 확고부동한 밝은 빛을 던져주고, 길을 잃은 인류에게 나아갈 밝은 길을 열어준 것이다.

20세기는 분명 혼란의 시대였다. 그러나 인류에게 전혀 성취가 없었던 시대는 아니었다. 어떤 종교보다 더욱 종교다웠던 공산주의의 실험이 수많은 사람을 희생시키면서 그 막을 내렸다. 신을 밀어낸 그 자리에 인간 스스로가 신이 되려 했던 이데올로기의 실험시대가 장엄하게 막을 내린 것이다. 그 공백을 메울 길이 없어 지구촌은 불안하다. 이솝 우화에 나오는 어리석은 개구리들처럼 '왕'을 대망하며 불안한 정서에 빠져 있다.

이러한 불안이 계속되면 인간은 견디지 못하여 집단적인 발작을 일으킨다. 새로운 타입의 독재, 새로운 타입의 카리스마, 새로운 타입의 신들이 횡행할 위험이 아주 크다. 그런 면에서 볼 때 20세기가 저물어가는 지금 인류는 분명 커다란 위기에 놓여 있다.

위기를 극복하고 인간의 운명을 헤쳐 나가기 위해서는 잘못된 신앙을 제거하고 인간에 대한 올바른 인식을 바로 세우는 길밖에 없다. 흔히 "서양 정신의 황혼녘에 동양의 지혜가 더욱 빛난다"는 말은 이를 두고 하는 말이다. 유일신이 지배하던 서양의 하늘은 저물고 인간의 자각이 세계를 지배하는 동양의 하늘이 밝아오고 있다.

신의 옷자락에서 벗어날 수 없었던 세계는 서양의 종교와 사상에 짓눌리거나, 그것을 모방하고 따라가기 위해 지난 한 세기 동안 정신없이 허덕이며 자기 파괴의 문명을 건설해 왔다. 그러나 서양 종교, 서양 문화, 서양 사상의 세계 지배가 인류에게 대 파국의 위기감을 던져주며 그 지배력을 완전히 상실해 가고 있는 지금, 인간 중심의 근본 진리가 이 어두운 세기말의 하늘에 새로운 광명을 비추게 될 것이다.

누가 인생을 대신해 줄 수 있겠는가

인간은 혼자 몸으로 이 세상에 왔다. 비록 부모의 몸을 빌려 태어나기는 했지만 결국은 혼자 이 세상의 문을 두드려 찾아온 것이다. 이렇듯 홀로 찾아든 세상, 혼자 떠나가야 하는 삶의 이치를 밝힐 때 우주 만유, 좁게는 세상 모든 사람이 내 마음과 다를 바 없다는 진리 앞에 자연스레 마주 설 수 있다. 이 같은 진리를 깨달으면 세상의 모든 사람이 내 벗이 될 터이고 그렇지 못하면 참인생의 길을 얻지 못하는 불행을 맞게 된다.

밥을 먹고 잠을 자고 옷을 입는 등, 생활을 지탱해 나가는 일상적 삶의 행위 하나하나도 누구도 대신해 줄 수 없는 스스로의 몫이다. 내 배가 고픈데 남에게 대신 먹어 달랄 수도, 졸린다고 대신 잠을 자 달랄 수도 없지 않은가. 세상 모든 것이 자기 하나로부터 시작된다는 작은 깨달음을 가질 때 우리에게 펼쳐지는 삶의 모습은 훨씬 풍요로워질 것이다.

누군들 자신의 인생을 대신해 줄 수 있겠는가. 누구도 자신의 인생을 어쩌지 못한다. 그러므로 인생을 살아가는 도리의 근원이 되는 생명의 실상을 깨우치고 알면 더욱 행복한 삶을 누릴 수 있지 않겠는가.

생명의 실상을 깨우치는 것은 어려운 일이 아니다. 그러나 대다

수의 사람들은 이 같은 쉬운 이치를 내버려두고 타율적 세계관에 지배받고 자신의 내부를 벗어난 바깥 세계에서 행복과 구원을 찾아 헤매고 있다. 내 몸에 병이 나는 것도 자신이 병을 만든 것이지 조물주나 신이 만들어준 것이 아니다. 조물주가 인간 개개인을 선별하여 각양각색의 사람을 천차만별로 구별해 만든 것 또한 아니다. 이런 생명의 실상은 콩 심은 데 콩 나고 팥 심은 데 팥 나는 인과 법칙이라, 뿌린 씨는 스스로 거둔다는 이치로 설명될 수 있다.

생명의 실상 원리를 바로 알지 못하면 내가 아픈 것도 남의 탓으로 돌리거나 신이 자신을 벌준 것이라고 생각하게 될 것이요, 내가 못난 것도 부모 탓으로 돌리고, 내가 못사는 것도 사회나 국가 탓으로 돌리는 원망 가득한 삶으로 점철될 것은 자명한 노릇이다. 세상에 나서 잘살고 못사는 게 전부 자신의 탓이라는 간단한 이치를 깨달으면 천하가 내 것이 될 것이나 그렇지 못하면 자신의 마음 한 자락조차 온전히 자신의 것으로 향유하지 못한다.

병에 걸린 환자가 아무리 좋은 약을 먹는다 해도 마음에 그 약을 먹고도 낫지 않을 것이라는 의심이 가득하면 약효가 발휘되지 않는다. 하지만 약으로는 치료 불가능한 병도 마음을 잘 가다듬으면 낫는 경우도 얼마든지 있다. 우리가 이 세상에 태어나는 것도, 병에 걸리는 것도 모두 전생 인과의 업으로 일어난 것일진대 그 업력에 끌려가는 마음을 바로잡아 업장을 소멸한다면 병을 치료할 수도 있고 생사가 하나라는 진리를 바로 볼 수도 있게 된다. 세상 모든 이치가 마음먹기에 달렸다─切唯心造는 신비하고 오묘한 생명의 실상을 깨우치면 세상을 바라보는 자세에 커다란 변화가 생길 것이다.

어느 불심 가득한 신자가 중병에 걸려서 병을 낫게 해달라고 열심히 기도하는 도중에 관세음보살이 나타나 아픈 곳을 어루만지니 병이 완쾌됐다는 이야기를 종종 듣게 된다. 그러나 그 관세음보살이 갑자기 하늘에서 내려와 병을 고친 것이 아니다. 즉 자기 마음속의 관세음보살이 싹을 트고 나와 병을 고친 것이지 어디 다른 외부로부터 온 것은 아니다.

이처럼 우리 마음속에는 시방 시계가 함축되어 있다. 아무리 훌륭한 성지에 가 있더라도 마음이 그곳을 떠나 있으면 그곳은 저잣거리나 다름없을 터이고, 저잣거리에 있더라도 마음을 가다듬으면 그곳이 바로 청정한 도량이 되고 성지가 되는 것이다.

이 세상 부처가 없는 곳은 없다. 부처가 어디 한 성지에만 있다면 그 부처를 어디다 쓰겠는가. 단지 우리의 마음이 어두워 바로 내 안에 있거나 내 곁에 있는 부처를 보지도 못하고 찾지도 못하는 것뿐이다.

삶을 행복으로 꽃피울 수 있는 사람

　인생을 살아가는 도리의 근원인 생명의 실상을 바로 볼 줄 알고, 이로써 마음을 잘 받아쓰면 힘들고 고단한 세상살이도 즐겁고 행복해질 수 있다. 아주 오래 전 김용사에 있던 어느 맹인 부부의 이야기가 떠오른다.

　이들 맹인 부부에게는 매우 영리한 아들이 한 명 있었다. 앞을 못 보는 부모를 위하여 아들은 늘 그들의 손발이 되어 주었다. 그래서 이들 가족이 거리에 나설 때 아들은 아버지 어깨에 올라타고 어머니는 아버지 지팡이를 잡고 뒤에서 쫓아갔다. 아들은 아버지 어깨 위에서 "바로 앞에 도랑이 있어요.", "오른쪽에 돌멩이가 많으니 왼쪽으로 가세요.", "앞에 나무가 있어요, 뒤로 물러서세요." 하며 부모의 눈이 되어 길을 안내하였다. 그런데 한 일본 사람이 밥을 구걸하러 온 이들을 보고서 똑똑한 아들을 탐냈다. 일본인은 맹인 부부의 귀가 솔깃해질 제안을 했다. 아들을 주면 그들 부부가 평생 먹고 살기 충분한 재산을 주겠노라고. 그러나 이들 부부는 일언지하에 거절하고 서둘러 그 집을 떠났다. 두 번 다시 듣고 싶지 않은 이야기를 들었다는 듯이.

　호의호식하며 사는 것만이 인생의 최대 목표가 아님을, 비록 문전걸식을 할지언정 부부끼리 사랑하고 똑똑한 아들 하나 키우는

데 행복이 있음을 알았던 이들 부부는 참다운 인생의 길을 알고 있었던 것이다. 생활 능력이 없어 남에게 구걸해 사는 처지에 아들을 부잣집에 주고 그 대가로 남은 인생을 편히 살겠다는 마음으로 잘사는 삶을 구가하려 했다면 그들에겐 영원토록 진정한 행복이 찾아오지 않았을 것이다.

불행한 환경과 조건 속에서도 그 삶을 행복으로 꽃피울 수 있는 사람이 있는가 하면 남부럽지 않은 생활에서도 불행을 자초하는 사람이 있다. 이렇듯 행복 또한 자기 마음속에서 현존하므로 우리는 마음으로 참 행복을 건설할 수 있는 것이다.

이 세상을 살아가는 데 한 생각을 돌리면 지옥이 천당이 될 수도 있고, 불행이 행복으로 변화되는 혁명을 맞이할 수도 있다. 위대한 힘을 지닌 이 마음에 혁명을 일으켜 자신의 인생을 멋있게 살아야 하지 않겠는가.

인간, 사회, 자연의 균형을 잃은 물질문명

고도화된 문명의 혜택을 누리며 살고 있는 현대인들의 행복의 기준은 어디에 있는가. 배고픔과 헐벗음의 고통으로부터 벗어나 물질적 풍요와 여유로 인하여 편리한 생활을 영위한다고 하여 행복하다고 말할 수 있는가. 오늘 이 시대를 사는 우리들 중 누가 감히 '인간다운 삶', '행복한 삶'을 산다고 장담할 수 있는가. 인간이 살아가는 모습은 다양하고 복잡하다. 다양하고 복잡한 개인의 삶이 얽히고설켜 인류의 역사는 발전과 파멸의 굽이를 이루며 흘러왔다. 하지만 끊임없는 흐름 속에서 변한 것은 아무것도 없다. 근본적인 문제에서 3천 년 전이나 지금이나 달라진 것이 없는 것이다. 그러면서도 변하지 않고 영원한 것 또한 없다.

늘 변하면서도 변하지 않고, 변하지 않으면서도 영원한 것은 아무것도 없는, 이것이 우리 삶의 진정한 모습이다. 진정한 모습을 깨닫고 나면 길어야 100년인 생명의 유한성 앞에서 두려워하고 슬퍼하지 않아도 될 것이다.

그러나 물질문명의 풍요 속에서 살아가는 요즘 사람들은 인생의 궁극적인 문제까지도 물질이라는 허망한 세계 속에서 이해하고 해결하려 든다. 눈에 보이지도 않고 볼 수도 없는 마음의 세계를 인간들은 이를 위해 가시적인 결과만을 추구하고 또한 재단하려고 한다. 길을 잘못 든 나그네가 제대로 목적지에 도착할 수 없는 것처럼 물질문명의 그림자 속에서 헤매는 삶이 안심입명의 자리를 찾기란 불가능하다.

하지만 살아가는 데 물질이라든가 외형적인 조건이 전혀 무시될 수만은 없다. 더구나 인간의 기본적인 생존의 조건을 모조리 부정하고 정신세계의 가치만을 구가한다고 하여 참다운 삶이 이루어지는 것도 아닐 것이다. 인간 생활을 보다 풍요롭게 하기 위하여 과학도 발전시키고, 문화도 이룩해 나가는 것이다. 균형 잡히고 올바른 삶이란 이런 외형적 세계와 보이지 않는 정신세계의 결합에 의하여 이루어진다. 영육간에 진정한 조화를 이루며 인생을 꾸려 나갈 때 참 행복은 우리 옆에 있을 것이며, 그 자체가 곧 행복의 실체일 것이다.

이처럼 평범하면서도 단순한 이치가 세상에서는 통하지 않는다. 균형을 잃고 기우뚱거리는 인간, 균형이 깨져 파국으로 치닫는 사회, 자연과 인간과의 조화마저도 아슬아슬한 벼랑 위에 서 있는 듯한 오늘의 상황. 이는 물질의 그늘에 갇힌 잘못된 가치관이 낳은 당연한 결과이다.

세상은 지금 안타깝게도 이처럼 당연한 이치를 깨닫지 못한 채 잘못 흘러가고 있다. 날로 심화돼 가는 사회악, 인륜이 무시된 패륜적 행위, 인간으로서 저지를 수 없는 죄악과 고통으로 병들어 가는 우리 사회만을 보더라도 삶을 윤택하게 할 영육간의 조화란 찾아보기 힘들다. 외형적인 풍족함만을 꿈꾸고, 인생의 참지표인 마음을 다스리는 정신세계는 늘 찬바람이 불고 빈곤으로 허덕이게 버려두어 우리가 추구해야 할 삶의 지표는 방향을 잃고 만 것이다.

비단 우리 사회만이 이 같은 정신의 상실과 혼란으로 갈등하고 방황하고 있는 것은 아니다. 전 세계 지구촌에 만연되어 있는 물질 지배의 배금사상拜金思想은 인류에게 무한 투쟁의 아픈 역사를 거듭 반복하게 하며 비극적인 파멸을 향해 나아가게 하고 있다.

불확실성의 시대

어떤 이는 이 시대를 '불확실성의 시대'라고 부른다. 인간의 지혜로는 하늘의 별이 얼마나 먼 거리에 있는지는 계산할 수 있어도 자신의 발 앞에 놓인 운명에 대해서는 아무것도 알 수 없다는 고백과도 같은 선언이다.

불확실한 것, 알 수 없는 것은 공포를 낳는다. 오늘의 인류는 이 불확실성의 공포로부터 해방될 예지를 가지고 있지 못하다. 그 때문에 병들어 있다.

인류가 직면한 정신의 황폐화를 이겨내고 바로잡는 길을 어디에서 찾을 것인가. 인류를 올바른 길로 구제할 힘은 어디에 있는 것일까. 많은 이가 인간을 바른 길로 이끌 수 있는 길은 종교라고 생각하고, 종교는 그 역할을 담당할 사명을 지니고 있다고 여긴다. 그렇다면 종교는 과연 그런 능력을 가지고 있는 것일까.

흔히 종교라 하면 인간의 능력을 넘어선 기적을 이루어내거나, 초월적인 존재에 의존하여 인간의 고통을 소멸하고, 소망의 성취를 비는 수단이라 생각하기 쉽다. 그러나 인간 세계에 초월자가 따로 있는 게 아니다. 모든 인류는 본래 차별이 없고 근본이 평등하며 갈등이 없고 서로 사랑할 수 있는 절대 자비의 바탕을 지녔다. 올바른 종교는 이처럼 모든 인간을 근본에서 하나로 보는 세계관에서 출발한다.

인간을 창조주의 피조물로 파악하여 그 관계를 종속적으로 보는 종교에서는 너와 나는 뚜렷이 구별되고 영원한 대립관계로 존재한다. 종교 전쟁 같은 끊임없는 투쟁의 역사가 종교적으로 합리화되는 이유가 여기에 있다. 그러나 전 인류가 하나임을 알 때 적은 존재할 수 없으며, 너와 나의 구별이 따로 있을 수 없다. 신이 따로 존재하여 인간의 삶을 조정하는 것이 아니라, 자신이 바로 자신 안의 신일 수도 부처일 수도 있음을 알 때 대립과 투쟁의 역사는 비로소 종식된다.

이 세상의 모든 이치를 똑바로 보는 지혜를 터득할 수 있으면 부처이고 그렇지 못하면 중생이라고 한 부처의 말도 모두 이 같은 근거에서 나온 말이다.

물질 만능 시대에 살면서 정신의 빈곤에 허덕이는 인간을 바른 길로 인도해줄 종교적 역할은 크다. 그러나 사회의 다변화에 따라 종교적 영향마저도 제 빛깔을 잃고 도리어 인간의 삶에 해악을 끼치고 있는 경우도 없지 않다.

종교가 인간과 더불어 공존해 나가지 않고, 인간 위에 군림하여 지배하려 들거나 '인간의 인간에 대한 지배'의 수단으로 사용될 때 종교의 존립 이유는 상실된다.

인간 개개인에게 다가온 크고 작은 문제들을 초월적인 존재에만 의지하여 타율적으로 해결하려 할 때 진실은 설 자리를 잃고 위선과 조작된 하늘나라의 그림만이 삶을 내리덮는다. 나아가 정신의 자리보다 물질의 자리에 마음을 두고, 이를 추구하기 위한 방법을 자기 안에서보다 어떤 위대한 힘을 믿거나 창조주 신에게 의지함으로써 얻을 수 있다고 믿게 되면 세상은 난장판이 되고 만다. 요즘 그런 어리석은 종교의 중독자들, 이 세상에서 자신의 실체를 바로 보기가 두려워 하늘나라의 안일을 구하여 도망치는 무리들이 여기저기 널브러져 있다.

종교란 모름지기 모든 인간의 정신세계를 열어주는 데 참된 뜻이 있고 그것이 종교의 생명이다. 우리가 진정으로 정신적인 대혁명과 대각성의 의지를 지니지 않고서는 인류가 손을 맞잡고 살 수 있는 세계를 용이하게 건설할 수 없다.

잃어버린 마음의 근본을 찾아

이러한 문제를 해결하기 위해서 자기 인생을 바로 발견할 수 있는 열쇠가 선이다. 근본적이고 궁극적인 진리에 들어가는 문이 곧 선이다. 그리고 선을 생활화하면 조화와 균형의 상실에서 오는 모든 고통은 사라진다. 참선을 생활화한다는 것은 생활 속에서 깨치는 것이 목적이 아니라 참선이 그대로 생활이어야 한다는 뜻이다. 즉 생활을 참되게 하자는 게 참이지 생활이 존재하지 않는 상태에서 참선이고 진리이고 그 가르침을 어디에 써먹겠는가. 과거, 현재, 미래를 통해서 불생불멸하는 자기 본래의 참모습을 바로 발견할 수 있는 참선을 통하여 자기 인생을 관조할 수 있다면 행복한 일이다.

혼돈과 고통으로 얼룩진 정신세계에서 헤어나지 못하는 현대인들이 자기 본래의 진면목을 발견할 수 있는 참선을 하면 모든 육체가 눈이 된다는 진리를 알게 된다. 그리하여 흩어진 생각이 하나로 집중되어 동서남북이 다 마음의 눈에 비치고, 또한 모든 생각을 집중하면 마음이 밝아오고 정신이 맑아져 매사에 판단도 밝게 된다. 평소 우리 인간의 마음은 탐진치 삼독의 그림자에 가려져 있기 때문에 모든 판단이나 사고가 더디고 흐려져 있는 것이다.

《원각경圓覺經》에 보면 "여의주를 검은 곳에 놓으면 검고, 붉은 곳에 놓으면 붉고, 흰 곳에 놓으면 희어진다"고 한 말이 있다. 어리석은 사람은 여의주의 본래 모습을 보지 못하고 검은 물이 들었겠거니, 붉은 물이 들었겠거니, 흰 물이 들었겠거니 본다는 것이다. 그러므로 그것을 아무리 닦으려고 해도 닦아지지 않는다. 그러나 마음이 밝은 사람이라면 검은 것을 흰 것에 옮겨서 흰 것을 보는 게 아니라 그대로 두고 물들지 않은 본래의 여의주를 보는 안목이 있어 구태여 검은 걸 닦으려고 하지 않고도 그대로 볼 수 있다.

마음이 맑으면 마치 거울에 만상이 그대로 순간순간 비치듯이 검은 것은 검게 비치고 붉은 것은 붉게, 흰 것은 희게 구애됨 없이 정확하게 비친다. 그러나 거울에 때가 끼면 만상을 옳게 비춰 주질 못하듯이 우리 마음이 탐진치 삼독으로 흐려져 있으면 이를 제거하여 근본이 물들지 않은 마음을 되찾자는 게 참선의 목적이다.

본래 물들지 않는 그 마음은 천 가지 만 가지 물을 들인다 해도 물들지 않는다. 마음은 빛도 모양도 냄새도 없으므로 구애됨이 없다. 마음은 한계가 없고 우주 삼천대천세계를 송두리째 집어 삼켜도 걸릴 바가 없으며, 또 이 마음을 똘똘 뭉쳐서 바늘 끝 하나에 몰아넣어도 비좁지가 않다. 이런 마음의 자리를 되찾아 자기를 발견하게 되면 즐거운 생활을 이루어 나갈 수 있으며, 바쁜 일상과 급변하는 현대 사회에서 생활의 고통이 뒤따르더라도 마음은 명경지수처럼 맑아질 것이다.

참선에 익숙해지면 자연히 화두에 집중하게 된다. 모든 지식을 포기해 버리면 더 갈 데 없이 꽉 막혀서 나도 없고 우주도 없고 시간도 공간도 없어진다. 오직 의심덩어리 하나 푸는 데 일념함으로써 한 생각을 비우는 게 화두이다.

화두를 잡게 되면 저절로 망상이 사라지므로 그 자리에서 근본 마음을 얻을 수 있다. 이 세상에 어떤 물건도 한자리에 포개놓을 수 없고, 한쪽으로 밀어놓고 자리를 비워야만 그 자리에 놓을 수 있듯 참선을 통해 화두 하나를 점령해 놓으면 마음에 망상이 침투하지 못하게 된다.

요즘같이 험난하고 어지러운 세상을 살아가는 현대인들은 정신의 고향을 잃고 마음의 방황을 잡지 못해 여유롭고 기쁨이 넘치는 생활의 힘을 얻을 수가 없다. 이런 세상에서 정신을 잃지 않고 살아가기 위해서는 화두를 참구하고 참선하여 마음의 참된 자유를 얻는 길밖에 없다. 무명의 세계, 무지의 세계, 탐진치 삼독의 세계로부터 해방될 때의 진정한 기쁨은 그것을 맛보지 못한 사람은 이해하지 못한다. 그런 세계가 있다는 것을 알지도 못하고 생을 마치는 경우가 더 많다.

이제 우리도 망상을 버리고, 잃어버린 마음의 근본을 찾아 불생불멸의 진리를 깨달아보도록 하자.

본래 마음자리로 돌아가는 자기 발견

마음의 안정을 취하면 모든 지혜가 한곳으로 몰린다. 명경지수 같은 잔잔하고 맑은 물에 소소영영하게 그림자가 비치듯이 마음자리가 안정을 얻으면 참다운 지혜가 생기는 법이다.

지혜가 생겨나게 해서 참다운 자기를 만나는 수련의 명상을 불교에서는 선이라 말한다. 선을 행하면 참다운 인간의 지혜를 개발하여 마음의 안정을 갖게 되며, 안정된 마음이 근본이 되어 어떠한 경계에도 흔들림이 없고 이성대로 행동할 수 있는 상태에 도달하게 된다. 그러므로 참선 수행을 하면 모든 일을 정확히 판단하는 깨끗한 마음, 모든 번뇌 망상이 사라지는 본래의 마음자리로 돌아가는 자기 발견을 할 수 있다.

요즘에는 불교와 상관없이 세계 각국의 많은 사람이 정신의 방황을 극복하고 이를 정돈하기 위해 참선을 연구하고 그 실행에 관심을 기울이고 있다. 불교에 대한 관심과는 무관하게, 참선이 대중적인 호응을 얻는 이유가 따로 있는 게 아니다.

선은 육체와 정신을 하나로 묶어서 모든 이론을 초월하고 바로 자기 마음자리를 발견할 수 있게 해주기 때문에 호응을 받는 것이다. 즉 어떤 자기 수행법보다도 더 가까이 근본 마음을 접할 수 있고 찾아낼 수 있는 최고의 방법으로 각광을 받고 있는 것이다.

경계에 끌려 다니지 않고 항상 자기중심을 회광반조해서 지켜보는 노력은 일상생활 속에서도 마음의 근본을 잃지 않고 살아가는 올바른 선 수행의 태도이다. 선 수행을 생활화한다면 피곤에 쌓인 하루 일상도 그다지 힘겹거나 고통스럽지 않을 것이다.

그렇다고 반드시 종교적 목적만을 가지고 참선을 권유하는 것은 아니다. 온갖 망상이 그 자리에서 녹아 없어지는 묘한 힘을 지니고 있는 참선의 진리를 모든 이가 공유하여 보다 인간다운 삶을 살았으면 하는 바람에서다.

임제臨濟 선사의 수행은 선의 진수를 밝힌 이야기로도 유명하다. 임제 선사는 깨달음을 구하기 위하여 도인이라 이름난 큰스님을 찾아가 높은 가르침을 받고자 행자 생활을 자처하였고 큰스님은 말없이 임제 선사를 제자로 삼았다. 큰스님을 시봉하며 행자 생활을 한다는 것은 쉬운 일이 아니었다. 그러나 임제 선사는 큰 불평도 하지 않고 3년을 지냈다.

임제 선사가 자청하여 3년간을 힘들게 큰스님 시봉하는 데 세월을 보냈던 것은, 헛된 꿈을 깨고 일체 고통의 그물을 끊어버리고 본래의 마음자리를 구하려 했기 때문이다. 스스로 부처가 되고자 결심하여 그 길을 택해 들어왔던 것이다. 그 해결을 위해 큰스님을 찾은 임제 선사는 온갖 힘든 일 속에서도 마음의 평화를 찾을 수 있었다.

임제 선사가 3년간 일한 것은 바로 공부였다. 그 일을 하는 가운데 자기 삶에 열중함으로써 자기 모습을 되찾는 방법을 터득하고 있었던 것이다.

3년 동안 큰스님은 임제 선사에게 가르침이 될 만한 어떤 말도 일러준 적이 없었고, 임제 선사도 무엇을 물어야 한다는 생각을 가지지 않았으며 묻는 방법조차 몰랐다. 그냥 열심히 주어진 일을 해냈고 묵묵히 시봉하는 일에만 열중하였다.

생사를 초탈하겠다는 대단한 각오로 큰스님을 찾아가 온갖 고행을 말없이 이루는 임제 선사를 지켜보던 어떤 도반이 그에게 다가와 물었다.

"자넨 도인이 될 근기가 있어 보이는데 그동안 그렇게 열심히 큰스님 시봉하면서 뭘 배웠는가? 그리고 큰스님은 어떤 가르침을 주던가?"

뜻밖의 질문을 받아 잠시 생각에 잠겼던 임제 선사는 이렇게 대답했다.

"한마디도 배운 바가 없습니다."

도반은 다그치며 다시 물었다.

"3년 동안 그렇게 일했는데 어찌 그럴 수가 있는가? 오늘은 가서 꼭 여쭤보게나."

"뭐라고 여쭐까요?"

"그거야 자네가 이곳에 온 목적은 성불하러 온 것이 아니었나? 어떻게 하면 마음을 깨칠 수가 있고 어떤 것이 부처의 도리인지

여쭤보게."

도반의 말을 듣자 임제 선사는 '내가 이곳에 와서 3년간 배운 게 뭐였나. 아무것도 배우지 못하고 공연히 세월만 축내고 있지 않았나' 하는 생각에 정신이 번쩍 들었다.

그는 곧장 큰스님에게 달려갔다.

"어떤 것이 조사가 서쪽에서 오신 뜻입니까?"

그런데 이 말이 채 끝나기도 전에 큰스님은 주장자로 그의 어깨를 서른 방 내리쳤다. 전혀 생각지도 못한 큰스님의 태도에 그는 그대로 맞을 수밖에 없었다. 3년 만에 처음으로 자청하여 가르침을 받고자 찾아간 스님으로부터 한마디도 듣지 못하고 매만 흠씬 맞고 쫓겨나온 그의 눈엔 눈물이 맺혔다. 이를 본 도반이 물었다.

"무슨 가르침을 주시던가?"

"한마디도 안 하시고 주장자로 두들겨 패기만 하셨습니다."

마음을 깨우치고 도가 대체 무언지 알아보려던 도반은 이 말을 듣고 아무 말도 못했다.

그날 분하고 원통한 마음에 아무 일도 못 하고 생각에 잠겨 밤을 꼬박 지새우고, 다음날 '오늘은 어제 때린 일이 미안하여 무슨 가르침을 주시겠지' 기대하며 다시 큰스님을 찾아갔다.

큰스님은 아무 말도 않고 어제보다 더욱 세게 주장자로 그의 어깨를 쳤다. 그러기를 3일간 계속하였다. 큰스님에 대한 존경과 신망이 증오와 원망으로 변하여 그는 지난 3년의 세월을 허비했다고 후회했다. 그리고 아예 이번 기회에 큰스님 곁을 떠나려고 마음먹고 작별 인사를 하러 큰스님을 찾아갔다.

"스님, 이제 떠나가렵니다. 스님과 저는 인연이 닿지 않는 모양입니다."

"그래, 내 곁을 떠나려면 아무 데나 가지 말고 대우 스님을 찾아가거라."

그 길로 임제 선사는 대우 스님을 찾았다. '3년간 큰스님께 배운 것도 없고 세월을 허비했지만 이제 대우 선지식을 찾으면 그간의 세월을 보상받을 수 있겠지' 하며 즐거운 마음으로 대우 스님이 있는 절의 일주문을 들어섰다. 멀리서 그가 오는 것을 지켜보던 대우 스님이 그에게 다가왔다.

"너는 어디서 오는고?"

"아무 데서 옵니다. 그곳에서 3년간 큰스님을 시봉하면서 열심히 행자 생활을 했건만 한마디 말씀도 듣지 못하고 두들겨 맞기만 했습니다. 제게 무슨 허물이 있어 큰스님은 저를 야단치시는지 모르겠습니다."

"허허, 이런 사람을 봤나. 자네 스님이 노심초사하면서 그렇게 뼈아프게 간절히 일러줬건만. 자네가 지금 무슨 허물이 있고 없고 그따위 소리를 하는가!"

대우 스님의 말을 듣는 순간, 임제 선사는 꿈이 깨는 것처럼 탁 터졌다. 남쪽에 구름이 모여 북쪽에 비 내리듯이 3년 공부한 것이 대우 스님의 그 말을 듣는 순간 터진 것이었다. 그동안 크게 곪아 온 것이 이렇게 한마디로 건드리니 그 소리에 깨달았다는 임제 선사의 공부한 이야기는 바로 선의 도리를 지적한 것이다.

참선, 꿈에서 깨어나는 방법을 말하다

참선이란 말로써 이루어지는 것이 아니다. 우리가 깨치지 못하고 세상을 살면 꿈속을 헤매는 것과 다를 바가 없다. 꿈밖의 세상을 알려면 빨리 꿈에서 깨어나야 한다. 꿈밖의 이야기가 바로 깨친 세계요, 꿈 깨는 방법이 참선인 것이다. 꿈속에서 꿈밖의 세상을 알려면 꿈을 깨야 한다. 꿈은 말로써 깨지지 않는다. 꿈속의 세상을 벗어난 세계를 만나려는 노력, 꿈 깨는 노력이란 올바른 수행을 두고 하는 말이다. 참선은 바로 그 방법을 일러주는 지혜의 길이라고 할 수 있다.

꿈밖의 세상을 만날 수 있는 가장 좋은 수행법을 참선이라고 볼 때, 우선 참선하는 목적을 바로 알아야 한다.

참선의 목적은 바로 자유를 얻고자 하는 데 있다. 우리는 진정한 자유를 잃어버렸기 때문에 현실에 만족하지 못하고 고뇌와 번민에 가득 찬 채 불안감과 초조감을 느끼며 숨 가쁘게 살아가고 있는 것이다. 우리의 정신을 지배하는 온갖 잡념과 생각이 근본자리를 묶고 있는데 어떻게 삶의 자유를 지닐 수 있겠는가? 자기의 인생을 바로 살려고 노력하는 사람이라면 자유를 어떻게 찾을 것인가를 생각해 봤을 것이다.

참선은 진정한 자유의 철학을 행동으로 찾아낼 수 있는 특별한

힘을 지닌 인생 수행법이다. 그러므로 자기의 삶에 도전하듯, 그래서 '나'라는 실체가 과연 무엇인가에 대해 고민하는 사람들이 참선 수행법을 따르고 익힌다.

참선을 하면 모든 생각과 잡념·망상이 사라지고 본래의 불생불멸하는 우리의 근본 마음의 고향자리를 만나게 된다. 마음의 고향자리라는 것은 자유이다. 자유에는 구속이 따르지 않는다. 불교에서는 이를 해탈이라고 한다. 그러므로 진정한 자유의 세계란 우주가 생기기 전에 있었고 우주가 사라져도 없어지지 않고, 부모에게 몸 받기 이전에도 있었고 부모에게 받은 몸이 사라져도 없어지지 않는다. 다시 말하면 시공을 초월한 자리고, 생도 멸도 없는 본래의 내 바탕, 바로 내 고향자리이다.

석가모니는 온갖 세상의 행복과 부귀영화를 한몸에 안고 이 세상에 나왔다. 하지만 왕으로서의 권력, 인생의 즐거운 향락, 아름다운 부인, 사랑스런 자식을 둔 인간의 최고의 자리를 헌신짝처럼 버리고 생사가 따로 없는 마음의 고향자리를 찾아갔다. 그리고 석가는 45년간 중생에게 불법을 설하였다. 그러나 이는 미혹한 중생들을 달리 특별한 세계로 인도하려는 것이 아니었다. 다만 본래 인간이 가지고 있는 부처를 알려주려고 했던 것이다. 우리 모두가 다 부처인데 그 해탈한 마음자리를 쓰지 못하고 처처에 걸려 야단법석인 어리석음을 일깨워주고자 했던 것이다.

금이 산중에 묻혀 있을 때는 금의 구실을 못한다. 광부가 땀을 흘려 캐내고 열에 녹이고 단련을 해야만 완전한 금이 되어 제구실을 다하는 것처럼 인간도 불생불멸하는 본래 마음의 고향자리를 찾을 수 있고 볼 수 있어야만 광명의 세계를 맞이하게 된다.

부처님이 인간의 욕심을 버린 채 천하를 집어삼키고 자기 인생의 진리를 밝히겠다는 더 큰 욕심으로 찾아간 그 고향자리로 우리도 돌아갈 수 있다면 이보다 더 큰 행복이 어디에 있겠는가.

몸이 생기기 전의 자기 면목

먹고 입고 행동하는 몸뚱이는 부모의 몸을 빌려 이 세상에 태어나 지수화풍의 혜택 속에서 삶을 유지해 간다. 그렇지만 그런 몸뚱이의 생명도 길게 잡아봐야 100년 안쪽이니 이 얼마나 허무한가. 이 몸을 받아 세상에 태어나 이 몸 스러져가는 100년 안쪽만이 '나'를 이루는 전부이고 그것이 끝이라면 우리가 산다는 것이 도대체 무슨 의미가 있을 것이며, 살아야 할 목적은 또 어디서 찾겠는가.

그러나 인간의 삶을 비롯한 세상의 물질이나 현상, 즉 자연의 이치를 살펴보더라도 그냥 없어지는 것은 하나도 없다. 물 한 방울, 먼지 하나라도 완전히 소멸하는 것은 없다. 물이 끓어 수증기로 증발했다고 해서 물 자체가 없어진 것은 아니다. 물은 수증기로 변한 것이고, 또 그것들은 우주 공간 어딘가에서 다시 모여 구름이나 비·눈·안개 등으로 존재하게 된다. 모든 존재하는 것은 순환하는 것이지 절대로 없어지지 않는다.

이처럼 자연은 하찮은 물 한 방울조차 없애지 않는데 하물며 꼬집으면 아픈 줄 알고 부르면 대답할 줄 아는 이 몸뚱이를 어떻게 없앨 수 있겠는가. 길어야 100년 안에 끝장나는 인생이라면 이렇게 공연히 듣고 보고 행하며 부질없이 애쓸 것 없이 그냥 죽어버리는 것이 낫다. 세상살이가 뜻대로 풀리지 않는다고 의도적으로 삶을 마감하는 이들도 이 같은 생각일 것이다.

그러나 죽음으로 문제를 해결하려는 것은, 고통을 안은 채 그대로 죽어 후생의 다른 인연을 받게 되므로 오히려 고통은 영원히 지속된다는 사실을 모르고 저지르는 어리석은 행동이다. 도를 깨닫지 못한 채 죽으면 자신이 지은 업에 따라 떠돌아다니게 된다. 그래서 극락이니 지옥이니 하는 세계를 짓기도 하고 축생의 껍데기를 뒤집어쓰고 헤매기도 한다. 마치 물이 증발하여 구름이나 비, 눈이나 안개, 이슬이나 서리, 우박이나 얼음이 되어 천차만별로 순환하는 그 이치와 같다. 물과 구름, 또는 물과 얼음, 이것들은 서로가 부분적으로 섞여 있는 것이 아니다. 물인 동시에 구름이고, 구름인 동시에 물이며, 얼음인 동시에 물이고, 물인 동시에 얼음인 것이다. 이처럼 물 자체는 변하지 않는다.

사람 중에는 정직하고 올바른 사람이 있는가 하면 금수와 같은 사람도 있다. 물이 얼어 얼음이 되듯 모습은 다 사람이지만 그들의 업에 따라 지옥 중생도 되고 부처도 될 수 있다. 모든 것은 변할 뿐이지 없어지지는 않는다. 그러므로 꼬집으면 아픈 줄 알고 부르면 대답할 줄 아는 그런 인연은 극락에 가기도 하고, 지옥에 가기도 하고, 귀신이 되기도 하고 짐승으로 변하기도 한다. 결국 그런 인연은 사라질 수 없는 것이다.

우리는 몸이 생기기 전의 사라질 수 없는 인연, 즉 근본 자기 면목을 알아야 한다. 우리가 안다고 하는 모든 지식은 이 몸뚱이를 의지한 것이다. 그러나 몸뚱이까지 송두리째 바다 한가운데 던져서라도 부모가 낳아주기 이전의 본래 모습을 찾아야만 한다. 몸뚱이에 얽매인 우리의 사고는 유한하고 가시적인 현상과 경험에만 국한되어 있는 까닭에 그 경험의 세계를 뛰어넘는 근본 모습의 발견에는 이르지 못한다.

자기 삶의 주인이냐 도둑이냐

우리 눈은 보는 경계에 집착해서 '이것은 붉고 저것은 푸르다'는 식으로 분별을 일으켜 '자기'라는 근본을 쉽게 잊어버리고, 근본에서 멀리 떠나 현상에서 헤매게 된다. 이는 자기를 도둑맞는 것이다. 귀 또한 외부의 소리에만 쏠려 있어 진정한 내면의 소리를 듣지 못하니 자기를 도둑맞는 것이다. 더구나 혀끝의 맛, 코끝으로 느끼는 향기, 피부로 느끼는 부드러운 감촉, 이런 것들에 끄달려 진정한 자기 모습을 보지 못하니 역시 자기를 도둑맞는 것이다. 그리고 생각조차 과거와 현재의 경험, 미래에 대한 번민 등으로 뒤죽박죽되어 스스로 자기를 도둑맞은 채 살고 있다.

이 모든 것은 마음의 그림자가 도둑인 줄 모르고 도둑을 주인으로 삼아 본래 주인을 망각하고 있기 때문에 일어난 일이다. 본래 주인은 잊어버리고 도둑이 주인인 줄 아는 미망에 사로잡혀 평생을 헛살다가 인생의 종착점에 가서는 정신없이 허둥대며 인생을 끝마치게 된다. 올 때도 정신없이 끌려왔고 갈 때도 정신없이 끌려가는 우리 삶의 주인은 과연 누구인가.

한낱 고깃덩어리에 불과한 육신의 그림자에 끌려 다니며 자기라는 주인을 잃어버린 채, 한 순간이라도 올바른 자기를 찾아보지 못한 채 삶의 경계에 흔들리며 흐르다가 죽을 수는 없지 않는가.

그렇게 살다가 떠나가기에는 우리의 삶이 너무 아깝지 않겠는가.

석가는 이 세상에 나오며 "하늘 아래에서 나라는 존재가 가장 존귀하다"고 했다. 이 말은 오로지 나만 잘났다는 뜻이 아니라, 나 이외의 어떤 위대한 존재라는 것도 있을 수 없고, 내가 이 세상의 주인이라는 확신을 나타낸 말이다. 이렇게 더없이 존귀한 자신의 삶을 육근六根으로 침투하는 경계에 흔들려 흐트러뜨릴 수는 없지 않은가. 본래의 나, 내 마음 바탕이 있는 그 자리에서 자신의 진면목을 발견할 수 있는 주인으로 살 수 있을 때 하늘과 땅 아래 더 없이 존귀한 자신을 발견하게 될 것이다.

분별은 헛된 지식이지만 삶은 그 자체가 진실이다. '자기 삶의 주인으로 나설 것이냐, 도둑으로 남을 것이냐' 하는 질문은 헛된 분별로 쪼개지지 않는 삶을 이리저리 쪼개어 공연히 현학적인 질문을 던지고자 하는 것이 아니다. 중생과 부처의 세계가 여기서 갈라지기 때문이다.

진정한 자기 세계를 깨닫는 이치가 여기 있을진대, 우주만물이 창조주의 피조물로서 그의 뜻을 잘 따르면 극락 가서 영생하고 그렇지 않으면 멸망한다는 이야기는 이치에 맞지 않다. 나 이외의 초월적인 존재에게 나의 구원을 빌 것이 아니라 자신의 본래 면목을 정확하게 보고자 하는 노력으로 헛된 미망에서 벗어나 해탈의 경지에 이르러야 한다.

그런데 현대인들은 이런 올바른 길을 외면하고 물신주의에 젖

어들거나 손쉽게 구원을 약속하는 종교에 빠져들고 있다. 그래서
는 이 짧은 생애 동안 삶의 진실한 모습을 찾을 수 없다.

우리의 본성은 어린아이가 태어날 때와 같다. 어린아이는 성장
하면서 끊임없이 업장을 쌓아가고 이로 인해 망상분별이 생겨난
다. 망상분별은 나의 본래 면목을 정확하게 보고 찾는 데 장애가
될 뿐이다. 망상분별로 인해 또 다른 죄업을 짓게 되는 악순환을
끝내고, 자기의 본래 주인을 잊고 도둑을 주인 삼은 헛된 삶을 끝
내야 한다.

영원한 생명에 대한 인식

　오늘의 세상은 표면적으로 볼 때는 아름답고 편리하고 풍요롭다. 전 세계 지구촌 어디라도 비행기로 몇 시간 만에 날아갈 수 있고, 인공위성으로 혹성까지 탐험하는 편리한 시대에 우리는 살고 있다. 이러한 과학과 물질문명의 발달은 지적 오만을 낳아 인간을 불가능이 없을 것 같은 착각 속에 빠뜨린다.

　물질문명의 외형적인 풍요와 편리에 길들여진 나머지 사람들은 더 이상 정신이라는 보이지 않는 세계를 향한 가치 추구에 열중하지 않는다. 모든 것의 가치 기준은 물질이라는 척도에 의하여 정해지고 그것을 보다 더 많이 획득하기 위해 무한 경쟁, 무한 투쟁을 벌이고 있다.

　그러나 당장은 이 모든 것이 삶의 목표인 것처럼 보이지만 조금만 정신을 차리고 보면 결코 물질적인 성취가 인생의 목표가 될 수 없음을 알게 된다. 대부분의 사람들은 '물질만이 전부가 아니며 정신을 차리고 보면 결코 물질적인 성취가 인생의 목표가 될 수 없음'을 알게 된다. 대부분의 사람들은 "물질만이 전부가 아니며 정신적인 풍요가 더욱 소중하다"고 말을 하지만 실제로는 이미 많이 소유하고 있는 물질을 보다 더 많이 차지하고 누리려는 망상에서 헤어 나오지 못한다.

망상이 깊어질수록 갈등과 투쟁은 끊임없이 반복되어 삶은 미망의 구덩이에 빠져 허우적거리게 된다. 그 함정에 빠지게 되면 벗어날 수 없다는 것을 알면서도 속절없는 망상의 포로가 된 사람들이 얼마나 많은가. 거의 모든 사람이 그 허망한 그림자를 좇아 살고 있다고 보아도 틀리지 않을 것이다.

이렇듯 헛된 그림자를 좇는 사람들이 인간 세상을 지배하는 한 인류 세계에 광명의 날이 오는 일은 요원할 수밖에 없다. 우리의 가장 무서운 적은 외부에 있는 것이 아니라 스스로의 마음속에 있다. 즉 우리 스스로의 정신세계가 걷잡을 수 없이 황폐화되고 있다는 점이 가장 큰 문제다. 인류의 장래가 몹시 불안한 것은 외계인의 침략 때문이 아니라 인간 스스로의 마음속에 도사린 죄업 때문이다.

물질문명이 지금보다 덜 발달되고 덜 풍요로웠던 때는 이웃끼리도 훈훈한 인정을 전하며 가족처럼 지냈고, 부모형제 사이에도 자신의 생명을 던져 효도하고 우애하는 뜨거운 정이 있었다. 물질적으로는 넉넉하지 못했을지라도 인간의 도리는 행했다.

헐벗고 굶주리지 않게 되자, 우리 마음엔 망상의 그늘이 덮치기 시작했고, 마침내 인간이기를 포기한 금수 같은 행동들을 서슴없이 자행하는 그런 세상이 되고 말았다. 자신의 마음을 스스로 제어할 수 없는 이상한 시대가 된 것이다.

제 마음의 주인이기를 포기한 사람들이 갈수록 늘어나고 있다.

재산상의 문제나 갈등으로 부모를 죽일 수 있는 자식들이 양산되고, 자신의 욕구를 위하여 어린 자식들의 생명을 빼앗는 부모들이 늘고 있다. 이런 시대에 잃어버린 우리의 마음을 어떻게 되찾아야 하고 또 어떻게 그 마음의 주인이 될 수 있을 것인가. 신에게 빌어 황폐화되고 상실된 내 마음을 되찾아 달라고 할 것인가.

그러나 불행하게도 하늘 위나 하늘 밑이나 나를 간섭하고 제도할 자는 없다. 오직 나와 우주가 똑같은 자리이고, 전 우주가 바로 나며, 내가 바로 전 우주이다. 우주와 내가 둘이 아닌 하나라는 사실을 알면 세상에 적이 없는 자비무적慈悲無敵의 참다운 바탕을 알게 된다. 이러한 참다운 바탕을 깨닫지 못하기 때문에 갈등과 반목 그리고 시비가 그치지 않는 혼란스럽고 어지러운 시대상황이 되풀이되는 것이다.

우주와 내가 하나이면 당연히 전 인류와 나는 하나이다. 하나인 존재들이 어찌하여 적이 될 수 있으며 어찌하여 반목·갈등하고 서로 죽이는 투쟁을 하겠는가.

기계 문명의 발달과 로켓을 쏘아서 우주를 정복하는 첨단 과학 문명의 발달은 인간의 유한한 100년 안팎의 삶을 편리하게 할 수 있을지 몰라도 영원무궁한 인생을 밝히는 길이 되지는 못한다. 물질의 노예로 아무리 잘 산다고 하여도 그 속에는 항상 세상을 어지럽게 하는 투쟁과 갈등 그리고 불안과 초조가 도사리고 있을 수밖에 없다.

영원한 생명에 대한 인식이 없으면 육감에 의존한 육신 하나만으로 행복을 찾으려 한다. 진정한 행복이 잘 먹고 잘살고 잘 입는 등의 육신으로 찾을 수 있는 행복이었다면 이 세상은 더없이 평화롭고 사람 살 만한 낙원이 되지 않았겠는가.

어떠한 경계에도 흔들리지 않는 법

우리는 인생이 어디에서 시작해서 어디로 흘러가는지도 모르면서 이목구비를 통해 받아들인 현상의 그림자만으로 모든 것을 아는 것처럼 행세한다. 눈으로 보는 것, 귀로 듣고 냄새 맡는 것, 말하는 것, 이러한 육감 작용은 얼마 안 되는 부분이다. 눈으로 한참 보면 눈이 시려 볼 수 없고 앞에 산만 가려져 있어도 그 이상의 것은 보지 못한다. 귀 또한 마찬가지이다. 귀엣말도 한참 들으면 그 다음 말을 분간 못할 때가 있고, 큰소리를 지른다면 고막이 터져 더 이상 들을 수도 없게 된다. 코나 입 또한 모두 마찬가지이다. 이러한 것을 가지고 인생의 진리를 판단하는 것은 어리석은 일이다. 100년 안팎의 우리네 삶은 이것만을 가지고도 이해가 될지는 모르나 영원한 생명의 빛을 보는 데에는 그 같은 육감이나 지식의 저울로는 볼 수도 없고 알 수도 없다.

예전에 어떤 스님이 조사에게 물었다.

"어떤 것이 부처입니까?"

조사는 아무 설명도 하지 않고 대답했다.

"뜰 앞의 잣나무니라."

뜰 앞의 잣나무를 바라볼 줄 알 때 부처를 보게 된다는 것이다. 즉 부처를 바로 본다는 것은 자기를 발견했다는 것이다. 자기를 발견한다는 것 또한 우주 만물이 생기기 전부터 있었고 우주 만물이 다 부서져도 없어지지 않는 불생불멸하는 자리를 깨닫는 일이다. 그 자리에서 영원한 생명의 빛을 찾을 수 있고 볼 수 있게 될 때 비로소 자기를 발견할 수 있는 것이다.

옛날 혜가慧可 스님이 달마 스님을 찾아갔을 때의 일이다.

"스님, 정말 제 마음이 괴로워 못 살겠습니다."

혜가 스님의 이 말에 달마 스님은 다음과 같이 말했다.

"그래? 괴로움이 있다면 그 괴로움을 없애줄 테니 어디 괴로운 마음을 한 번 내놔봐라."

혜가 스님은 안팎으로 괴로운 마음을 열심히 찾았지만 없었다.

"스님, 없습니다. 아무리 열심히 뒤져도 찾을 수가 없습니다."

"그러면 내가 그 괴로운 마음을 다 풀어 주었노라."

달마 스님은 찾아도 없는 마음 때문에 왜 괴로워하느냐는 가르침을 일러주었던 것이다.

괴로운 자리를 응시해 돌이켜보면 실로 괴로움이 없다. 우리는 무명에 얽혀서 본래의 마음자리를 찾지 못하고 생사의 경계가 없는 도리를 깨닫지 못하고 헤맨다. 너와 내가 따로 없는 경계, 생사가 하나라는 진리를 외면하고 세상사에 얽매여 방황함으로써 탐진치의 삼독에 사로잡힌다. 그런데 독약과 같은 탐진치의 마음도 생각을 응시해 살피면 본래 없는 것이다.

중생이란 부처가 있기 때문에 생겨난 것이고 산다는 것 또한 죽음이 있기에 생긴 것이다. 착하고 악하다는 시비 또한 관념 속에서 물거품처럼 일어난 것이다. 이런 상대적인 관념들은 갈라지는 법이다. 그러므로 두 조각이 나서 항상 투쟁이 일어난다. 하나라면 마찰할 상대가 없는데 둘이 있음으로 해서 마찰이 생기는 것이다. 이런 상대적인 허상은 '우주 전체가 바로 나요, 내가 곧 우주'라는 합일의 이치를 깨달으면 어떠한 경계에도 흔들리지 않고 태연자약하게 인생을 살아갈 수 있게 된다.

그런데 지금 우리에겐 한몸 하나라는 철학이 없기 때문에 너와 나라는 사량 분별로, 나 아닌 남의 삶을 대립과 투쟁의 대상으로 삼아 살아가게 된다. 우주와 내가 둘이 아닌 하나라는 법을 깨달으면 이웃의 고통이 나의 고통이고 이웃의 불행이 나의 불행임을 알게 된다. 이웃의 고통과 불행을 놔두고 나 혼자 진정으로 행복하고 자유로워질 수는 없다.

석가는 보리수 아래에서 6년 동안 깊은 명상으로 너와 내가, 더 나아가 우주와 내가 하나임을 총체적으로 꿰뚫었다. 그 하나라는 의식이 핵심인데 그러한 자기를 발견하고 보니 일체 중생 모두가 불성을 가지고 있다는 진리를 깨달은 것이다. '천상천하 유아독존'의 석가 탄생게는 바로 그 하나의 이치로, 인생의 주인이 바로 자기 자신임을 밝힌 것이다. 너와 내가 따로 없는 우리 모두가 하나라는 진리를 발견하게 되면 고통과 갈등이 사라지고 전 인류가 평화스럽게 살 수 있는 바탕이 된다.

너 자신을 의지하여 진리를 스승으로 삼으라

불교에 대한 기대가 큰 사람일수록 오늘날의 한국 불교가 병들었다고 한탄한다. 따지고 보면 지난해 '개혁'을 하겠다고 세상을 시끄럽게 한 것도 이 병에 대한 자각 때문이었다. 그러나 병을 고치려면 병의 뿌리를 뽑아야지 겉으로 드러난 환부에 고약만 붙이거나, 의원만 갈아치우는 임시 처방으로는 안 된다. 그렇게 하면 병은 속으로 더욱 깊어질 뿐이다.

또 오늘날 불교에는 스승이 될 만한 사람이 없다고 한탄하는 사람들도 많다. 승려가 승려답지 않아 도무지 귀의삼보의 대상이 아니라는 뜻이다. 그러나 이것은 불교의 혼란스러운 겉모습만 보고 내리는 조급한 판단이다.

참다운 수행자는 지금도 산문 밖으로 나오는 일 없이 각자의 길을 향해 의연히 정진하고 있으니 그들이 바로 불자가 찾아나서야 할 스승이다. 스승을 찾는 일에 어려움이 있다면 스승이 없어서가 아니라 이처럼 드러나지 않기 때문이다.

스승도 반드시 있어야 하는 것은 아니다. 부처님께서는 '자등명自燈明 법등명法燈明'이라 하여, 부처님 자신에게도 의지하지 말며 너 자신을 의지하여 진리를 스승으로 삼으라고 말씀하셨다. 진리야말로 영원한 법신法身이며 참다운 스승임을 깨우쳐 준 말이다.

불교 성전의 근본을 이루고 불교 사상의 원류인 경전은 부처님 말씀을 문자화 한 것이다. 지금 우리가 의지해야 할 것이 있다면 바로 불타의 마음을 생생하게 간직한 경전이다. 그러나 경전은 워낙 방대하여 어디서부터 어떻게 봐야 할지 난감할 수도 있다. 그 큰 진리의 바다에 빠져 정신을 잃고 헤매지 않을까 하여 들어가는 데 머뭇거리게 된다.

경전의 종류와 분량만 봐서는 방대한 것이 분명하나 그 뜻은 산만하게 흩어지지 않고 선명하게 하나로 통한다. 《능엄경》·《법화경》·《원각경》·《금강경》 등 모든 경전마다 각자의 대의가 있으나 종합해보면 모두 같은 소리다. 단지 설명하는 방법만 틀린데 부처님께서 45년간 설법하실 때 청중의 근기에 따라 각각에 알맞은 대기설법을 하셨기 때문이다.

방대한 경전을 몽땅 외울 수도 없겠지만, 설령 줄줄이 꿰고 있다 해도 바른 이치를 모르는 한 국 맛을 모르는 숟가락 같은 신세와 다를 바가 없다. 진리는 나열된 목록이 따로 없으며, 일일이 섭렵해야 하는 세간의 지식이 아니다. 경전의 대의, 팔만대장경의 원리가 무엇인지를 알고 깨우치면 된다. 바닷물을 몽땅 들이마셔야만 짠 줄을 아는가.

원리를 알기 위해 필요한 것은 달달달 외우는 기억력이 아니라 깊은 통찰력이다. 통찰력을 기르기 위해서는 각 경전의 핵심을 이해하는 일이 중요한데, 이때 전문 강사를 찾아 의심나는 몇 마디를 물으면 진리의 당체 앞으로 쉽게 나아갈 수 있다. 핵심을 꿰뚫어 가는 일을 옆에서 도와주는 이가 전문 강사로, 스승이 굳이 따로 있을 필요가 없다. 찾아가 묻고 대답해주면 제자가 되고 스승이 되는 것이다. 다만 스승이 제자를 찾아가는 예는 없으니 진리에 배고픈 당사자가 부지런히 스승을 찾는 게 마땅하다. 스승이 없다고 한탄하지 마라. 스승은 도처에 있다.

경전이 어렵다는 것은 뜻이 어려운 것이 아니라 한자로 된 문자들을 충분히 익히기가 어려울 뿐이다. 특히나 요즈음은 한문 실력이 모자라 일반인들이 경전을 일일이 보려면 한자의 기초부터 시작해야 하므로, 아무리 재주 있는 사람이라도 몇 달은 걸린다. 불교적인 틀에 얹혀놓고서야 얘기할 수 있는 전문 술어들이 많아 그것들을 익히는 일도 만만치 않다. 아무리 체계 있게 가르치고 잘 알아듣는다 해도 열반이나 보리菩提, 유식唯識 경계인 6식·7식·8식·9식 등등에 관해 충분한 설명을 하려면 몇 달은 소모된다. 몇 달이 소모돼서 대의를 요달하면 다행이나, 실상은 중요한 게 아닌 한자 뜻풀이에 매달려 헤매게 될 우려가 있다. 물론 출가승이라면 당연히 거쳐할 과정이지만 재가자들은 대의를 파악하는 것이 더 효과적이다. 그 뒤로 각 경전에 대해 자세히 공부하더라도 이치를 알고 파고드니 훨씬 용이하다. 낯선 곳으로 떠날 때 이미 알고 있는 사람을 찾아가 안내를 받아 수월했던 경험을 생각해 보면 알 것이다.

계행도 팔만사천의 계행으로 나누어져 있다. 팔만사천이란 참으로 많은 계행이 있다는 소리다. 살아가는 작은 생명체만 봐도 얼마나 복잡하며, 사람 하나만 두고 봐도 복잡하기가 이루 말할 수 없어 팔만사천 계행도 모자랄 지경이다. 사람 몸의 피부 세포 하나도 무어라 말할 수 없는 부사의不思議의 도리 속에 감추어져 있다. 이렇게 작은 생명체 하나, 사람 몸의 피부 하나만 봐도 복잡한데 우주를 생각하면 어떤가. 전체가 부사의의 도리로 이루어진 우주를 사량 분별하다 보면 꽉 막힐 수밖에 없고, 자연히 그에 대한 이론도 복잡해지고 일일이 설명이 많아진다. 불교도 우주의 현실을 설명한 학설로, 사성제·연기법·윤회법 등 모두 부처님께서 이미 과학적으로 설명해 놓았지 않는가.

《능엄경》은 현실을 샅샅이 설명한 반면,《금강경》에서는 오히려 "여래가 깨달은 법에는 진실도 허망도 없다"며 이를 부정했다.《금강경》은 모든 것이 있는 듯 없는 공의 도리를 말했으며, 형식도 지극히 간결하다. 현상을 있는 그대로 모두 설명하려면 한이 없고 버릴 게 하나도 없다. 물 한 방울, 먼지 한 톨 어느 것이나 무심히 넘길 이치가 하나도 없는데, 이를 설명한 것이《능엄경》이다.

서로 다른 듯하면서도 실상에 깊이 파고들어 알려고 하면 전체가 내내 하나인 게 불경이다. 다른 듯이 보이는 것은 부처님께서 사람의 근기에 따라 알맞은 설명을 하셨기 때문이다. 45년 설법이 아함 12년·방등 8년 등으로 나누어 행해졌으나 이는 다름 아닌 중생들의 근기 차에 의해 다르게 들리는 부처님의 한 목소리다. 분명한 한 목소리가 우주로부터 울려올 때까지 정진하라. 무한한 진리의 세계가 본래의 주인을 기다리고 있다.

제6장

미국 부처, 인도 부처

인간이 중심이 되는 세계관, 인간이 최종적으로 자기 삶의 주인이 되는 세계관·우주관·역사관이 서양 문화의 황혼기에 태양처럼 새로 떠오르지 않으면 안 된다. 천년하고도 수백 년이 넘는 연면한 전통을 지닌 한국 불교가 세상에 큰 기여를 하게 될 날이 눈앞에 와 있다고 생각하는 까닭이 여기에 있다.

종교 자유와 종교 이기주의

1980년대의 일이다. 봉암사를 떠나 원적사 토굴에 들어가 정진하고 있는데 전보가 왔다. 용지 두 장을 묶어 가득히 사연을 적어 보낸 그 전보는 김 아무개 문공부장관 이름으로 보낸 것이었다. 내용인즉 불교의 현안 문제에 대해 의논을 해야겠으니 서울 필동에 있는 '한국의 집'으로 좀 와달라는 것이었다.

처음에는 가지 않을 생각이었으나 기왕에 그런 자리가 마련됐으니 가서 이야기를 좀 해야겠다고 작정하고 서울로 올라갔다. 그날 '한국의 집'에는 많은 사람이 모여 있었다. 불교계의 노장·중진·소장 스님들을 비롯하여 관청의 높은 사람들과 국회의원들 그리고 신도회를 대표하는 처사들에 이르기까지 다양한 사람들이 모여 있었다. 언뜻 보기에도 범불교인의 이름으로 무엇인가 중요한 결정을 하려는 분위기였다.

과연 문공부 당국이 내놓은 안이 있었다. 조계종 종단의 운영에 속인들도 참여시키자는 것이었다. 스님들만으로는 전체 불교계를 대표한다고 할 수도 없거니와 큰일을 해나가는 데 한계가 있게 마련이니 종회나 집행부의 요직에 신도들을 참여시킬 수 있도록 제도를 바꾸자는 것이 이날 모임의 주요 골자였다.

장관이 인사를 하고 운을 떼놓자 스님들이 돌아가며 마이크를 잡고 "문공부 당국이 불교를 위해 애쓴다"는 내용의 인사를 저마다 한마디씩 했다. 중간쯤에 내 차례가 되어 나도 한마디 했다.

"지금 한국 불교계가 어지러운 것은 물론 우리 스님네들의 잘못이며 부덕한 소치이다. 불교계의 일 때문에 그렇지 않아도 할 일이 많아 바쁜 공무원들을 성가시게 해드려서 더욱 송구스럽게 생각한다. 그러나 한편으로 생각하면 불교계가 어지러워지고 잘못되어 가고 있는 책임의 90퍼센트는 정부의 관리들, 그리고 정치하는 사람들에게 있다. 우리나라는 종교의 자유가 보장되어 있고, 불교든 기독교든 자유롭게 운영하고 있는데 정부가 무슨 책임이 있는가 하고 반문하겠지만 그건 그렇지가 않다고 본다. 지난날 신라시대와 고려시대에는 정치가 불교를 끌어안았기 때문에 불교는 역사상 가장 화려한 문화를 꽃피웠고, 그때의 유산을 우리는 지금도 자랑스럽게 간직하고 있다. 일제시대에 와서도 일본인들이 겉으로는 불교를 숭상하는 것처럼 하면서도 실제로는 한국의 전통 불교를 말살하려는 정책을 추진했으니 겨우 반세기도 채 되기 전에 거의 완벽에 가깝도록 왜색 불교화의 길을 걸었다. 이게 모두 정치와 종교의 관계를 말해주는 증거가 아니겠는가. 아무리 민주국가라 하더라도 정치와 종교는 여전히 깊은 관계를 지니고 있다. 정부가 일천 수백 년 전통의 불교를 자유라는 이름으로 방임하고 방치하는 단계를 넘어 산사를 유원지로 만들고 나아가 어제 갓 태어난 신흥 종교와 같은 무게로 대접을 한다면 그게 과연 종교의 자유를 주는 정책인가."

내 이야기가 뜻밖이었던지 좌중은 숨을 죽이고 듣고 있었다. 긴장감이 감돌았다. 나는 하던 말을 계속했다.

"광복 후 십 년에 가깝도록 일제의 잔재를 청산하기 위한 정화가 일어났다. 이 과정에서 아픈 상처도 남겼다. 평생 중노릇을 해온 스님들도 처자가 있다는 이유로 종단에서 밀어냈다. 그런데 지금 단 하루도 중노릇을 해보지 않은 속인들을 종단의 주요 간부로 앉히겠다는 것은 무슨 시대착오적인 발상이며 정화와 개혁에 역행하는 처사인가. 승려가 무력하여 종단이 시끄럽기 때문에 속인들을 참여시킨다는 구실인데 말이 안 된다. 지난날 일본인들이 한국을 합병할 때도 같은 구실이었다. 그 일본인들이 한국을 진정으로 사랑하여 합병했겠는가. 종단의 일을 돕는다고 속인들을 집어넣으면 또 하나의 이질적인 집단이 형성되어 가뜩이나 난마같이 얽히고 시끄러운 종단이 더 시끄러워질 것이다."

결국 내 뜻이 관철되어 속인의 종단 운영에 대한 참여는 무산되었다. 불교는 사부대중의 것이다. 굳이 누구의 것이라고 할 필요도 없다. 승려와 신도를 대립적인 입장에서 이해하여 그 권익을 분배하는 것이 종단의 민주화라면 그런 종교는 이미 스스로 존립할 가치를 상실한 종교며 종단이다.

물론 신도들도 유형·무형으로 전체 불교계의 운영에 동참시켜 성불과 중생 제도를 위해 함께 길을 가는 것이 바람직하다. 그러나 승려가 일을 좀 잘못했다 하여 그들을 밀어내고 그 자리에 끼어보겠다는 발상은 본말이 뒤바뀐 생각이다. 무엇보다 한심스러운 것은 이런 문제를 놓고 정부와 장관이 팔을 걷어붙이고 나선 점이었다.

광복 후 우리 정부, 우리 정치 지도자들의 불교에 대한 생각의 깊이는 '한국의 집'에서 보여준 그 정도였다. 이승만 대통령을 비롯하여 많은 지도자가 불교를 낡은 역사의 유물로 생각하거나 이른바 '민주적'으로 생각한답시고 수많은 외래 종교들과 같은 선상에 올려놓았다. 사실상 불교의 종단은 선거에 필요한 '표밭'이었다. 필요하면 가끔 정부 시책에 찬동하는 성명서나 내도록 뒤에서 강요하는 것이 정부가 불교에게 준 '종교의 자유'였다.

종교, 정치를 넘어서야 한다

관광 자원을 개발한답시고 천년 고찰들을 모두 술 먹고 고성 방가하는 유흥장으로 만들어버렸다. 정작 필요한 부분, 즉 불교를 우리 민족정신의 줄기로 파악하고 이를 보존·보호하는 일에는 무관심하면서 불필요한 일에는 일일이 간섭하고 억제하는 것이 정부의 기능이었다.

가장 경계해야 할 일은 일부 정치 지도자들이 알게 모르게 특정 종교의 배타적인 교리를 우리 땅에 심어놓는 데 앞장서고 있다는 점이다.

불교는 모든 사상과 사고를 인정하고 그런 이질적인 사고와 사상들을 함께 끌어안는 원융圓融·조화의 종교이다. 그러나 일부 종교가 지극히 배타적이고 전투적인 교리를 내세우고 있다는 것은 잘 알려진 사실이다. 바로 이런 종교를 나라의 지도자가 공공연히 선호하고 포교하는 듯한 인상을 주는 경우가 없지 않다.

이 같은 행위는 자신이 알든 모르든 간에 국민들을 두 갈래, 백 갈래로 갈라놓고 찢어놓는다. 지금 당장에는 잘 모르지만 시간이 흐르고 나면 이 땅에는 어느 날 종교 간의 갈등이 심각해지고 조장되어 마침내 피비린내 나는 상잔이 일어날지도 모른다. 그 씨를 우리는 지금 심고 있는 중이다. 그러나 정치를 한다는 사람들 중에 먼 장래에 올지도 모르는 비극의 씨앗을 스스로 뿌리고 있다는 자각을 갖는 사람은 단 한 사람도 보지 못했다.

헌법의 표현을 그대로 빌리자면 우리나라에는 신앙의 자유·양심의 자유·표현의 자유 등등의 자유가 존재한다. 이런 자유를 국민들이 마음껏 향유하게 하는 것이 최상의 민주정치다. 그러나 신앙의 자유를 존중한다는 이유로 온 세상이 사이비 종교 천국으로 변하는데도 정부는 팔짱 끼고 보기만 할 것인가. 그래서는 안 될 일이다.

무릇 지도자란 권력의 창출과 유지에만 노심초사할 것이 아니라 우리나라의 먼 장래를 생각하고, 뒷날 우리의 후손들이 어떤 정신의 풍토 속에서 살게 될지에 대해서도 깊이 사려하고 관심을 기울여야 한다.

불행하게도 나는 우리 지도자들 중 여기까지 생각이 미치는 사람을 보지 못했다. 불교 신자나 기독교 신자, 또는 유림을 정치적인 지지 세력으로 계산하여 선거 때나 되어서야 생색을 내며 찾아다니는 정치인, 자신의 표밭을 유지·경작하기 위하여 특정 종교에 대한 신앙을 과시하는 지도자들, 이런 사람들이 끼치는 해악을 심각하게 생각해야 할 것이다.

영·호남의 지역감정을 망국병이라 하고 남북통일을 지고지순의 가치로 생각하는 훌륭한 사람들이, 어찌하여 우리 세상이 죽어서 돌아가는 허공의 빈자리를 두고 마음의 적이 되어 있는 어설프고도 한심스러운 상황은 그대로 버려두는가.

종교 지도자들의 책임은 물론 크다. 어떤 일이 있더라도 이 땅에 뿌리 내린 종교를 배타적이고 상호 부정적이며 전투적인 이기주의로 무장시켜서는 안 될 것이다. 이미 그런 종교가 있다면 그 이기주의, 그 배타성, 그 폭력성을 완화시키고 억제시켜야 한다. 적어도 그런 종교의 교리를 자신들의 정치적인 입지로 이용해서는 안 될 것이다. 그것은 역사에 큰 죄를 짓는 행위다. 이에 대한 정치인들의 깊은 각성이 필요하다.

아픈 상처 속에서 피어나는 미래 불교

세계의 근대·현대사는 서세동점과 함께 시작되었다. 힘이 센 세력이 힘이 약한 세력을 거꾸러뜨리면 힘이 약한 세력의 귀신들까지도 함께 즉사한다.

근대 이후 지구상에 서양의 문화가 범람했다. 그 결과 서양의 사고방식은 정상적인 것이 되고, 동양의 사고방식은 낡고 고루한 것이 되었다. 서양의 신은 위대하게 받들고 동양의 신은 미신의 자리로 밀려났다. 서양의 습관은 문명화된 것이 되고 동양의 습관은 야만적인 것으로 대접받게 되었다.

그렇게 세월이 몇백 년 흘렀다. 이제 서양의 대표적인 정신문화인 기독교는 더 이상 서양 사람들의 영혼조차 구제하지 못하고 있다. 기독교의 변종으로 출생한 공산주의의 실험이 한 세기 동안 고통과 불안 속에서 진행되었으나 백 년을 채우지 못하고 그 거대한 실험은 실패로 막을 내렸다.

역사의 태양은 서쪽에서 동쪽으로 이동하고 있다. 그와 함께 신이 인간을 지배하던 시대도 막을 내리고 있다. 문화의 알맹이이자 기둥이었던 종교의 권위를 잃어버린 그 자리에는 커다란 공백만 남아 있다. 그 공백을 비집고 들어온 것이 물신주의다. 사람들이 입만 열었다 하면 경계해 마지않는 물질만능주의가 바로 그것이다.

물질만능주의는 현대 경제의 생산력과 정부의 복지정책, 그리고 첨단과학의 성과에 희망을 걸게 한다. 내세의 영원한 삶이 허구라는 것을 알고 난 후에 느끼는 그 엄청난 허무를 달래기 위해 사람들은 과학의 미래에 한층 더 미칠 수밖에 없다. 2천 몇 년이 되면 인간의 수명이 100세 하고도 50세는 더 살 수 있다던가, 암의 정복이 눈앞에 다가와 있다던가, 돼지만한 토끼가 나오고 타조만한 닭이 나오며 축구공보다 큰 감자가 생산될 것이며, 신혼여행을 은하계의 별나라로 갈 것이라는 둥. 그중 상당 부분은 당장 몇 년 후면 실현 가능한 것도 없지 않다.

그러나 이런 첨단과학의 꿈들이 다 성취된다 하더라도 인간의 유한성, 생명의 부조리, 마음속의 고통이 단 하나라도 사라지는 법은 없다. 오히려 현실이 편리해질수록 고통의 키 또한 함께 자랄 것이다.

물신주의는 서양 종교의 황혼 위에 일시적으로 풍미하는 과도기의 정신적 상태일 뿐이다. 그것이 오래갈 수는 없다. 인간은 자기 구원, 자기완성의 근본적인 욕구를 지니고 있다. 하늘에서 태양이 사라질 수 없는 것처럼 인간은 자기완성의 목표를 지니고 그것을 향해 나아가려는 발전 의지를 가지고 있다.

태양이 동쪽에서 뜬다는 것은 서양 사람들이 먼저 알았다. 저들이 불교에 심취하여 그 속에 담긴 진리를 찾아 열심히 땀을 흘리는 것은 한갓 지식인들의 호사스런 취미가 아니라 절박한 자기완

성의 욕구 때문이었을 것이다. 처음에는 그렇게 시작하는 것이 순서다. 그런 경향이 일반인들에게 확산되고, 어렵게만 느껴지던 동양 사상의 진수가 보편적인 진리로 널리 확산될 때 세계는 전혀 새로운 역사 창조의 시대로 접어들 것이다.

그렇다고 해서 '신에 의한 인간의 지배'가 완전히 사라지는 것은 아니다. 오히려 세상 일각에서는 온갖 잡신들이 모여 더욱 광신적이고 무모한 폭력을 생산할 것이다. 이런 신들이 지배하는 세상에서는 이성은 잠을 자고 뜨거워진 가슴만 끓어올라 착각과 혼돈만이 사람들의 행동을 지배할 것이다.

우리나라에서도 그런 조짐이 보이는 것은 안타까운 일이다. 우리나라 사람들 스스로도 자신들을 '종교적인' 민족으로 생각하는 경향이 있을 정도로 신들에게 열광하기 좋아한다. 한 집 건너 교회의 첨탑이요, 온 세상이 기독교인으로 넘치고 있다. 한국을 '제2의 이스라엘'이라 부르는 얼빠진 종교 지도자들도 있다. "예수가 동방의 작은 나라(한국)에서 재림한다"고 떠드는 것은 보통이고 "내가 바로 재림 예수다" 하고 나서는 사람들도 부지기수다.

기독교만 그런 것은 아니다. 불교 쪽에서도 비슷한 광신을 생산해내고 있다. "내가 미륵이다" 하고 나선 사람들이 불교 전래 이래로 얼마나 많았던가. '미륵'의 이름 대신 '예수'가 들어왔을 뿐이지 달라진 것은 아무것도 없다. 내세의 영원한 삶이 보장되고 지상 천국 도래가 약속된다면 그것이 미륵이든 예수든 가리지 않고 믿는 것이 한국인의 종교적 성향이 아닌가 여겨질 정도다.

이렇게 된 데에는 까닭이 있다. 불교가 제구실을 하지 못했기 때문이다. 조선조의 정책적인 탄압과 일제 시대의 교묘한 동화 정책을 거치면서 불교는 맥이 끊어질 듯 벼랑으로 몰렸고, 해방 후 다시 회생하면서 혼란의 극복에 반세기의 시간을 허비했다.

이제는 불교가 제자리에 설 때다. 인간이 중심이 되는 세계관, 인간이 최종적으로 자기 삶의 주인이 되는 세계관·우주관·역사관이 서양 문화의 황혼기에 태양처럼 새로 떠오르지 않으면 안 된다. 모든 것을 신의 섭리에 맡겨놓고 운명론적인 허무주의나 광신적인 내세 사상에 몸을 맡긴다면 그들이 원했던 대로 지구의 종말이 멀지 않을 것이다.

인간이 저질러놓은 모든 악과, 그 악의 결과로 도래할 지구와 우주의 황폐화를 '신의 진노'라는 이름으로 편리하게 책임 전가시키는 그런 종교에 인류의 미래를 맡겨서는 안 된다. 천 년하고도 수백 년이 넘는 연면한 전통을 지닌 한국 불교가 세상에 큰 기여를 하게 될 날이 눈앞에 와 있다고 생각하는 까닭이 여기에 있다.

승려의 세계는 투명해야 한다

인간 사회가 아주 없어지지 않고 계속되는 것은 결혼이라는 관습 때문이다. 결혼은 남자와 여자의 결합된 생활이다. 이것은 인간이 생물학적으로 존립하는 기본적인 조건이다. 남녀 결합의 도덕적·종교적인 의미는 인간의 기본적인 조건에 비해 훨씬 뒤에 오는 문제이다.

그렇다면 결혼은 인간의 본래 모습, 본래 자유를 찾는 일에 장애가 되는 것일까, 아니면 도움이 되는 것일까, 이것도 저것도 아니고 어떤 사람에게는 장애물이 되지만 어떤 사람에게는 도움이 되기도 하는 것일까.

석가모니 부처님은 결혼을 하여 자식을 둔 한 가정의 가장이었다. 그는 한 여인의 남편이었고, 아이의 아버지였으며 부모의 자식이었다. 이런 '관례'를 일단 끊고 세속에서의 굴레를 떠나 치열한 자기 탐험, 자기 극복의 고행 길로 떠났다.

이로 미루어볼 때 수행자에게 육체적·생체적 관습들은 큰 깨달음으로 가는 길에 장애물이 되는 것이 분명하다. 일상생활의 되풀이 속에 침잠해 있는 동안에는 참된 자기, 본래의 자기 모습은 잘 보이지 않는다. 수행자들이 그토록 큰 고통을 무릅쓰고 인연 지어진 모든 것을 끊고 산사에 파묻히거나 토굴의 어둠 속으로 찾아드는 이유가 바로 여기에 있다고 하겠다.

그러나 현실을 돌아보면 결혼을 하지 않았거나, 이미 했더라도 인연을 끊고 떠난 비구들이 반드시 큰 깨달음에 이른 것은 아니며, 결혼하지 않았다는 것이, 즉 가족이 없다는 홀가분한 상태가 마음의 평정을 가져다주기는커녕 더 많은 업을 짓고 평생 동안 욕망에 꺼들리는 경우가 더러 있다. 더러 있는 것이 아니라 수많은 비구가 인연 아닌 인연으로 속세인들과 마찬가지의 고통 속에 빠져 있는 경우를 본다.

사정이 그렇다면 그들은 결혼하는 것이 좋다고 생각한다. 결혼을 하지 않음으로써 얻는 것이 없고, 더 많은 죄를 짓게 된다면 결혼을 하는 것만 못한 일이다. 이것을 허용한다면 조계종단은 지난날 한때 그랬던 것처럼 비구·대처의 통합종단이 되어야 할 것이다. 아니면 이미 여러 번 계획상으로 시도해 보았던 것처럼 비구, 즉 수행승과 대처, 즉 포교승으로 승단을 이원화하는 방법도 있을 것이다.

어떤 방법을 모색하든지 승려의 세계는 투명해야 한다. 청정비구를 자처하는 승려 중 상당수가 은처를 거느리고 있고, 또 이 같은 사정을 세상 사람들이나 신도들이 알면서도 짐짓 모르는 척, 있는 일을 없는 척 덮어 놓고 있다. 하지만 이는 옳지 못하다. 승려, 성직자라는 이름의 세계가 이처럼 불투명하고 거짓투성이여서 도대체 누구의 스승이 되며 누구를 제도하겠는가. 투명해야 한다. 거울 속같이 투명하지 않으면 안 된다. 한국 불교는 이 점에서 매우 어둡다.

나는 사춘기 시절에 입산하여 4년이라는 긴 세월을 절집 머슴살이로 고단한 일을 했다. 그 후 사미가 되었고 구족계를 받았다. 구족계를 받고 사교과를 이수한 후에 대학에 들어가 동경에서 3년을 공부했다. 그 동안 마음이나 몸이 모두 끓어오르는 청년기를 보냈다. 마음속에 욕구가 솟아나지 않을 리 없었다. 때로는 자제하기 어려운 시기도 있었다. 그러나 내가 선택했던 수행자의 길을 포기할 만큼, 삶의 근본 진리에 도달하려는 의지를 꺾을 만큼 욕망이 나를 사로잡은 일은 없었다. 사로잡힐 위기에 처했을 때도 나는 그것을 극복할 수 있었다. 그 때문에 여기까지 승려의 길을 걸어올 수 있었다.

한동안 모친의 성화가 있었다.

"다른 스님들은 모두 장가가서 애들 낳고 잘만 사는데 너만 굳이 독신승으로 살아갈 필요가 어디 있느냐. 다른 스님들이 결혼해서 승려생활을 잘만 하는 것을 보면 부처님도 장가가는 것을 말리지 않는 게 틀림없다. 그러니 결혼해라."

일제 시대의 일이었다. 천지에 대처승만 보이던 시절이었다. 결혼한 스님들이 주지도 하고 절집 살림도 맡으며 유지 대접도 받아 오히려 잘 살 때였다. 비구승은 거지나 다름없었다. 그런 상황인데 무슨 까닭으로 굳이 비구로 남는 거냐, 모친의 이야기는 그런 뜻이었다. 실제로 색시감을 물색하기도 했다. 그러나 나는 "저는 이미 불도와 결혼했습니다. 도를 이루기 위해 발심했으니 그게 바로 평생 함께 살아갈 약속이지요. 그러니 다시는 저를 위해 수고하지 마십시오"라고 단호히 거절했다.

그 후 결혼하지 않아 불편했던 일은 없었다. 마음속의 유혹을 견디기 어려워 고통스러웠던 적도 없었다. 피나는 수행의 결과가 이런 육근의 바다로부터 나를 평안의 피안으로 보내주고 지켜준 것이다. 그러나 스님이 된 후에도 평생 그 고통을 뿌리치지 못하고 살고 있는 사람들은 다시 생각해 보는 것도 좋을 것이다.

불법은 펄펄 살아서 행동하며 흘러가는 것

인도를 여행하는 중에 이상한 풍습을 보고 들었다. 인도의 어느 지방에서는 남녀의 생식기를 숭배하는 신앙이 있어 사원에 생식기를 만들어놓거나 남녀 합궁하는 모습을 그림 또는 조각으로 비치하여 숭배하는 풍습이 곳곳에 남아 있었다. 처음에는 이상하게 보였으나 들어 보니 그들에게는 그럴 듯한 이유가 있었고 뜻도 있었다.

사람에게 있어 가장 중요하고 고귀한 것이 생식기라는 것이 그들 생각이었다. 생명을 이어주는 것이 바로 그것이고, 생명을 창조하는 것 또한 그것이기 때문에 인간의 몸 중에서 그 어느 것보다 고귀하다는 것이었다. 생식기만 고귀한 것이 아니라 남녀의 합궁 또한 신성한 의식으로 여기고 있었다. 참말인지 그냥 소문인지는 몰라도 그들은 내외간에 합궁하는 날을 미리 정해놓고 자손들의 축하를 받으며 의식처럼 행한다고 했다. 돌로 만든 조각들이 워낙 그 의식을 생생하게 묘사하고 있어 그 이야기의 신빙성을 더해주었다.

생각해 보면 그들의 풍습이나 사고에 관해 웃을 필요가 없었다. 그것을 자꾸 감추고 숨기려 하니 더럽고 죄스럽고, 온갖 금기가 생겨나는 것이지 그것 자체가 원래 죄악이며 추했던 것은 아니기 때문이다. 생식기라는 것도 코나 손가락처럼 그렇게 무심하게 보면 그만 아니겠는가. 자이나교를 믿는 사람들은 그것을 덜렁거리며 내놓고 다니는데 여자들도 마찬가지다. 따지고 보면 장한 일이다. 그 사람들은 그것을 숨기고 금기시하는 데서 오는 마음의 죄는 짓지 않아도 되는 것이다. 그것을 숨기고 죄악시하는 우리나라 사람들의 실제 살아가는 모습은 어떠한가. 생각해 보면 그 대답은 자명해진다.

내가 보니 결혼하여 속세에 살지만 신심과 선정이 깊어, 수십년 선방을 들락거리며 수행해 온 선승들보다 더 부처님 세계에 가까이 간 사람이 많았다. 반대로 머리를 깎고 중 흉내를 내며 입만 열었다 하면 불법이요, 선문답인데도 그 마음 바탕에 있는 것은 필부匹夫의 그것보다 못한 스님들이 얼마든지 있었다. 그렇다면 결혼 그 자체가 성불의 장애물이 아닌 것은 분명하다. 결혼이 성불의 결정적인 장애물이라면 일반 신도들은 누구도 성불하지 못할 것이고, 그걸 알면서 "당신들도 성불할 수 있다"고 가르친다면 거짓이며 사기일 것이다.

불교에서는 "살생하지 말라, 육식하지 말라"고 가르친다. 그러나 몽골 사람들은 육식이 주식이다. 그들에게 불법을 가르쳐도 육식을 그만두게 할 수는 없다. 지방에 따라 불교 신도들에게도 육식이 허용되는 경우가 있는 법이다.

그러므로 무유정법無有定法이 곧 해탈법이다. 불법이 본래 이런 것이다 하고 못을 박으면 그것은 이미 불법이 아니다. 불법은 펄펄 살아서 생동하며 흘러가는 것이지 웅덩이 물처럼 고여 틀에 박힌 것은 아니다. 못을 박아 놓으면 그 법은 죽은 법이다. 검다, 희다, 길다, 짧다고 정할 수 없는 것이 부처님의 법이다. 진리라는 것은 사람이 만들어 놓은 것이다.

이처럼 우리나라 사람들이 부끄러워하는 것을 인도의 어느 지방 사람들은 아무 부끄러움 없이 오히려 신성시하는 것을 본다. 오히려 우리나라 사람들은 정작 부끄러워해야 할 마음속의 죄악·허위·거짓, 이런 것을 그 부끄러운 부분과 함께 깊이 감추고 있어 더 괴로운 것이 아닐까. 자이나교의 신도들이 신체의 어느 부분을 투명하게 햇빛 속에 내놓고 살듯이 우리의 스님들도 감추어 놓은 허위의 장막을 젖히고 투명하게 살았으면 한다. 깨달음이니, 중생제도니 하는 소리들은 그 다음에 할 소리다.

계는 부처님 법을 담고 깨달음을 담는 그릇

'계'를 가진 사람이 파계한다. 이 말을 뒤집으면 계를 받지 않은 사람은 파계도 하지 않는다는 말이 된다. 형식 논리상으로는 그렇다. 그러나 계는 그런 형식 논리에 갇힌 죽은 규범이 아니다. 살아 움직이는 생명체다. 불교는 생명의 종교이므로 '죽은 계'는 산 생명의 계로 대체되어야 한다.

옛날에 인도의 한 지체 높은 가문의 처녀가 불륜을 저질렀다. 그 나라 풍습으로는 처녀가 불륜을 저지르면 부모가 강에 던져 죽이도록 되어 있었다.

그 어머니가 처녀를 데리고 강에 던지러 가는 길에 스님을 만났다. 어머니는 순간적으로 묘안을 생각해 내고 스님에게 말했다.

"내 딸이 불륜을 범해 이제 강물에 던져 죽이려 합니다. 그러나 꼭 죽이지 않아도 멀리 떠나기만 하면 면할 수도 있을 것 같습니다. 많은 패물과 함께 내 딸을 드릴 테니 스님께서 데리고 가서 살면 안 되겠습니까."

스님은 손을 내저었다.

"나는 출가한 수행자요. 그럴 수가 없습니다."

"스님이라 하더라도 죽어가는 사람의 목숨을 건져 줄 수는 있지 않습니까."

"한 번 파계하면 수미산 바위가 잠자리 날개 바람에 닳아 없어져야 그 죄를 면한다 하지 않소. 파계할 수는 없소이다."

스님은 들어서는 안 될 소리를 들었다는 듯이 황급히 자리를 떴다. 처녀는 강물에 던져져 마침내 죽었다.

스님은 돌아와 큰스님에게 이 사실을 고했다. 듣고 난 큰스님이 크게 노하여 꾸중했다.

"중생 하나 구제 못하는 놈이 어찌 부처님 도리를 깨닫겠다고 하느냐. 너는 오늘 살인을 했으니 그 죄를 어찌 다 갚을 것인가."

"어째서 소승이 살인을 했다는 말입니까."

"이놈아, 그 여자와 살기 싫으면 데리고 와서 공양주라도 시키면 될 것 아니냐. 다른 곳으로 시집 보낼 수도 있을 것이다. 그런데 고지식하게 계를 지킨답시고 한 사람의 목숨을 끊어?"

큰스님의 뜻도 '계는 살아 있는 것'이라는 한마디로 표현할 수 있다. 물고기를 잡기 위해 그물을 뜬다. 그물 그 자체를 위해 그물을 만드는 바보는 없다. 계는 도를 넣기 위한 그릇일 뿐이지 계 그 자체를 위해 계가 존재하는 것은 아니다.

계율에는 '거짓말하지 말라'고 했다. 그러나 때로는 거짓말을 해야 할 때도 있다. 쫓기고 있는 노루를 살려주기 위해 포수를 속일 수 있다. 분명 거짓말을 했으나 부처님 뜻에 어긋난 행위는 아니다.

계행에는 상이 없다. 율 그 자체에 매달려 지키려고 버둥대다 파계하는 경우가 더 많다.

옛날 선비인 두 형제가 있었다. 형과 아우가 술을 마시며 즐길 기회가 생겼다. 동생이 보니 형이 기생과 수작하며 노는 모습이 평소 점잖던 형답지 않았다. 불쾌하여 형에게 "어찌 그런 추한 모습으로 놉니까. 정신을 차리시오"라고 말했다. 형은 들은 체도 하지 않고 질탕하게 놀았다.

집에 와서도 며칠 동안 형의 행각에 대한 불쾌감을 떨치지 못하고 있던 동생이 다시 형에게 말했다.

"형은 어찌 그럴 수가 있었습니까. 이해하지 못하겠습니다."

그러자 형이 의아한 얼굴로 대답했다.

"나는 이미 그 일을 잊었다. 네 마음속에는 여태 그 여인들의 그림자가 남아 있느냐."

배가 흔들리면 배에 탄 사람들도 같이 흔들린다. 세상의 모든 것을 다 피하고, 모든 것을 다 떠나면 설 땅이 없다. 도를 구하고 지키는 안전지대가 어디 따로 있는 것이 아니다. 이 세상 전부가 도량이다. 잘못하는 사람들을 다 미워하면 숨이 막혀 살 곳이 없다.

이처럼 계는 살아 숨 쉬는 생명이다. 생명의 본질은 원융무애하다. 죽은 규범에 꺼들리지 않는다는 말이다. 그러나 계가 막힘 없는 생명체라 하여 이를 아전인수 식으로 해석하여 거리낌 없이 파계를 저지르는 불자들은 그 죄를 수미산 바위가 다 닳도록 갚기 힘들다. 더구나 수계를 하나의 요식적인 행사나 통과의례쯤으로 알고 돌아서면 곧장 파계하는(파계한다는 의식조차 없이) 요즘 일부 젊은 스님네들은 차라리 계를 받지 않음만 못한 경우가 많다.

구족계를 받아 비구가 되었다는 것은 무슨 감투를 쓴 것도 아니며, 자격증을 딴 것도 아니다. 그러나 요즘 일부 젊은 스님들을 보면 수계한 것을 '중이라는 직업의 자격증' 쯤으로 여기는 가벼운 사람들이 많다. 이것은 계의 본뜻에서 아득히 동떨어진 이야기들이다.

계는 그릇이다. 부처님 법을 담고 깨달음을 담는 그릇이다. 빈 그릇만 들고 애지중지하는 것도 어리석은 사람이고, 날마다 그릇을 깨뜨리는 사람도 부처님 세계와는 인연이 없는 사람이다.

수행자의 음식과 비룡 스님의 벽곡

절 음식은 채식을 기본으로 하되 자극성이 강한 마늘·무릇·김장파·달래·실파 등 오신채는 제외한다. 같은 채소라지만 맵고 냄새가 진한 오신채는 신경을 자극해 아무래도 수행자에게는 보탬이 되지 않기 때문이다.

스님들 중에는 생식을 하는 이가 더러 있다. 이는 운수납자의 길을 걷는 데 간편함을 도모하다 보니 생긴 식사법이다. 보통 사람으로서는 하기 힘든 것이 생식이다. 이 생식보다 더 어려운 식사법이 벽곡이다. 곡식이라고는 아예 입에도 대지 않는 벽곡은 맛이란 걸 철저히 포기해야만 가능하다.

비룡 스님은 일체 곡식을 입에 대지 않고 벽곡만을 30년간이나 한 사람이다. 나이가 비슷하고 해인사 총림에서도 같이 지낸 적이 있는 비룡은 나와 뜻이 맞았던 스님이다. 서로 뜻이 맞다보니 유유상종이라, 운수시절에는 여러 해를 함께 보냈다. 말이 조금 어눌한 편이었지만 달밤에 봐도 그 풍모가 틀림없는 중인 비룡 스님은 지금 오대산 월정사 조실로 있다. 시끄럽고 시비 많기로 유명한 오대산에 천진하고 단순하기가 어린애 같은 비룡 스님이 들어앉은 이후로는 조용하니 모두 노장이 덕이 있는 까닭이다. 한창 시끄러울 때 스님을 그곳 조실로 모셔두고 온 것은 아무리 생각해도 잘한 일 같다.

남쪽의 작은 섬 보길도에는 이름처럼 숨어 있는 남은사라는 절이 있는데, 비룡 스님과 그곳에서 1년 정도 지낸 적이 있다. 섬에 절이 하나 있다는 소식을 듣고 중들이 찾아간 것이다.

보길도는 여기서 아무런 언급도 않고 지나치기에는 아까울 만큼 원시적인 아름다움이 잔잔했던 섬이다. 남은사를 더없는 절터로 자리 잡아 준 것은, 초저녁이나 새벽녘에 잠깐씩 떠오르는 남극성이다. 비추는 데가 흔하지도 않으며, 춘분·하지·추분·동지 1주일 전후로만 빛을 보여줘 더욱 귀한 별이 남극성인데, 예전에는 길성이라고도 했다. 이 별이 비치는 곳에 살면 오래 산다고도 해 사람들이 노인성이라 부르기도 했다.

보길도는 겨울에도 눈이 내리지 않을 만큼 따뜻하며, 청명한 날에는 추자도는 물론 제주도에서 말들이 풀을 뜯는 모습까지도 보인다고 할 정도다. 밭에서 금방 뽑은 무는 배처럼 달고 시원하다. 비룡 스님, 금오 스님 등과 처음 그곳을 찾았을 때는 딴 세상으로 들어간 듯 경이로웠다. 산꼭대기로부터 들어찬 밀림은 총알도 빠져 나가지 못한다고 말할 정도로 빽빽했다. 특히 열매 모양은 도토리처럼 생겼으나 밤맛이 나는 가시나무는 섬 곳곳에 깔려 있었다. 우리는 가끔 그것을 따다가 밥에 안쳐 먹었는데 영락없는 밤맛이었다.

사람이 적어 듬성듬성한 집들, 자동차 구경을 못해 본 아이들이

사는 보길도는 그대로 원시시대였다. 그 원시시대를 깨우는 것은 어쩌다 섬을 가르며 지나는 비행기 소리였다. 6·25 때도 인민군이 들어가기는 했으나 전투 한 번 없이 지나친 곳이었다. 그렇게 언제까지나 조용하기만 할 줄 알았던 그 섬도 얼마 못 가 문명의 이기가 들어가고 말끔히 닦은 길에는 자동차가 흔해진 관광지로 변했다. 사는 것이 천진하고 단순했던 보길도 사람들은, 아는 것이 많으나 복잡하고 걱정 많은 뭇사람들이 잃어버린 순진한 맛을 생각나게 했다. 지혜가 빠진 발전은 순진성을 파괴해야만 가능하다. 육지의 때가 차단됐던 보길도는 비룡 스님 같은 태고적 마음을 지닌 이에게 잘 맞는 섬이었다. 남은사는 후에 비룡 스님이 절 이름을 금강사로 고쳤으나 여전히 옛 이름으로 불리고 있다.

비룡 스님이 벽곡을 시작한 것은 떠돌이 생활을 편하게 하기 위해서였다. 조그만 보따리 하나면 다른 사람에게 폐를 끼치지 않고도 몇 달이고 해결할 수 있으니 일단 어디를 가든 편리하다. 건강이 목적이 아니었으나 아팠던 다리가 벽곡 이후 나아지는 효과도 봤다. 비룡 스님은 아무렇지도 않게 30년간이나 벽곡을 했지만 보통 결심으로는 하기 힘들다.

벽곡에 중요한 재료가 적송피로, 산판하는 데 가서 한 번씩 사는 껍데기의 양은 몇 십 년 먹을 양이다. 한 끼에 겨우 두 알 정도가 정량이기 때문이다. 삶아서 도끼로 자르고 하는 여러 과정을 거친 적송피는 또 다른 몇 가지의 재료와 섞어 말린 후 꿀에 개어

다식같이 만들면 두고두고 스님의 양식이 된다. 정식으로 한다면 과일도 먹지 않아야 한다. 그래야만 조화가 일어나는데 스님은 편리를 위해서 했지 신선이 되려고 한 것이 아니라서 화식을 제외한 과일·채소 등은 모두 먹었다. 귀하던 과일도 그의 복인지 벽곡 후에는 과일이 지천으로 흔해졌다. 적송피를 제대로 벽곡한다면 몇천 년을 산다고 전해진다.

적송피보다 더 힘든 벽곡이 솔잎이다. 적송피는 윤기라도 있으나 솔잎은 건조해 먹기가 더욱 어렵다. 솔잎만 먹으면 위장도 말라붙는다. 옛날에는 솔잎으로 벽곡하는 도인들이 더러 있기는 했지만 역시 아무나 할 수 있는 것은 아니다. 사불산 대승사 시절에 나도 해보겠다고 솔잎 벽곡을 며칠 해봤는데 구역질이 나고 속이 뒤틀려 실패했다. 나뿐만이 아니라 함께 한 사람들 모두 도중하차 했다. 송송 썰어 먹는 솔잎 벽곡이 너무 어려워 느릅나무 껍데기를 가루로 만들어 물에 타 먹기도 했다. 뽕나무 잎사귀를 말린 가루를 먹은 적도 있는데 윤장제가 돼 위장이 상당히 부드러워졌다. 명주실이 나오는 뽕나무 잎사귀를 타 먹으면 숟가락에 죽처럼 딸려올 정도로 진기가 있었다. 그러나 우리 근기에는 힘이 들어 결국 한 달 만에 포기하고 다시 생식으로 돌아갔다.

나는 음식을 가린 적이 없고,
관심을 가진 적도 없다

나는 음식에 대해 관심을 가지고 먹어본 적이 없다. 어려서는 파란 속에서 자라 먹는 것에 대해 관심을 가질 만한 여유가 없었다. 출가 후에는 절에서 주는 대로 먹었고 당연히 육식은 하지 않았다. 일본 유학시절에 무리한 고생을 하다가 폐결핵을 얻어 고생을 조금 했을 뿐 타고난 건강은 무엇이든 들어가는 대로 소화시켰다. 먹는 것에 관심이 없던 내가 처음으로 생식을 했던 것은 왜정 때 학병 징집을 피해 산속으로 돌아다닐 때였다.

폐결핵으로 휴학계를 내고 나와 학적을 두고 있던 당시, 학생들은 학도병으로 붙들려갈 때라 잡혔다 하면 끝이었다. 그때 한두 살 많은 자운 스님은 북해도까지 붙들려갔다. 나와 성철 스님을 포함한 우방·윤포산·해천 스님은 징집을 피해 사불산에서 같이 지냈다. 면서기들은 만만한 사람들은 모두 붙들어 갔고, 우리는 하루 종일 이 산에서 저 산으로 헤매 다니며 생식을 했다. 사람을 잡으러 온갖 곳을 다 뒤지는 일본인들이었지만 산에는 얼씬도 하지 않았다. 일본 사람들에게 한을 품은 사람들이 산감독하러 나온 일본인을 지게고리로 묶어 나무에 매다는 일이 종종 있었기 때문이다. 우방 스님은 그래도 수행을 하겠다며 문 앞에 신문지를 가려놓고 신까지 준비해 여차하면 도망칠 채비를 차려 놓고 정진했다. 이때 벽곡을 시도했던 것인데 힘이 들어 생식으로 후퇴했다. 생식은 한 1년간 별 탈 없이 잘했으나 광복이 되는 바람에 그만뒀다.

우리가 함께 돌아다니며 정진했던 사불산 대승사는 지금의 예천 비행장 뒤쪽에 위치한다. 태백산에서 영주와 풍기로 넘어오면 소백산인데 거기서 멈추지 않고 계속 서쪽으로 뻗어 나온 곳이다. 사불산은 사면에 바위들이 천연적으로 불상 모습을 한 데서 유래된 지명이다. 사불산에서 한 가닥 건너면 운달산의 김용사이고, 운달산에서 하나 더 건너뛰면 문경의 조령이며, 약간 내려와 자리한 백화산을 지나면 봉암사 가람이 들어앉은 희양산이다. 거기서 뻗어 나온 줄기가 원적사가 있는 청화산을 이루니, 모두가 지척지간이다. 청화산에서 한 발 건너면 속리산인데, 속리산을 뒤돌아온 게 도장산이며 한 가닥 위쪽으로 올라간 줄기가 계룡산 쪽으로 뻗어나고 덕유산을 통해 지리산으로 달려가던 또 한 줄기의 산맥은 잠시 숨을 멈추었다가 해저를 뚫고 마침내 제주도 한라산에 도착한다.

나는 이제껏 음식을 가린 적이 없다. 절에서는 으레 육식을 안 했지만, 일본에서 학승으로 있을 때는 육식을 안 하는 것이 불교라는 관념이 없어서 반찬으로 어묵이 나와도 가리지 않고 먹었다. 물론 제2의 천성인 습관이라는 게 있어 절에서 오신채를 넣은 음식을 먹지 않아, 처음에는 마을에서 젓국이나 파, 마늘 등의 양념이 들어간 음식을 먹으면 몹시 비위가 틀렸다. 나이가 들어 만행을 한다고 이것저것 가리지 않게 되니 요즈음은 또 마늘 든 음식이 비위에 맞는 것도 같다. 그러나 음식은 가리지 않는 게 나의 원칙이다.

스님들은 물론 육식을 하지 않으며, 육식은 건강에 그리 좋을 것 같지도 않다. 톨스토이는 "인간이 진정한 문화를 이루었다면 식탁 위에 시체가 오르지 않으리라"했다. 일리가 있으면서 참으로 절실한 말이다. 문호라고 하더니 역시 문호는 다르다 싶은 깊은 감명을 받았다. 그에게 문호라는 칭호를 붙일 만한 특별한 사람이라는 것을 또 다른 말에서도 발견했다. 그는 "맑고 신선한 아침에 독서를 하면 죄악이니 독서는 온종일 활동한 후 피로가 쌓인 취침 때나 하라"고 했다. 맑은 공기 속에서 자기 생명을 무시하고 남의 정신, 남이 살아가는 찌꺼기나 보는 독서는 죄악이니 자기 정신을 차려 살라는 소리다. 이 정도면 문호도 위대한 종교가라 할 만하다.

이 밥을 받는 것은 도업을 성취하기 위함이다

　인간의 식욕은 재색, 명예, 수면욕과 함께 오욕에 속할 만큼 끝이 없다. 욕심 여하를 막론하고 살아가는 데 반드시 필요한 것이 음식이기도 하다. 그렇다면 수행자들은 음식을 대하는 태도를 어떻게 가져야 할까.

　승려의 세계에서는 육식·채식을 막론하고 나름대로 철저한 철학을 가지고 음식을 대한다.

　"이 밥을 받는 것은 도업을 성취하기 위한 것이다. 그러니 맛을 찾지 말고, 좋은 약으로 보라. 이 마른 형해形骸를 치료하기 위해 받아먹는 양약이다."

　승려는 음식을 맛을 위해 먹는 것이 아니라, 마른 고깃덩어리를 치료하고 건강한 몸을 유지하기 위한 양약으로 받아먹어야 한다. 가장 잊지 말아야 할 것은 시주의 은혜이다. 시주는 자기가 올린 공양으로 인해 스님이 부디 도업을 이루기를 바라는 간절한 마음을 잊지 않고 있으니 스님 또한 잊어서는 안 된다. 설령 시주가 무상보시의 마음을 잊더라도 수행자는 그 은혜를 결코 잊어서는 안된다. 그러니 무슨 맛을 취하겠는가.

　공양 시간이면 수행자들은 반드시 심경을 외우며 먹는다. 농사는 소와 사람이 땀을 흘려 짓지만, 굼벵이나 개미 등 땅에 사는 벌레들이 많이 다치므로 방생에 피해가 많은 게 식량이다. 수행자들은 온갖 희생 속에서 만들어진 음식을 양약으로 먹고 도업을 성취해 일체 방생, 중생의 은혜를 모두 갚아야 한다. 심경에는 당연히 맛이나 위생을 취해 먹으라는 소리는 한마디도 없다. 오직 약으로써 감사하는 마음으로 먹으니 건강할 수밖에 없다. 이에 비해 세상 사람들은 맛이 있으면 맛있게 받아먹으나, 맛이 없으면 상을 찡그리고 좋지 않은 마음으로 받아먹으니 이미 정신 건강상 좋지 않을 게 뻔하다. 불가에서는 맛이 있든지 없든지 보은의 마음을 지니고 골고루 먹어야 하며, 보은하는 마음은 의무이다.

절 음식 중에 정력을 가라앉히는 음식이 있다는 속설을 들은 적이 있다. 고소라는 채소가 그중의 하나인데 전혀 근거 없는 소리다. 우리 쪽에서는 독신 생활을 하는 승려가 기운을 자제하는 음식 운운하나 중국에서는 오히려 조양 식품으로 친다. 아마 말하기 좋아하는 어느 말쟁이가 책임 없이 늘어놓는 소리가 떠돌았을 것이다.

부처님은 모든 맛이나 영양은 중생의 업으로 생긴다고 가르쳤으니, 불가에서는 음식에 대해 이러쿵저러쿵 따지는 법이 없다. 《능엄경》에는 맛이 어디로부터 오는가를 따지는 글귀가 있다. 부처님은 맛이 오는 처소는 따로 있지 않고 업에 있다고 했다. 똑같은 음식이라도 맛있게 먹을 수 있고 없고는 물건 자체에 있는 것이 아니라 먹는 사람의 업에 달렸다는 말이다. 어린아이들이 맛있다며 먹는 주전부리를 어른들은 입에 대려고도 하지 않는 것은, 맛이 업력에 있다는 부처님의 말씀을 증명해 주는 좋은 예다. 무엇이든 자기 속이 편하면 소화가 잘되고 불쾌하면 금방 체하고 토하는 것은 또 어떤가. 부처님 말씀 속에는 그러니 좋은 요리를 해 먹으려고 애쓰지 말라는 당부의 소리도 들어 있는 것이다.

비구는 얻어먹는 사람

어느 신문의 발표에 의하면, 종교인들이 가장 장수하고 문인들이 가장 단명한다고 했다. 종교인들이 장수한다는 말은 일리가 있다. 아무래도 생각이 단순하고, 되도록 희비에 휘말리는 심각한 쪽은 피하는 게 종교인이다. 욕정을 발산하지 않을수록 오래 사는 법이니, 희로애락을 비껴 안정된 중용의 길을 걷는 종교인들은 오래 살 수밖에 없다. 종교인 중에서는 특히 스님네들이 장수하는 경우가 많은데, 공기 맑은 곳에서 사니 당연한 결과다. 반면 문인들은 다정다감하고 인생의 희로애락을 누구보다도 절실히 안고 살아가는 사람들이다. 그러다 보니 감정 폭발이 많아 생명을 단축시킨다. 짐승도 감정 변화가 많은 짐승일수록 오래 못 산다고 한다.

부처님 말씀에 하룻밤 하루 낮에 만 번 죽고 만 번 난다고 했다. 하루살이에게는 하루가 일평생이라, 그동안 결혼해 아들딸까지 낳고 생을 다한다. 같은 인간이라도 50년을 사는 사람이 있고 더 오래까지 사는 사람이 있다. 색계·욕계·무색계의 삼계가 있어 사왕천의 50년은 도리천의 하룻밤이라고 하니, 인간이 정해놓은 하루라는 시간은 별 의미가 없게 된다. 이런 것을 보면 우리가 음식을 잘 먹는다고 해서 건강하고 오래 사는 것은 아니다. 일일일야에 만생만사하는 틈에 무슨 좋은 음식이 들어갈 자리가 있겠는가. 순전히 업일 따름이다.

인생도 백 년 천 년 산다고 하나 자기 업력으로 맛보고 희로애락을 느끼는 것이지 당체에 있는 것은 아니다. 내외간에도 다정다락을 느끼는 것이지 당체에 있는 것은 아니다. 내외간에도 다정다감하게 사는 사람이 있는 반면, 미인을 데리고 살더라도 서로 반목하며 어쩔 수 없이 사는 경우도 있다. 서로 살아가는 일도 모양이 아닌 업력에 달린 것이다. 설령 미인이라 하더라도 얼마나 가겠는가. 시간의 흐름은 빨라 잠깐 사이에 할망구, 영감이 된다. 껍데기에 정신이 팔려 몇 푼어치도 못 되는 삶을 살아서는 안 된다.

음식 이야기 끝에 여기까지 오게 됐으나, 깊이 들어가 보면 아무것도 아닌 그림자 같은 인생이다. 거기에서 희로애락을 느끼는 것은 자기 업력이니, 썩어 빠진 음식이라며 위생 관념 가지고 안 먹는다고 해서 반드시 건강이 지속되지는 않는다. 위생적으로 먹어도 암이 생기려면 생긴다. 비구는 얻어먹는 사람으로 배만 채우면 된다. 그래도 병이 없는 이유는 병이 된다는 관념 없이 만족하게 먹어 독소가 생기지 않기 때문이다. 감사하게 먹을 뿐 건강에 대해서는 관심조차 없으니 독주를 마셔도 상관없다. 스님이 성인병에 걸렸다는 소리는 듣기 어렵다. 오히려 위생과 건강에 신경 쓰는 사람일수록 병약하고 오래 못 산다. 참으로 묘한 이치다.

세상이 살기 좋아지니 먹는 것에 관심이 많아진 모양이다. 장사꾼들이 엉터리로 만든 건강식품이라는 것이 불티나게 팔린다고 하는 걸 보니 말이다. 요가니 뭐니 별것으로 판을 치는 세상에 승려들도 한몫 끼어 기공법이니 요혈법이니 해서 치료를 한다고 설친다. 조사까지 끌어다가 팔아먹는 세상이 돼버렸다.

살구나 신 과일은 바라만 봐도 입 안에 저절로 침이 생긴다. 그 까닭은 무엇인가. 관념에 의한 분비 작용이니, 어찌 일체유심조라 하지 않을 수 있겠는가.

미국 부처여, 자유를 찾으라

몇 해 전 미국에 갔다. 우리 불교계에도 용기와 개척 정신, 보다 큰 자비심을 가진 스님들이 있어 미국 전역의 교포가 살고 있는 지역에 법당을 짓고 부처님의 법을 가르치는 도량을 세우기 위해 노력하고 있음을 보고 참으로 흐뭇했다.

LA와 같이 교포들이 밀접한 지역에는 사찰도 많았고, 교회도 많았다. 다 그런 것은 아닐 테지만 내가 본 몇몇 지역에서는 불교 사찰과 기독교의 교회가 매우 사이좋게 공존하고 있어 뜻밖의 감동을 받았다.

내가 절에서 법문을 하니 많은 기독교인이 와서 함께 부처님의 가르침을 들었다. 불교 신자들 중에서도 어느 교회에 한국에서 오신 훌륭한 목사가 설교를 한다면 짐짓 찾아가 그 가르침에 귀를 기울이는 사람이 없지 않았다. 적어도 그곳 분위기는 그랬다.

절이니 교회니 하는 장소가 한국에서처럼 단순한 종교적 집회소의 차원에 그치는 것이 아니라 이역 땅에 외롭게 떨어져 사는 사람들이 핑계만 있으면 모이는 사랑방 같은 곳, 동네 어귀의 정자나무 같은 역할을 하는 모양이었다.

그러나 설혹 그렇다 하더라도 다른 종교에 대한 열린 마음, 포용하는 가슴이 없으면 이런 일은 불가능하다. 왜 미국에 사는 사람들은 같은 한국인이면서도 이처럼 종교적 벽을 허물고 열린 가슴을 지니게 되었을까.

인간이 깨닫든 깨닫지 못하든 우주와 생명의 본체는 변함없다. 본래의 진리 쪽에서 보면 인간들이 만들어놓은 온갖 종교적 도그마와 의식과 교리들은 실로 우습기 짝이 없는 것이다. 넓은 세상에서 살다 보면 자연 의식 규범이나 교리에 꺼들리지 않고 보다 본질적인 영역으로 사고가 확대되는 것이 아닐까.

미국은 넓은 세상이었다. 그 자체가 하나의 세계라는 말이 빈말이 아니었다. 공간만 드넓은 것이 아니라 사람들의 정신세계도 그만큼 넓고 다양했다. 다양하다는 것은 풍요롭다는 말과 같다. 미국 문화의 그 같은 풍요가 오늘날 세계의 중심이 되게 하는 원동력을 불어넣어 준 것 같다.

그러나 시간이 지날수록 이 드넓고 풍요로운 미국 사회에서 내가 느낀 것은 정신의 빈곤과 방향 상실이었다. 풍요라고 생각되던 것은 사실은 지리멸렬, 좌충우돌의 혼란 그 자체였다. 미국인들의 얼굴은 앞에서 보면 자신감과 만족감이 넘쳐흘렀고, 무엇이든 해낼 수 있을 것 같은 힘이 보였다. 그러나 그들의 뒷모습에는 예외 없이 삶의 비애 같은, 짙은 슬픔을 외투자락처럼 끌고 다니는 처량한 모습이어서 연민을 금할 수 없게 만들었다. 동물을 볼 때도 덩치가 큰 동물일수록 연민도 커지는 법인데 이 경우에도 해당하는 것인지 모르겠다. 걸핏하면 이혼하고 또 다른 상대와 결합하는

그 자유로운 나라의 가정을 지키는 기둥은 무엇일까. 생각하면 서글픈 일이 아닐 수 없다.

어떤 경로로 내 이야기를 들었는지 모 대학의 철학 교수 한 사람이 찾아왔다. 그와 이야기를 나누어 보니 동·서양의 철학 사상에 대해 모르는 것이 없었다. 하긴 그 정도이니 교수라는 직업을 가졌을 것이다. 그러나 그는 그 이상도 그 이하도 아니었다. 철학은 철학일 뿐이며 사상은 사상일 뿐이었다. 거대한 백화점처럼 많은 지식을 담고 있는 그의 머리는 여전히 허전했고, 돌아서는 그 어깨는 연민을 불러일으켰다. 지식이 끊어지는 곳, 그곳으로 한 걸음 더 내딛지 못하고서는 여러 평생을 철학이라는 이름의 학문에 바쳐도 근본 진리에 도달하지 못한다는 것을 그에게 설명했다. 그는 머리를 끄덕이고 수긍했으나 "나는 그 한 걸음을 끝내 내딛지 못할 것이다. 이것이 서양 문화의 한계다"라고 고백했다.

"당신 자신이 본래 부처다. 그것을 깨달으라. 불교는 자각의 존재다. 자각을 방해하던 온갖 지식의 포로가 되지 말고 이제는 자유를 얻으라."

그는 이번에도 수긍했으나 "어렵다"고 어깨를 움찔했다. 이것이 문화의 장벽이라는 것이다. 2천 수백 년 때에 전 지식의 울타리를 깨고 나오기가 힘들어 교수는 절망하고 있었다. 미국의 부처들은 아직 서양 문화의 껍데기를 깨고 나오기에는 역부족인 그런 모습이었다. 그러나 그 부처들도 부처인 이상 조만간 자각의 큰 길을 찾게 될 것이다. 그 길을 우리가 가르쳐 주지 않으면 안 된다. 지난날 서양인들이 합리적 사고와 과학문명을 동양에 전수하기 위해 왔던 그 길로 이번에는 동양의 지혜, 자각과 완성의 지혜가 흘러가야만 한다.

미국 부처, 인도 부처

불교의 발상지인 인도를 여행하는 즐거움은 각별했다. 기대가 컸다는 것이 옳은 말일 것이다. 10여 년 전의 일이었다.

불교는 쇠하여 없어졌지만 유적지는 찬란하게 남아 있었다. 아잔타 사원과 부처님의 진신 사리를 봉안한 사리탑들은 사람의 힘으로 한 것인지 의심스러울 만큼 나그네를 압도하였다. 힌두교의 교리와 풍습 속에 언뜻 불교의 또 다른 모습이 남아 있었다.

인도 사람들은 외양에 있어서는 부처님과 비슷한 행색이었다. 갠지스 강가에는 수많은 도인, 수행자들이 줄지어 앉아 있었다. 육체는 하잘것없는 그림자라는 듯이 방기한 표정으로 앉아 피골이 상접한 채 누가 주면 얻어먹고 안 주면 그만이었다. 불볕의 길거리에도 그런 수행자들이 지천이었다.

인도에서 가장 나의 관심을 끈 것은 죽음을 바로 옆에 끼고 사는 그들의 태도였다. 갠지스 강가에는 하루에도 수십 구의 시체를 가지고 와서 화장하는 모습이 보였다. 왜 강가에 와서 화장을 하는지 이유를 물어보니 대답이 이랬다.

"갠지스 강은 성류다. 그래서 온 국민이 생전에 그 강물에 발 한 번 적시고 오는 것이 소원이다. 거리가 멀고 가난하여 평생 벼르기만 하다가 끝내 찾아오지 못하고 목숨을 다하는 사람이 많다.

이런 사람들이 죽으면 그 후손들이 마지막 소원이나마 풀어주고 사후에 안락한 곳으로 보내기 위해 성류의 강가에 와서 화장을 하고 그 뼈 가루를 강물에 뿌린다."

한꺼번에 서너 구의 시체를 화장하는 경우도 있었다. 그렇게 시체를 태우고 있는 바로 옆에서 여자들은 빨래를 했고, 아이들은 천진스럽게 시체와 빨래하는 여인들 사이를 누비고 다니며 장난을 치며 놀았다.

어디선가 시체가 자꾸만 실려 왔다. 긴 대나무 작대기 두 개에 거적대기를 대어 그 위에 시체를 얹은 후 하얀 보자기 한 장을 덮어씌운 것이 전부였다. 이런 모습으로 가족 몇이 뒤따르면서 몇백 리를 걸어온 행렬도 있었다. 가족들의 차림은 장례식이라 하여 별다른 예복을 입은 것이 아니라 평상복이었다. 눈물을 보이거나 소리 내어 우는 사람은 한 사람도 없었다. 들에 나가 농사일을 하는 것처럼, 아주 자연스럽고 일상적인 표정들이었다.

화장은 너무나 간단해서 돈도 들지 않을 듯 싶었다. 시체에 제대로 옷을 입혔는지 말았는지 모를 정도로 시신의 살이 드러나 있었다. 타다 남은 몸의 일부가 비어져 나오면 쇠꼬챙이로 고기 굽듯이 뒤적이며 불 속으로 밀어 넣었다. 옆에서 빨래하는 여인들이나 장난하며 노는 아이들은 그런 광경에 무심했다.

완전히 태우는 것도 아니었다. 나무가 다 타버렸는데도 시체가 아직 남아 있으면 고기밥을 주려는지 그냥 그대로 강물에 던져버렸다. 바로 아래에서는 그 물에 목욕을 하는 사람들이 와글거렸고, 더러는 두 손으로 떠서 마시는 사람도 있었다. 성수였기 때문이다.

나는 처음에 그 물에 손도 넣기 싫었다. 그러나 다시 생각해 보니 원효 스님이 마셨던 해골바가지의 물도 바로 저런 것이 아니었겠나, 하는 생각이 들었다. 이 사람들에게는 이보다 더 깨끗하고 신성한 물은 다시없을 것이다. 이 물을 마시고 죽었다는 사람들이 많았으면 아무리 인도 사람들이라 하더라도 저렇게 살겠는가. 위생 관념이라는 것도 생각 나름이라는 것을 갠지스 강의 풍경은 생생하게 보여 주고 있었다.

미국과 달리 인도의 부처들은 현실에서의 삶과 죽은 뒤의 세계를 일치시켜 놓고 있었다. 삶과 죽음의 경계도 아주 희미했다. 힌두교의 독특한 내세관 때문이었겠지만 모두들 초연했고, 도인 같았다.

물질의 풍요를 구가하면서도 유한한 시간과 삶의 질곡 속에서 사냥꾼에게 쫓기는 짐승처럼 헐떡이며 살고 있는 미국 사람들이나, 삶과 죽음의 경계조차 희미할 정도로 정신의 평안을 취하며 살고 있는 인도 사람들이나 근본이 부처임에는 다르지 않다. 죽어서 돌아갈 극락과 지옥의 번지수가 다른 것은 물론 아니다.

인간의 집단이 한 지역에 오래 머물면서 생성해놓은 것이 문화라는 것이고, 이 문화 속에서 종교적·철학적인 사유의 틀이 짜인다. 지옥과 극락도 생겨난다. 그중에 어느 것 하나 절대적이고 영원한 것은 없다. 세상을 돌아다니며 구경한다는 것은 이 평범한 이치를 확인하러 다니는 것 외에 달리 소득은 없다.

　미국 사람도 인도 사람도 본래 부처임에는 틀림이 없건만 살고 있는 모습이나 죽어 돌아갈 자리는 천만 리 아득한 것처럼 보인다. 그러나 그것도 결국은 같다. 본래의 자기 모습을 깨달으면 미국도 인도도 러시아도 아프리카도 차이가 없으며 이 세상의 수천 가지 종교와 그들이 만들어낸 신들의 주소도 모두 일치한다. 그 주소는, 다름 아닌 마음이다.

따뜻한 남쪽 나라, 거제도

　거제도의 바닷가에 내려와 산 지 1년이 넘었다. 1994년 4월 26
일 종정 직을 사퇴하고 종단을 떠나면서 나는 당분간 사람들의 눈
에 띄지 않는 한적한 곳에서 살기로 작정했다.

　내가 무슨 죄를 지어 숨어 살고자 했던 것은 아니었다. 이미 시
비의 마당을 떠나버렸는데도 여러 곳에서 나를 고리로 한 시비가
끊이지 않았고 앞으로도 한동안 그 같은 시비가 일어날 것으로 생
각되어 나는 '잠적'을 택할 수밖에 없었다. 잠적해야 할 시기는
새 종단이 출범하는 1994년 가을로 종헌의 개정과 새 총무원장을
선출하는 때까지로 잡았다.

　그래서 거제도의 한적한 바닷가로 내려온 것이었다. 그래도 내
발길을 좇아 찾아온 몇몇 사람이 "이래서는 한국 불교가 위태롭
다. 잘못된 것을 지금이라도 앞에 나서서 바로잡아야 한다"고 권
했으나 나는 그런 사람들을 물리치고 찾아오지 못하게 했다.

　여름이 되자 나의 거취가 소문나서 종단의 원로와 간부 여럿이
서 나를 찾아 내려왔다. 그들이 충무인가 어디쯤 내려와 있어 내
일 거제도로 온다는 소식을 듣고 나는 자리를 피했다. 어떤 사람
을 만나더라도 내 진의는 왜곡될 것이고, 그들은 그들 나름의 입
장을 가지고 내 뜻과는 상관없이 나와의 만남의 의미를 만들어 공

표할 것이기 때문이었다.

그 덕택에 나는 모처럼 누렸던 평화와 적정을 다시 잃었다. 서울과 경기도, 강원도 등지를 돌며 한동안 헤매다가 가을의 어귀에 들어서야 다시 거제도로 내려왔다. 그때부터 지금까지 잠시 법회에 참석하기 위해 나들이를 한 일 외에는 이 바닷가 마을을 떠난 일이 없다. 11월에 새 종단도 출범했으므로 이제는 나의 존재가 조계종단 내부의 갈등에 아무런 불씨가 되지 않을 것이라는 판단 아래 공개적인 자리에 나가 법문도 하고, 기자든 신도든 멀리 찾아온 사람을 피하지도 않는다.

우리 땅 어디든 아름답지 않은 곳이 없지만 거제도의 남쪽 해안에서 바라보는 남해는 너무나 아름답다. 커다란 호수 같은 다도해의 물빛은 맑고 투명하다. 섬 사이로 활짝 열린 수평선은 막힌 가슴을 시원하게 뚫어 준다. 여름에는 태평양을 건너온 바람이 옷깃을 흔들고, 겨울에는 따뜻한 태양이 마음을 따사롭게 비추어 준다. 집 주위에는 겨우내 동백꽃이 붉게 피고, 옆집 텃밭에는 상추와 파가 푸르게 자란다. 그야말로 '따뜻한 남쪽 나라'가 바로 이곳이다.

한 가지 흠이 있다면 바닷가가 되어서 바람이 자주 불고 세게 분다는 점이다. 갑자기 바람이 일어 창문을 거세게 흔들다가도 어느 사이에 바람이 자고 고요한 바다 위로 잔잔한 달빛이 흐른다. 변덕이 심한 편이다. 바람이 분다고 파도가 이는 것은 아니다. 파도는 먼 바다에서 바람이 바다의 심장을 때리면 일렁거리는 여파가 육지로 몰려드는 것이니 해안에서 건뜻 부는 바람에는 기껏해야 하얀 이빨만 드러낼 뿐이다.

오히려 바람도 없고 하늘은 고요한데 파도가 우뚝 일어나 거세게 몰려오는 때가 있다. 이런 날은 부산에서 배편으로 오기로 했던 신도나 스님들이 뱃길이 묶여 오지 못하고 안타깝게 전화만 해댄다.

가끔 찾아오는 신도나 스님들이 이런 말을 자주 한다.

"바다에는 많은 해조류가 자라고 있어 손쉽게 구할 수 있을 테고 해조류는 대부분 장수식품이고 맛도 좋은데 바닷가에 사시면서 왜 그런 음식을 잡숫지 않습니까."

다른 사람들에게 해조류가 맛이 있는지 몰라도 나에게는 그렇지 않다. 나는 특별히 좋아하는 음식은 따로 없고 싫어하는 음식이 있으니 죽과 진밥이다. 어려서 가난하게 살던 시절 그저 배만 채우기 위해 멀건 죽만 먹고 살았던 기억이 아직도 내 목구멍과 입에 거부반응으로 남아 있는 탓일까, 죽이라면 아무리 귀한 것을 넣고 끓여도 다 싫고 죽 비슷한 진밥도 같은 이유로 좋아하지 않는다.

그 두 가지만 아니라면 바다의 해조류든 육지의 채소류든 가리지 않는다. 그러나 아무래도 내륙의 산골 마을에서 자랐기 때문에 바닷가에서 태어나 자란 사람들에 비해 해조류 입맛에 길들여질 겨를이 없었다. 그러므로 그런 음식을 일부러 찾아 먹을 마음은 일지 않는다. 바닷가에 살자면 입맛까지 바다에 친해져야 하는데 나는 아직 그 경지에 이르지는 못하였다. 앞으로도 어려울 것이다.

이곳에 온 이후 봄과 여름 동안에는 숨어서 사는 느낌이 들었는데, 11월에 새 총무원이 출범하고부터는 찾아오는 사람을 마다하지 않았고, 대중이 모여 청하면 나아가 법상에 앉는 수고를 아끼지 않았다. 그래서인지 가까운 부산, 마산, 진주, 창원, 대구 등지에서 법회를 열어 나를 청하는 일이 잦아지고 있다. 나를 청하기 위해 일부러 만든 법회도 많다. 그럴 때마다 하루나 이틀쯤 이 바닷가를 떠났다가 대중을 만나 부처님의 법을 전한 후에는 다시 돌아와 쉬었다.

이 섬에는 절도 많고 신심 깊은 신도들도 많다. 불교청년회도 있다. 그들과 만나 이야기를 나누면 늘 즐겁다. 잠시지만 종정 직에 있었을 때 내 언행은 늘 한국 불교도 전체를 향하여 열려 있었다. 지금은 그 범위가 좁아져서 작은 섬의 신심 깊은 어부들이나 장사꾼, 이런 사람들 한 사람 한 사람이 나의 법우들이고 도반들이다. 그 차이는 아무것도 없다. 인연 따라 중생을 제도하면 그것이 곧 중이 된 사람의 소임일 테니까.

지금 살고 있는 집은 나에게는 여간 호사스럽지 않다. 건설업을 하는 분이 자신이 쉬기 위해 지은 집이기 때문에 '별장'이라 불러도 되겠지만, 사실은 그 사람도 수수한 사람이어서 마을의 다른 집들과 다름없는 평범한 시골집이다. 그러나 중이 살기에는 너무 호강스럽다. 보일러 장치가 된 방은 마음만 먹으면 언제든지 따뜻하게 덥힐 수 있고 부엌은 편리하여 혼자서 밥 지어 먹기에 그만이다. 가끔 공양주 보살들이 자원하여 찾아와 며칠씩 공양을 지어 주다가 가는 일도 있고, 봉암사나 원적사에서 인연이 있었던 수좌들이 찾아와 시봉을 하기도 하지만 오래 가지는 않았다. 나는 아직 건강하고 기운이 있으니 혼자서 다 해결할 수 있고, 그렇게 하는 쪽이 편하다.

내게 남은 시간이 많지는 않다. 그동안 부처님의 덕을 입어 내가 조금 배운 것이 있고, 스스로 마음 밭을 갈아 거둔 열매가 다소라도 있다면 그것을 사람들과 나누는 일에 모든 힘을 다 쏟을 작정이다. 종단이니 뭐니 하는 것을 떠나 부처님의 가르침 그것만을 생각하게 되니 여간 홀가분하지 않다. 이 또한 부처님의 은덕이요, 남다른 인연이 아닐 수 없다.

제7장
마지막 대화

앞으로는 누가 부르지 않아도 고해에서 허우적거리는 중생을 보면 언제 어디서든
달려가 고통을 함께 들고 가자고 하겠어요. 그게 부처님 은덕으로 살아온 사람이
제대로 회향하는 방식이지.

무위의 선승, 서암

온 세상이 '새 천년'을 맞이한다고 법석을 떨던 그해 겨울이었다. 자신을 '서암 스님의 제자'라고 소개한 젊은 스님이 전화를 해왔다.

"큰스님이 뇌졸중으로 쓰러져 경북대학병원에 입원해 계신다"고 했다. 나는 서울역으로 나가 열차편으로 대구로 내려갔다. 늦은 저녁 무렵에야 겨우 대구역에 닿았다. 가면서 마음속으로 염원한 것은 한 가지였다.

'툭 털고 일어나세요. 눕다니 어울리지 않습니다.'

수년 전에도 이런 일이 있었다. 스님이 불교의 발상지인 인도를 가보지 못한 것을 늘 한스러워하던 차에 마침 젊은 스님 몇 사람과 신도들이 인도 여행을 하면서 스님에게 동행할 것을 권유했다. 스님은 기다렸다는 듯이 노구를 이끌고 따라나섰다. 그러나 인도 여행은 만만치 않았다. 공기는 더러웠고 음식은 입에 맞지 않았다. 게다가 여행은 강행군이었다. 결국 도중에 폐렴으로 드러눕고 말았다. 여행을 중도에 그만두고 한국에 돌아와 청주에 있는 충북대학병원에 입원했다. 심한 폐렴으로 방치했으면 목숨이 위태로웠을 것이라는 진단이었다.

고열로 의식을 잃었다가 깨어난 스님은 자신이 병원에 누워 있다는 것을 그제야 알았다. 움직이니 몸이 부자유스러웠다. 팔뚝 여기저기에 주사 바늘이 꽂혀 있었고 침대 가장자리에 주사약이 든 비닐봉지들이 매달려 있었다. 스님은 일어나 앉았다. 팔뚝에 꽂혀 혈관을 파고들어 있던 주사 바늘들을 모조리 뽑아버렸다. 그런 다음 신발을 찾아 신고 침대에서 내려왔다. 스님이 정문으로 걸어 나가자 입원실의 연락을 받은 수위가 제지했다.

"스님, 그냥 나가시면 안 됩니다."

"그럼, 어떻게 해야 하오?"

"치료 중이시니까 의사 선생님의 퇴원 허가가 있어야 나가실 수 있습니다."

"데끼, 이 사람아."

수위는 흠칫 놀랐다.

"그건 병원의 규칙이고 내 몸과 목숨은 내 것이니 내 규칙대로 할 것이오. 수위라면 병원 소속으로 일하는 사람이겠지. 한데 당신 목숨도 병원의 것이오?"

"그야, 내 것이지요."

"바로 그거요. 그러니 나를 잡지 마시오."

수위가 어, 어 하고 있는 사이에 스님은 활개 걸음으로 병원 정문을 나와 마침 지나가던 택시에 몸을 실어버렸다. 그렇게 하여 인도에서 왔던 폐렴은 병원 신세를 지지 않고 고쳤다.

뇌졸중이라…… 이번에도 그렇게 벌떡 일어나 주사 바늘들을 뽑아내고 호통 치면서 병원 문을 나설 수는 없을까?

그러나 이번에는 사정이 달랐다. 스님은 중환자실에 누워 있었다. 중풍환자의 초기 상태가 대부분 그렇듯이 스님의 얼굴도 한쪽으로 돌아가 있었다. 의식은 있어서 간병하는 제자 스님들이 귀에 대고 큰소리로 말하면 고개를 끄덕이거나 분명치 않은 소리로 몇 마디 대답을 하기도 하였다. 필자가 도착하자 간병하던 제자 스님 중 한 사람이 스님의 귀에 대고 큰 소리로 말했다.

"스님, 이청 선생님이 오셨습니다."

"이청?"

바람이 빠지는 소리로 묻고 이어서 말했다.

"좋은 사람."

그것뿐이었다. 더 말이 나오지 않는 듯 스님은 말을 잇지 못했다. 필자가 다가가 손을 잡자 스님은 필자의 손을 힘주어 잡았다. 백 마디 말 대신 그것으로 대신한 것이었다. 필자는 스님의 말을 알아들었다. 그리고 병실에서 나왔다. 병실 밖에서 제자 스님 한 분이 발병의 원인을 간단하게 설명해 주었다. "밀양의 한 법회에 참석하여 법문을 하고 화장실에서 참았던 소변을 보다가 뇌졸중의 급습을 받았다"는 정도의 이야기였다. 중이 불법을 전하여 한 사람의 중생이라도 지옥의 업화에서 건져내고자 애쓰다가 쓰러졌다면 그는 본분을 다한 것이다. 비록 전설에 회자되는 고승들처럼 뭇 제자들에 둘러싸여 "나 내일 갈란다" 하고 목욕재계한 후 홀연히 좌탈 입망하는 멋은 부리지 않아도 근력이 있는 끝날까지 여항의 신도들 앞에서 불법의 길잡이를 하다가 쓰러졌다면 불제자로서의 사명을 다한 것이다.

'무위정사無爲精舍' 현판의 '무위'는 《천수경》에서 이르는 '큰 자비의 마음은 평등한 마음이요, 함이 없는 마음이요, 흐린 집착이 없는 마음이다' 한 그대로이며 전에 시봉했던 보살님의 말 그대로 '피안에서 중생의 고통을 보고 차안으로 건너온' 큰스님의 대승공관大乘空觀의 실천, 곧 진정한 보살행임을 비로소 알겠다.

그것이 서암 스님과의 마지막 만남이자 '대화'였다. 경북대학병원 중환자실에서 급한 불을 끄고 나온 스님은 신도 중 한의사 한 사람에게 치료를 받았으나 회복되지는 못했다. 스님이 회복되지 못하자 봉암사에서 스님을 모시고 가서 시봉하고 간병한다는 소문이 있었다. 지난 날 봉암사 스님 한 사람이 "서암 스님이 다시는 봉암사에 내려오지 못하도록 조실 방 구들을 파버리겠다"고 공언했던 바로 그 봉암사로 돌아간 것이었다. 그리고 이 봉암사에서 스님은 열반에 들었다. 2003년 3월 29일이었다.

열반에 들기 전 시봉하던 제자들은 스님으로부터 열반송 같은 게송 한마디를 얻어내려고 나름대로 노력했던 것 같다. 제자들이 집요하게 묻자 귀찮아진 스님이 한마디 했다.

"그 노장 그렇게 살다가 그렇게 갔다고 해라."

이것이 마지막 말이었다. 게송도 아니고 법문도 아닌, 평범하기

그지없는, 뜻도 없는 말이었다. 그러나 부처님을 비롯하여 이 세상의 불교 전체를 아우르고 질타한, 가장 불교적인 한마디였다.

거제도의 만남

서암 스님이 대한불교 조계종 제8대 종정에서 물러나 홀홀이 털고 떠났을 때였다. 마산에서 멀지 않은 거제도 바닷가에 집 하나를 빌어 은거하고 있다는 이야기를 들었다. 그 바닷가 집에서 살면서 스님은 부산, 마산, 진주, 밀양, 울산 등 주로 경상남도 일원의 신행단체가 요청하면 언제 어디든지 달려가 법담을 나누면서 불자의 도리를 다하고 있다는 얘기였다.

나는 지체하지 않고 거제도로 달려갔다. 주소는 겨우 알아냈으나 현관문이 단단히 잠겨 있었다. 전화번호는 몰랐기 때문에 사전에 연락하여 약속을 하지 않고 무턱대고 남쪽나라까지 와버린 실수를 그제야 깨달았으나 소용없는 일이었다. 자유를 배 터지게 먹고 사는 스님이 언제 돌아올지, 돌아오기나 할지 도무지 알 수 없는 일이었다. 언덕에 퍼질러 앉아 아무 생각 없이 바다를 바라보다가 나는 엉덩이를 털고 일어났다. 주머니에서 수첩을 꺼내 빈 종이 한 장을 찢고 볼펜으로 끄적거렸다.

'며칠 전에야 겨우 주소를 알아내고 찾아왔으나 스님 계시지 않아 그냥 돌아갑니다.'

내 전화번호와 집 주소도 적어 놓았다. 깜냥으로는 이쯤이면 스님이 무슨 연락이라도 주겠지 하는 기대가 있었다. 그러나 한 달이 가고 두 달이 지나 여름이 깊어가도 스님에게서는 아무런 기별이 없었다. 거제도에 갔다 온 지 두 달이 지난 어느 날 전화가 왔다. 스님이었다. 나는 이튿날 아침 경부선 열차를 탔다. 언덕배기 집 앞에 승복 자락을 바람에 펄럭이며 서서 누군가를 기다리는 스님이 서 있었다. 내가 찌푸린 얼굴로 다가가자 스님은 어린아이처럼 환하게 웃었다.

언제 길을 갈 생각인가?

세 사람이 망연하게 바다를 바라보고 서 있었다. 누가 멀리서 보았다면 중 두 사람과 속인 한 사람이 돌이 되어 굳어져 있다고 생각했을 것이다. 돌장승들 중 한 사람이 입을 열었다.

"멀리서 손님도 왔으니 오늘 저녁 공양은 제가 만들어 보겠습니다. 마침 부근에 쑥이 지천이니 이걸 좀 캐다가 쑥국을 끓여볼까 하는데 두 분 생각은 어때요?"

무착이라 자신을 소개한 스님이었다.

"좋습니다. 저도 함께 쑥을 캐겠습니다."

"일일부작日日不作 일일불식日日不食의 청규를 걸어 놓은 선방도 아니니 그럴 필요가 없습니다."

"쑥을 캐고 싶습니다. 쑥을 캐다보면 봄이 온몸에 스며듭니다. 온몸으로 봄을 받아 돌아가고 싶습니다."

스님을 보니 그 표정이 쑥국이면 어떻고 민들레국이면 또 어떠냐, 그냥 국일 뿐이지, 하는 표정이었다. 내가 자신의 표정을 살피자 눈치를 챈 스님이 쓰윽 웃음으로 버물렀다.

"문학하는 사람들은 그럴듯하게 표현은 하지만 다 틀린 소리들입니다. 봄이니 쑥이니 모두 마음이 지은 것인데 어디 그 실체가 있어 온몸에 스며들겠소?"

"그럼, 내 앞의 늙은 스님도 내 마음이 지어낸 허상입니까?"

"자, 자."

무착 스님이 끼어들었다.

"실체가 있느니 없느니 하는 것도 망심이라는 얘기인 것 같은데 멀리서 방금 도착한 분한테 스님 지나치십니다. 우리 쑥이나 캡시다. 실체 없는 국이나 끓여 먹고 실체 없는 헛배나 불려봅시다."

무착 스님과 나는 쑥을 캤다. 언덕 위에서 캐다가 언덕 아래로 몇 발 더 내려가니 쑥이 소복하게 탐스럽게 자란 곳이 몇 군데 더 있었다.

"쑥을 캘 때마다,"

하고 무착 스님이 낮은 소리로 말했다.

"나는 젊었을 때 먼저 간 아내의 그곳이 생각납니다. 숲이 쑥무더기처럼 오붓했고 그 가운데 있는 샘에서는 가뭄을 모르고 물이 솟아났습니다. 그야말로 생명의 물, 샘물이었지요. 아내가 갑자기 간암으로 가버린 후로 어떤 여자에게서도 그런 샘물을 보지 못했습니다. 절망한 나머지 출가하여 중이 되고 말았어요. 저기 큰스님이 못마땅한 눈으로 저를 보고 계시는데 노인장이 무슨 말을 하고 싶은지 저는 다 알아요. 이 미친놈아 그게 네 아내의 몸에서 솟아난 샘물이냐? 네 마음이 지어낸 허상이지. 정신 차려라. 중질한 지 30년에 아직도 거기서 헤매고 있으면 도대체 어쩌자는 것이냐, 뭐 그런 말을 하고 싶으시겠지요."

과연 서암 스님이 다가오더니 무착 스님에게 말했다.

"정신 차리시게. 중질 한 지 올해로 30년인데 아직도 그 샘물 언저리에서 헤매고 있으니 언제 길을 갈 생각인가?"

"가다가 저물면 자고 가지요, 뭐."

"그러시게."

스님은 화가 나서 휑하니 뒤돌아 집안으로 들어가버렸다.

"괜찮아요, 자주 있는 일입니다."

무착 스님이 나를 안심시켰다.

"늙어서 기운이 빠졌고, 오늘은 손님까지 있어서 스님께서 많이 참는 중입니다. 예전에는 여차하면 귀싸대기에다 방망이로 후려갈기는데 참 무서웠습니다. 하지만 슬프게도 지금은 눈꼽만치도 무섭지 않습니다."

이 사람도 말이 삼중망처럼 뒤엉기는 걸 보니 중은 중인가 보다, 하는데 무착 스님이 덧붙였다.

"이 정도면 세 사람 먹을 쑥국 끓일 재료로는 충분합니다. 들어가 보세요. 스님께서 많이 기다렸거든요. 나는 저기 가서 조금 울고 오겠습니다."

회향하는 법

쑥이 담긴 주황색 바가지를 들고 무착 스님은 휘청거리며 집 뒤에 있는 소나무숲으로 들어갔다. 구부정한 소나무 아래 펑퍼짐한 땅 위에 자리를 잡고 앉더니 곧 좌선에 들어가는 것이었다. 무착 스님이 삼매에 빠지자 갑자기 온 세상이 적막했다. 나는 적막이 싫어 현관문을 밀고 집안으로 들어갔다. 여느 집들이 다 그렇듯이 이 집도 현관을 들어가면 곧 거실이었다. 거실은 땅값 비싼 서울의 아파트 거실보다 휑할 정도로 넓다는 것 말고는 비슷한 구조였다. 바다를 바라보는 쪽이 온통 유리문으로 되어 있어 물에 둥둥 떠 있는 섬들이 보였는데 그 섬들이 어디론가 가고 있는 것처럼 보였다. 자세히 보니 섬이 떠내려가는 것이 아니라 큰스님, 서암 스님이 좌선 삼매에 들어 있는 모습이 마치 허공에 둥둥 떠가고 있는 것 같았다. 내가 기척을 내지 않으려고 조심을 하는데도 귀 밝은 늙은이처럼 스님이 눈을 떴다.

"법랍은 삼십 년이고 세수는 올 가을이 회갑이라는데 방금 산문에 들어서는 초발심자처럼 풋풋해요, 무착 스님 말입니다. 실컷 울고나면 본래 자리로 돌아오겠지요."

무착 스님은 아직 젊었는데다가 탈종단을 선언하지 않았으니 산골에 있는 절 하나를 맡아 주지노릇이나 하면서 가끔 복장 터지

게 울고나면 한 세월이 다 가리라. 그건 그렇고 노인네가 자유의 깃발을 펄럭이며 살아갈 땅이 있을까? 비빌 언덕이 어디에 있을까? 내 마음속을 재빨리 읽어버린 스님이 말했다.

"걱정하지 말아요, 보다시피 굶지 않고 잘 살고 있으니까. 예전에 상당하여 법문할 때는 격식을 갖추느라 감흥 없는 소리를 지껄였지. 옛 공안 중에서 한두 가지 빼내어 살을 붙이면 그만이었지. 지금은 불자들 여남은 명만 모이면 달려가 법문을 합니다. 상당법문보다 격식을 차리지 않고 하는 얘긴데도 말하는 내 가슴이 먹먹하게 울립니다. 전에는 그러지 않았거든. 부처님도 대중에게 설법하고 나서 가슴이 먹먹해질 때가 있었을 거요. 지금까지는 어느 신행단체가 주관하여 사람을 모으고 사람이 모이면 나를 청하여 법문을 듣는 형식인데 앞으로는 누가 부르지 않아도 고해에서 허우적거리는 중생을 보면 언제 어디서든 달려가 고통을 함께 들고 가자고 하겠어요. 그게 부처님 은덕으로 살아온 사람이 제대로 회향하는 방식이지. 그걸 하려고 돈을 좀 모으고 있는데 제법 모았소."

돈을 좀 모았다고 스님은 자랑했다. 이렇게 모아 그렇게 쓰는 것이 돈이라면 누가 왜 돈을 부정한 물건이라고 말했는가? 가난한 집구석의 지아비가 노동판에서 벌어온 품삯을 자랑하듯 스님은 스스로 번 돈을 자랑스러워 했다.

"이 집은 어떻게 얻은 집입니까?"

"얻은 게 아니라 빌렸지."

스님이 정정했다.

"창원에서 건설업을 하는 처사가 있는데 그 양반이 내가 종정직에서 물러나고 종단마저 떠나자 '조계종단 소속 절집에 살 수 없으면 내가 지어놓은 집이 하나 있는데 거기서 머무시라'고 하더만. 그게 이 집이오. 와서 보니 화려하거나 웅장하지 않고 마을의 어부 집이나 별 다르지 않은 수수한 집인지라 머물겠다고 했지. 그 처사님은 이 집을 암자로 개조해도 좋다고 하지만 암자니 절이니 하는 것도 부처님 재세시에는 없던 것이라 안하기로 했소."

"이 집, 그러니 거제도의 풍광 좋은 바닷가에 얼마나 머무실 생각이십니까?"

"오래 머물지 못할 것 같아요. 처음에는 지방 신문 기자가 오더니 이제는 중앙 일간지에서도 냄새를 맡고 기웃거리고, 종단의 늙은이들도 찾아와요. 내가 굳이 남의 눈을 피하여 숨어 살자는 것은 아니지만 귀찮은 일은 피하고 싶고, 또 기사 쓰는 사람들은 대답하지 않으면 말하지 않는 이유를 추측해서 쓰고 몇 마디 하면 그걸 침소봉대하여 거창한 제목을 달아 팔아먹으니 그런 인간들은 만나지 않는 것이 좋다, 하고 판단한 거요. 그래서 이 집이 고맙고 좋기는 하지만 오래 살지는 못할 거라는 생각이 들어요."

쑥국

　무착 스님이 쑥이 담긴 소쿠리를 소중하게 안고 들어왔다.

　"쑥이 너무 싱싱해서, 일부는 오늘 저녁 공양에 된장국을 끓이고 일부는 내일 간식으로 튀김을 할까 합니다만 어떻습니까?"

　"스님이 쑥 튀김을 할 줄 아십니까?"

　스님이 의심스럽다는 투로 물었다.

　"쑥 튀김의 요체는 쑥의 모양을 살아 있는 그대로 재현해내는 데 있습니다. 튀김 옷을 잘 입혀야 하지만 무엇보다 숙달된 동작으로 기름에 담갔다가 꺼내는 것이 요령입니다."

　무착 스님이 스님의 의심에 간접 대답을 한 셈이었다. 이쯤 되면 믿을 수 밖에 없었다. 설혹 무착 스님의 튀김 솜씨가 그의 말에 미치지 못할지라도 맛 없고 모양이 좀 나쁜 튀김을 먹는 것 외에 달리 잃을 것 없다는 데 생각이 미쳤다. 스님과 나는 똑같은 생각을 하고 입을 다물었다.

　"자, 그럼 소승은 국을 끓이러 부엌으로 갑니다."

　무착 스님이 쑥이 담긴 소쿠리를 들고 부엌으로 사라지자 스님이 말했다.

　"이 선생, 정말로 쑥국을 좋아합니까?"

　"그럼요."

내가 대답했다.

"이 세상에서 쑥으로 끓인 된장국보다 더 맛있고 향기로운 국은 없을 겁니다. 전에 무교동에 쑥국을 잘 끓이는 집이 있었습니다. 건물과 건물 사이의 공간에 비집고 들어 천막으로 지붕과 벽을 감쌌는데 손님 세 명만 들면 의자가 꽉 차고 네 명이 들어오면 한 사람은 엉덩이 반쪽만 걸치고 앉아야 했습니다. 요즘은 무교동과 다동이 별 볼 일 없지만, 옛날 한때는 대단한 술집들이 있었거든요. 그 근처에 출근하는 회사원들도 아침부터 점심때까지 속이 쓰려 해장할 거리를 찾는데 바로 그 쑥국 집이 해답이었습니다. 값은 짜장면값과 같았고, 먹고 나면 속이 뻥 뚫리는 기분이니 언제나 그 작은 나무 의자는 빌 틈이 없었습니다. 겨울에 쑥국이라니 뭘 가지고 어떻게 끓이나 지켜보니 마른 쑥을 넣고 끓입디다. 한겨울에 마른 쑥이라니 지난 여름부터 준비를 해 왔구나 생각하니 콧잔등이 시립디다. 나중에 경동시장에 가 보니 마른 쑥을 가마니떼기로 팔던데 그때는 이미 무교동 쑥국 장사도 없었고 저도 술을 끊어 값싸고 좋은 해장국 찾아 헤매는 신세를 면했던 때라 가마니에 가득 들어 있는 쑥을 보고도 별 감흥이 없었습니다."

"큰스님은 뭐가 먹고 싶다, 그런 욕구를 느낀 적 없었습니까?"

무착 스님이었다. 언제 부엌에서 여기로 나왔는지 스님도 눈치채지 못한 듯 놀라는 눈빛이었다.

"저기서 듣자니 먹는 이야기라, 먹는 일이라면 저도 빠질 수 없거든요. 쑥이 걱정 되십니까? 그럴 것 없습니다. 물에 담가 놓았으니 이야기 끝나고 가서 씻으면 됩니다. 워낙 깨끗한 땅에서 자란 데다 정갈하게 끊었기 때문에 버릴 것도 없고 씻을 것도 없습니다. 그래도 씻을 겁니다. 아주 깨끗하게."

"스님이 먹는 이야기를 몇 가지 아는 게 있다니 어디 들어봅시다."

스님이 편한 자세로 고쳐 앉았다. 혹시 무착 스님의 이야기가 길어질지도 모른다는 불길한 예감이 들어서였다. 나도 편하게 자세를 고쳐 앉자 무착 스님은 웃으면서 이야기를 꺼냈다.

감옥같은 선방, 선방같은 감옥

"처음 안거하느라 방부 넣고 선방에 앉았을 때의 일입니다. 어느 절이었는지는 여기서 말하지 않겠습니다. 그 전통 깊은 선원의 체면을 조금이라도 다칠까봐 조심스러워서요. 대중방에 눈 푸른 납자 네 명이 침식을 함께 하는데 어느날 저녁에 사건이 생겼습니다. 뭐 대단한 스릴러 이야기가 아니고 평범한 일이라 사건이랄 것도 없는 일이었습니다. 저녁에 원주 스님이 대중방에 땅콩이나 호두 따위가 섞인 견과류를 함지박에 담아 방마다 돌리는데 우리 방에 원주가 들어와 함지박을 놓고 가자 성질이 급한 한 스님이 원주를 부릅디다. 원주가 나가다가 문지방에서 "무슨 일이요?" 하는 표정으로 돌아보는데 그 스님이 함지박을 원주 스님의 면상을 향해 집어던졌어요. 담겨 있던 땅콩이며 호두 따위가 방바닥과 문지방 너머 마당에 낭자하게 흩어지고 원주 스님은 이마에 피를 철철 흘리며 그 자리에서 기절해버렸습니다. 모두 달려들어 자신이 알고 있던 비방으로 원주를 간신히 살려냈어요.

구급차를 불러봤자 구급차가 산중 절간으로 올라오는 사이에 환자는 숨줄을 놓아버릴 것이니 그걸 기다리고 있을 수가 없거든요. 어쨌든 원주 스님은 잠시 꿈을 꾸고 일어난 사람처럼 가볍게 털고 일어났고 우리는 흩어진 땅콩을 모두 주워 먹었습니다.

그 스님이 함지박을 사람 머리를 향해 날린 까닭은 조금 전 자기가 이웃 방에서 왔는데 그 방에 주고 간 간식에 비하여 우리 방에 주고 간 함지박의 내용물이 빈약해 보인다는 그 이유였습니다. 아시지 않습니까. 선방 수좌들이 발우공양을 하다가 배식하는 스님이 자기 발우에 한 숟갈이라도 적은 양의 밥을 배식했다가는 발우가 공중에서 휙휙 날아다니는 광경을 많이 보셨지요?

저는 선방이 감옥과 같다고 생각합니다. 대학 다닐 때 데모하다가 닭장차에 실려 경찰서 유치장에서 며칠 공짜 밥 먹은 일이 있는데요. 우리 감방, 아마 그게 2호실이었을 겁니다. 2호실 식구가 모두 일곱 명인데 직업은 깡패로부터 대학 선생님까지 다양했어요. 그런 사람들이 동물적인 욕구로 기다리는 시간이 밥을 주는 시간이었습니다. 감옥이라는 곳은 죄인들에게 밥을 기다리는 배고픔을 수단으로 일단 동물로 만들어 놓고 순치시킬 수 있다고 믿는 것 같았습니다. 그런 의미에서 선원도 감옥과 비슷하지요."

"다릅니다."

스님이 재빨리 끼어들어 무착 스님의 말을 정정했다.

"감옥이라는 곳에는 들어가 보지 않아 잘 모르기는 하지만 스님의 말을 미루어 짐작컨대 밥을 통하여 순치시키려는 의도가 있는 것이 분명해 보입니다. 선방의 수좌들도 밥 때문에 자잘한 사건이 일어나기는 하지만 근본적으로 밥의 구속에서 벗어나려는 마음을 닦고 있으므로 대개의 선방에서는 안거가 끝나기 전에 발우가 공중에 날아다니는 활극은 사라집니다. 밥이나 담배 한 모금으로 사람을 한없이 비굴하게 만드는 곳이 감옥인 반면에 선방은 그것들로부터 자유로워지려고 수행을 하는 곳이니 하늘과 땅만큼이나 차이가 있지요."

"큰스님은 자유를 참 좋아하십니다."

듣기에 따라서는 비꼬는 투였다.

음식에 대한 욕구를 끊고

"큰스님은 먹는 것으로부터 자유를 얻으셨습니까?"

"해방 전이니까 오래 전 이야깁니다."

서암 스님은 무착 스님의 물음에 직접 대답하지 않고 에둘러 옛날 이야기를 꺼냈다.

"대동아전쟁을 벌여놓고 일제는 다급했어요. 전선에서 소모되는 전력을 보강하자니 인력에는 한계가 있는 거라. 징병에 혈안이되었는데 처음에는 조선 사람을 군의 기간병으로 쓰기 꺼리더니다급해지니 조선인, 만주인 가리지 않고 끌어다 입대시켰지. 절에중들 중에도 나이가 젊은 축에 들면 무작정 끌고 갔지. 일부 목숨이 아까운 청년들이 징용을 피하여 머리 깎고 중이 되는 경우도있었기 때문에 각 절마다 순사가 눈을 희번득이며 살펴보고 있었어요.

그 무렵 조선 천지에 비구승이라고는 손으로 꼽을 정도였지. 대처승 주지가 경영하는 절에 빌붙어 참선할 도량을 빌어 간신히 명맥을 유지하고 있었어. 그랬는데 해방이 되고 자유당 시절의 이승만이 유시를 발표하여 대처승은 절을 떠나라, 한마디 한 것을 도화선으로 불교 분규라는 피 터지는 싸움이 일어났는데 그때 절 뺏기 전투에 앞장을 선 비구승을 보니 그 수가 엄청 늘었더구만.

그건 그렇고 몇 안 되는 비구들이 문경 대승사에 모여 용맹정진을 했습니다. 그때 참여한 면면을 볼작시면 해방 후 한국 불교를 이끌었던 큰스님들의 이름이 거의 모두 망라돼 있었지. 나도 그 말석에 끼었는데 아, 정진을 시작하자마자 경찰에서 순사가 덮치는 거라.

내가 마침 징병 대상 나이라 헛되이 죽음의 전장으로 끌려가지 않으려고 뒷산으로 도망쳤지. 산에서 내려와 선방에 끼어 앉자니 순사가 언제 덮칠지 모르는 일이고 산에서 살자니 춥고 배고프고 참 난감하게 됐어요. 순사들도 스님 중 한두 명이 산으로 도망갔다는 것을 알고 있었기 때문에 춥고 배고프면 내려오겠지, 그때 잡으면 된다고 생각하고 불시에 들이닥쳤거든. 처음에는 공양주 보살이 밥과 반찬을 따로 장만하여 채공간 앞이나 부뚜막에 올려놓으면 밤에 몰래 가서 들고 와서 먹으며 연명했는데 경찰이 그 사실을 간파하고 나서는 그런 비상 보급수단도 계속할 수 없게 되고 말았지요.

산에서 잔다는 것은 몸이 지칠대로 지쳐 기절할 지경이 돼야 겨우 잠에 빠질 수가 있습니다. 그만큼 추위와 공포 때문에 정상적인 상황이라면 잠이 오지 않아요. 하지만 이틀만 잠을 자지 못하면 사흘째는 저절로 곯아떨어질 수 있습니다. 바위 동굴이라면 최고의 침실이고, 하다못해 무성한 풀숲에서도 잘 잘 수 있거든요.

하지만 그 무엇으로도 대체할 수 없는 것이 배고픔입니다. 배가

고프면 잠도 잘 오지 않아요. 겨우 잠들었다가도 그 격심한 고통 때문에 깨어나기 일쑤고 한 번 깨어나면 쉽게 잠들지도 못합니다. 솔잎을 뜯어먹거나 풀 뿌리를 캐어 씹어보지만 먹고나면 배고픔은 더 심해집니다.

그때 생각했습니다. 이 배고픔을 견디지 못하면 나는 음식물의 노예로 살아가야 할 거라고요. 며칠을 견뎠더니 마침내 음식에 대한 욕구가 사라져요. 그 다음 산을 헤매어 바람에 쓰러진 소나무 등걸에서 복령을 찾아냈는데 그걸 먹으면서도 맛이나 포만감 같은 것은 느낄 수 없었소. 그 이후 지금까지 나는 음식을 먹는 행위 자체를 즐기지 않았습니다. 생존을 위해 자동차에 기름을 넣듯 조금씩 부어넣을 뿐이었소. 무착 스님 질문에 대답이 됐는지 모르겠네."

"부끄럽습니다."

무착 스님이 고개를 숙였다.

"소승은 아직도 맛있는 것을 탐합니다. 예를 들어 생선을 무척 좋아하는데 그중에서도 마구로가 좋아요. 하지만 국내에서는 구하기 힘들어 포기하고 살았는데 언제부턴가 우리나라 원양어선단이 남태평양과 북아프리카 대서양을 휘저으며 마구로를 잡아다 식탁에 내놓습니다."

"맛이 있네, 없네 하는 것도 모두 먹는 사람의 오감이 만들어낸 허상일 뿐이지."

"하지만 큰스님도 비빔밥을 좋아하시지 않습니까?"

"좋아하지요."

그것 봐라, 이제야 겨우 늙은이를 꼼짝 못할 올가미에 걸었구나. 무착 스님의 얼굴에 득의연한 표정이 떠올랐다.

"그러나 비빔밥이 특별히 무슨 맛이 있어서 좋아하는 것은 아닙니다. 우리가 밥이랑 반찬이랑 따로 따로 먹지만 배에 들어가면 다 섞이거든요. 그걸 아예 섞어서 먹으면 위장의 수고를 조금이라도 덜어주지 않을까, 그리고 공양을 제공하는 사람들의 수고도 덜게 되지 않을까, 그런 생각에서 비빔밥을 좋아할 뿐입니다."

지극한 도는 어렵지 않다

스님의 말을 듣고 있으면 식욕이 떨어지고 입맛을 잃게 될 염려가 있었다. 당장 저녁도 먹어야 하고 내일 오전에는 쑥으로 튀김을 만들어 먹기로 돼 있었다. 스님처럼 음식을 생존에 필요한 만큼만 먹기로 한다면 쑥국이니 쑥 튀김이니 하는 것도 모두 허사일 뿐이었다.

그러나 저녁 공양에 내놓은 쑥국을 스님은 아주 맛있게 먹는 것이었다.

"스님, 쑥국 맛이 어떻습니까?"

무착 스님이 물었다. 노인은 숟가락을 입에 가져가다 말고 도로 내려놓았다.

"잘 끓였구만. 된장 비율이 좋아. 쑥국뿐 아니고 된장을 풀어 끓이는 국은 된장을 잘 풀어야 하네. 너무 많이 풀면 떫은 맛이 나고 너무 희미하게 풀면 맹물 맛이거든. 아주 잘 먹었네."

"스님도 맛이 좋고 나쁘고를 느끼고 분별하십니까?"

"그럼, 아다마다. 그걸 모르면 사람이 아니지. 무착 스님이 무슨 말을 하고 싶은지 나는 알아요. 진공묘유眞空妙有라는 말을 알지? 지금 있는 그대로가 부처라는 말도 알겠지? 다만 꺼들리지 않을 뿐이지, 감각은 누구보다 예민하게 살아 있어요."

《신심명》의 첫 머리에 '지극한 도는 어렵지 않다至道無難 다만 분별을 꺼릴 뿐唯嫌揀擇'이라 했던 것도 그 소식입니까?'

"그렇다네. 신심명 첫 구절을 번역하는 사람들이 '지도至道'를 '지극한 도'라 직역하기도 하고 청담 스님처럼 '무상의 도'라고 의역하기도 하네만 나는 생각이 조금 다르네."

"저도 그 부근에서 생선 가시가 목에 걸린 것처럼 불편했더랬습니다. 스님은 뭐라 번역하시겠습니까?"

이야기가 옆으로 샜으나 스님은 개의치 않고 주장을 풀어나갔다.

"지극한 도라든가 무상의 도가 다 무엇인가? 불도佛道 아니던가? 그렇게 표현하면 그만이지, 뭘 그렇게 머리를 굴리나."

"그렇군요."

무착 스님도 숟가락을 내려놓았고 나 역시 밥을 더 먹고 싶은 마음이 아니었다. 복잡하고 어려운 문제들도 스님에게 오면 간단해지고 명확해진다. 무착 스님과 나는 쑥국 몇 그릇에 비할 바 없는 마음의 양식을 포식하고 상을 물렸다.

"이 사람들아, 쑥국은 어찌하려고 그러나?"

"내일 아침 공양에 먹지요, 뭐."

그까짓 쑥국, 그런 투였다. 스님은 달랐다.

"잘못하는 거야. 쑥 향기가 사그라진 쑥국은 그냥 된장을 풀어 끓인 물일 뿐인데."

"괜찮습니다. 스님 국은 내일 아침 따로 끓여 드리겠습니다."

"허어, 그 스님. 말귀를 못 알아들으시네."

무착 스님이 말귀를 못 알아들은 것이 아니라 억지를 조금 부리고 있다는 것을 스님도 알고 있는 눈치였다. 저녁 공양은 그렇게 끝났다. 아무래도 긴 밤을 넘기기가 어려울 것 같았다. 이번에도 무착 스님이 총대를 메고 나섰다.

"내일 만들기로 했던 쑥 튀김을 오늘 저녁에 만들까 합니다. 마침 손님도 오셨는데 저녁 공양이 부실하여 밤을 견디기가 어려울 것 같아서요."

"그렇겠구만."

스님이 인정했다. 핑계는 속인인 나의 배고픔을 달래주겠다는 것이었지만 스님인 두 사람 역시 속이 비어 허하기는 할 것이었다.

부처와 중생은 달라도 너무 다르다

무착 스님이 저녁 설거지를 마치고 돌아와 앉았다. 설거지는 내가 하려고 했으나 무착 스님이 "이건 공양주의 특권"이라고 말도 안 되는 특권론을 꺼내어 한사코 등을 떠미는 바람에 개수대에서 밀려나고 말았던 것이다.

"저는 밥으로부터 자유로워졌다 하시는 큰스님의 생각에 동의하지 않습니다. 부처님 말씀에, 물론 경전에 있는 얘깁니다만, 적어도 경전에 실린 얘기는 부처님 말씀이라고 인정해야 하지 않을까, 싶습니다만. 그 말씀에 이르기를 부처와 중생이 원래 하나이고 생멸심과 보리심이 다르지 않다 하였으니 밥이니 자유니 하는 말에 꺼들릴 것 뭐 있겠느냐 하는 생각이 듭니다. 배고프면 먹고, 먹을 것이 없으면 일해서 벌거나 동냥을 해서라도 배는 채우고 볼 것인데 그게 부처의 모습이자 마음 아니겠습니까."

"어느 경전에, 생멸심과 보리심이 하나라고 씌어 있습니까? 어느 부처님이 그런 말을 했느냐 말입니다."

"그야, 뭐. 《대승기신론》에도."

"그건 론이지 경이 아닙니다. 후세 사람들이 부처님 말씀을 학문적으로 꿰맞추다 보니 온갖 희한한 이론들이 나오는데 그 중에는 현대 물리학이나 심리학, 생명과학을 훨씬 앞질렀다 하여 불씨

집안 사람들이 희희낙락하는 것을 보는데 그러는 거 아닙니다. 내가 보기에 유식학은 현대 서양의 심리학을 앞지른 것이 아니라 관점이 애당초 달랐고, 논리학도 앞지른 것이 아니라 전개방식이 달랐어요. 물리학이나 생명과학의 원류가 불교다 이렇게 말하고 싶겠지만 그렇게 인정받는다 하여 얻은 것이 뭡니까? 불교가 놀랍다, 이 정도의 칭찬을 받고 싶은 겁니까? 때려치우세요. 스님이 방금 인용한 말은 불설 경전의 어느 귀퉁이에도 없는, 그 자체가 생멸심이 만들어낸 환각입니다."

"미안합니다."

무착 스님은 착한 사람이었다. 그는 나이가 열 살쯤 많은 스님에게 재빨리 자신의 잘못을 인정하고 사과했다.

"미안할 것까지는 없고, 중생과 부처가 하나라는 주장은 중생이 원래 부처가 아니라면 제아무리 수행하여 닦아보았자 부처의 경지에 이르지 못한다는 논리상의 문제에 부닥치자 그걸 극복하기 위해 만든 장치입니다. 그러니 속지 말아야 합니다. 부처와 중생은 달라도 너무 다릅니다."

"속지 않겠습니다."

무착 스님은 이번에도 머리를 숙였다.

"공空이라는 것을 가지고 전개하는 불가의 현란한 논리들을 보세요. 중인 나도 도무지 어지러워서 멀미가 날 지경입니다. 모두 모래 위에 지은 집처럼 주추가 없는 가건물인지라 바람만 건듯 불어도 와르르 무너지고 맙니다."

"그 바람은 어디서 불어오는 무슨 바람입니까?"

무착 스님이 물었다. 스님이 거침없이 대답했다.

"내 마음속에서 부는 미망의 바람이지."

"그럼 그 바람만 잠재우면 원래 고요했던 그 바다는 다시 잠잠
해질 것 아닙니까?"

"조금 전 스님이 뭐라 했소? 중생이 곧 부처라고 하지 않았소?
바람이 곧 바다이고 파도이지 별도로 바다와 파도가 있겠소?"

"바람이 불지 않아도 물결은 일어나고 바다는 그 바다입니다."

"맞소. 일체유심조는 그래서 엉터리요."

결국 이야기가 그 끈적거리는 말의 바다 속으로 가라앉아 가고
있었다. 그러다가 바람이 멈추었다. 모두 속으로 일체유심조를 생
각하고 있었다. 얼마나 심한 횡포인가, 그 도그마는.

"우리의 제6식이 대상으로부터 얻는 표상을 조금 왜곡하는 것은
사실입니다. 그러나 쑥국이 맛이 있다는 사실은 저의 정서와는 별
도로 그 국을 먹은 이 방 안의 사람들이 공통으로 가진 느낌입니
다. 이것을 인정하지 않으려고 안간힘을 쓰는 모습이 처연합니다."

"같은 생각입니다."

뜻밖에 스님이 순순히 동의하자 무착 스님은 힘을 내어 한 발
더 나갔다.

"유식唯識 쟁이들이 불법의 논리적, 심리적 바탕을 만들려고 노

력한 사실은 인정합니다만 억지가 많습니다. 6식六識 위에 7식七識 마나식末那識, 8식八識 저장식貯藏識을 둔 것은 그렇다 치고 제9식第九識 백정식白淨識을 둔 건 또 뭔지 도대체 영문을 모르겠습니다. 그러다가는 10식十識 11식十一識, 하는 식으로 논리상 필요할 때마다 인간 심리의 깊은 단계를 새로 만들어야 하지 않을까, 걱정 됩니다."

"걱정할 것 없어요."

스님이 말했다. 나는 스님의 입을 바라봤다. 그 입에서 나온 말은 뜻밖이었다.

"국이 남았으면 조금 더 주소."

방안의 공기가 급속냉동기로 얼려놓은 것처럼 차갑고 무거워졌다. 무착 스님이 선문답을 하다가 방棒이나 할喝로 뒤통수를 얻어맞은 것처럼 몇 번 목을 흔들어 보다가 그제야 정신을 차린 것처럼 황급하게 부엌으로 가서 국을 냄비째 들고 왔다. 그러나 스님이 국을 원했던 것은 아니었다. 그저 할 말이 없으니 "국이 남았으면 조금 더" 했을 뿐이었다. 과연 스님은 무착 스님이 국 냄비를 가지고 오기 전에 자리에서 일어나 밖으로 나가버렸다. 한참 뒤에 내가 밖으로 나가자 스님은 바람 언덕에 앉아 해질녘의 붉게 물든 수평선을 바라보고 있었다.

민물에 사는 고래

내가 옆에 가서 앉자 노인이 말했다.

"이백李白이라는 사람 말이오. 동정호洞庭湖에서 달을 따다가 고래 등을 타고 하늘로 올랐다李白騎鯨飛上天 했지요? 중국 사람들은 무슨 짓을 하든 과장이 심하니 많이 깎아서 듣는다 치더라도 멋있는 행위였어요. 저 달빛을 봐요."

보름이거나 보름에 가까운 둥근달이 수평선 위의 허공에 매달려 있었고, 그로부터 발아래 물시울까지 금가루가 섞인 은빛 길이 열려 있었다. 달빛이 잔잔한 바다에 고속도로 같은 길을 열어놓은 것이었다.

"저걸 해인海印이라 하고 달이 잔잔한 강물에 비친 모습을 월인月印이라 했지요? 동정호가 담수호라면 고래가 살 까닭이 없는데 이백이 고래 등을 타고 하늘로 올랐다고 하니 이 대목에서 동정호에 고래가 살았느니 살지 않았느니 하는 소리가 다 부질없는 이야기들 아니겠소?"

무슨 말을 하려는지 함의를 감추고 변죽을 울리는 것은 스님의 성격에 맞지 않았다. 과연 조금 기다려보니 말의 체성體性이 곧 드러났다.

"경의 어느 것은 석가가 직접 설한 것이고 어느 것은 후일 제자들 중 자질이 뛰어난 사람들이 끼워넣은 것이며, 어느 것은 중국 사람들의 위작僞作이고 어느 대목은 필사筆寫하는 과정에서 추가된 것이다, 하고 가리는 일이 불가능할 뿐 아니라 의미가 없다 그 말입니다."

동정호에 고래가 살았느냐 아니냐 하는 논란이 부질없다는 얘기였다. 애당초 달을 따러 물속으로 처박힌 시인의 행위 자체가 문제이지 고래의 문제가 아닌 것이다. 경이나 논이 위작이면 어떻고 가필이면 또 어떠냐, 어차피 이 세상에는 수많은 부처가 살았고, 지금도 살고 있으니까, 누구든 부처의 말을 할 수 있는 것 아니냐 하는 얘기였다. 여기서 더 심각한 문제가 발생한다. 내가 부처라면 나 이외의 부처들이 지껄인 말의 모음인 경이나 논집에 끄달릴 이유가 없게 되는 것이니까. 스님의 어깨가 바위처럼 굳고 무거운 것이 아니라 초라하고 약해 보였다. 그 허약해 보이는 부처가 말했다.

"배를 타고, 배에다 막걸리를 싣고 저 잔잔한 바다를 저어 저쪽 섬으로 가서 진탕 마시면 어떨까요?"

"뻔하지요. 다음날 아침 속이 쓰리겠지요. 해장국을 먹으러 다시 육지로 저어 나와야 할 겁니다."

"그렇겠지요? 그것 참."

스님은 아쉬움을 담아 혀를 찼다. 잠시 후 스님은 정색을 하고 말했다.

"불법은 이미 승단을 떠나 속가로 가버렸어요. 잿빛 옷을 입고 절에서 사는 사람들은 평생 불법의 바다에서 헤매지만 속인은 머물지 않거든."

"무주상無住相을 말씀하시는 거라면 스님들이야말로 머물지 않기 위하여 떠나고 흐르는 사람들 아닙니까?"

"떠난 그 자리에 머물고 흐르는 그 자리에서 고이고 썩으면 고칠 방도가 없거든. 이게 병이라니까, 허어."

"스님은 흐르는 물인가요?"

당신은 뭐냐? 하고 들이댔으나 스님은 잔잔하게 웃을 뿐이었다. 그때는 스님의 비실한 웃음의 뜻을 몰랐다. 내가 거제도에서 서울로 올라와 정신없이 살았던 세월이 조금 흐른 후에야 비로소 스님의 그 웃음이 지닌 뜻을 알았다. 나는 언제나 그렇게 뒤늦게 알았고, 사는 것도 늘 그렇게 뒷북이나 치며 다니는 편이었다.

스님은 거제도를 떠나 삼천포(지금의 사천시)의 어느 절에 머물고 있었다. 가 보니 주지가 스님을 위하여 큰 '조실방'을 마련해 주고 내친김에 큰 불사를 일으킬 조짐이었다. 종정이었던 스님을 앞세워 한미하던 절을 크게 중창하겠다는 큰 뜻을 지닌 스님이 그 절의 주지였다. 스님은 바다가 보이는 절 마당에 서서 새로 짓는 법당의 굵은 기둥들을 돌아보며 말했다.

"떠나야겠어요."

"어디로요?"

"목표가 있으면 중이 아니지."

중의 살림살이는 목표 없이 그냥 떠나는 것이 맞지만 팔순을 바라보는 늙은 중은 예외가 아닐까, 그 생각이었다. 그런 내 마음을 들여다보고 스님은 빙긋 웃었다. 불길한 웃음이었다. 짐작했던 대로 노인은 곧 떠났다. 이번에는 팔공산 뒤편 어느 절이었다. 그곳으로 달려갔더니 이번에도 스님은 웃고 있었다.

"스님들은 나를 감옥에 가두려고 합니다."

큰 감옥이 만들어지고 있었다. 3층으로 된 거대한 건축물이 반쯤 공사가 진행되어 서까래가 올라가고 있었다. 이 절에서도 스님을 앞세워 큰 불사를 하고 있는 중이었다. 새로 짓는 건물이 스님의 눈에는 큰 감옥으로 비쳤던 것이다. 얼마 후 스님은 그 '감옥'에서 떠났다. 이번에는 아예 절에 머물지 않고 경상북도 봉화에 조립식으로 집을 지어놓고 살고 있었다. '無爲精舍'라는 현판도 달아놓았다. 그 동안 법문을 하여 벌어놓은 돈으로 지은 집이라 했다. 그 집을 돌아보면서 나는 "남이 지어놓은 감옥을 잘도 탈출하시더니 이제 스스로 감옥을 지어놓았군요." 하고 비아냥거리는 말을 하지 못했다. 스님의 나이 팔순을 넘기고 있었다. 그런 스님이 '무위無位'가 아닌 '무위無爲'의 깃발을 내걸고 평생에 처음으로 내 집을 지어 들어가 웅크린 모습을 보고는 웃거나 비아냥거릴 수가 없었다. 그래도 한마디 하지 않을 수 없었다.

"당호를 무위정사無爲精舍라 하지 마시고 무위옥無爲獄이라 하시지 그랬어요?"

스님은 또 빙긋 웃었다. 글쟁이의 말장난에 내가 넘어갈 것 같으냐? 진짜 자유가 무엇인지, 해탈이 무엇인지 너는 아느냐? 하는 표정이었다.

오래지 않아 스님은 뇌졸중으로 쓰러졌다. 흔한 말로 중풍이 온 것이었다. 스님을 꼼짝 못하게 옭아매는 감옥은 중풍이었다. 그리고 3년의 길고 지루한 투병의 끝에서 스님은 갔다.

결국 그렇게 갈 것을 무위는 무엇이고 자유는 무엇이며 해탈은 또 무엇이냐? 무슨 헛소리냐? 하는 마음으로 장례식장에 나는 서 있었다.

그날 이미 떠나버린 스님의 시신을 국화 다발 속에 눕혀 놓고 여러 스님들이 조사弔詞를 읽었는데 그들이 읽어 가는 조사를 몇 마디 듣다가 나는 알았다. 감옥은 집이 아니라 언어라는 것을. 저들이 멀리 가버린 스님을 잡아끌고 와서 다시 언어의 감옥에 집어 넣으려 하는 것, 그게 장례식이었다. 당연한 일이지만 장례식장에 스님은 없었다. 스님의 빙긋한 웃음만 떠돌 뿐이었다.

진짜 자유, 진짜 해탈을 얻은 스님은 다시는 감옥에 들어가지 않을 것이다.

큰스님을 그립니다

그날 봉암사 마당을 가득 매운 조문객들 앞으로 국화꽃에 묻힌 영정이 지나갈 때 스님은 특유의 빙긋한 웃음을 머금고 있었습니다. 그 영정 앞에서 속으로 다짐했습니다.

"스님은 갈 곳이 있는 모양이니 먼저 가세요. 다만 남아 있는 나는 스님의 자유로운 영혼을 중생계에 되불러내어 고생 좀 시킬 겁니다." 하고.

무슨 소리냐 하면 스님의 정신세계를 다비식의 불꽃 속에서 한 줌 재로 태워 날려버리기에는 너무 아까우니 온갖 사슬에 묶여 있는 세상 사람들에게 돌려줘야 하지 않겠느냐, 그 소임을 내가 맡아 하겠노라는 것이었습니다. 스님 생전 같으면 "쓸데 없는 짓 하지 마소." 하고 뿌리쳤겠지만 이제 적멸하여 힘이 없으니 내 마음대로 하겠다는 일종의 약속이자 선언이었습니다.

그래놓고 10년이 후딱 흘렀습니다. 스님의 설법을 테이프로 다시 듣고 책자를 읽어 보니 도무지 갈피를 잡을 수 없었습니다. 주제가 선명하게 떠오르지 않았습니다. 스님은 생전에 보통 선승들처럼 옛 조사 스님들의 기연을 자기 일처럼 내세워 써먹지도 않았습니다. 한국 불교사에 남을 만한 무슨 개혁을 앞에서 이끌지도 않았습니다. 회향 때 문중 제자들이 "한 말씀하시라"고 하도 보채니까 "그 노장 그렇게 살다가 그렇게 갔다고 해라" 그 말 한마디를 남겼는데 아쉬운 나머지 그 말이 위대한 뜻을 품은 선어禪語로 회자되기에 이르렀습니다.

스님의 실실 웃는 모습을 떠올렸습니다. 문득 스치는 것이 있었습니다. 무릎을 쳤습니다. 아, 그 말이었구나. 스님은 생전처럼 웃으며 "내가 이선생의 글 속에 담길 것 같으냐?"하고 묻는 것 같았습니다. 서푼짜리 문장을 지어 그 속에 스님을 가두어 보려고 했던 자신이 얼마나 어리석었던가, 얼마나 바보였던가. 스님의 웃음은 그 웃음이었습니다. '주제가 없다'고 하는 한탄은 문장이나 책속에 스님을 가두려고 했을 때 일어난 번민이었습니다. 그까짓 책, 그까짓 문장, 나는 스님에게 잘못을 빌고 싶었으나 스님은 없었습니다. 앞으로도 스님 만날 수도 없을 것이고 실실 웃는 모습도 보지도 못할 것입니다. 문장 속에 스님을 가두지 않고 글을 쓰자, 속박의 사슬을 끊고 늘 문 밖에 서 있던 노인, 스님은 그런 사람이었습니다.

스님이 종단을 떠난 후, 강원도 영월에 있는 내 오두막을 찾아오셨습니다. 오두막은 방 하나뿐인 그야말로 작은 농막이었습니다. 그 속에서 열흘 가량 머물면서 스님은 도를 찾아 팔십 평생을 올곧게 살아온 긴 이야기를 해주셨습니다. 이야기를 하는 스님의 모습은 열정적이었습니다. 언어라는 감옥에 갇혀 있던 지난 삶의 행적을 먼지 털듯이 털어내고 자유로워졌습니다. 그러나 이번에는 스님이 벗어 던진 언어의 감옥에 내가 갇히고 말았습니다. 그때 하신 말씀들을 정리하여 엮은 것이 바로 이 책입니다.

정신의 자유를 향한 기나긴 도정의 납자, 서암 큰스님. '깨달음'이라 해도 좋고 '무위'라고 해도 좋은 그 길을 걸어가는 스님을 어떤 장애와 티끌도 방해하지 못했습니다. 스님의 바다는 광활하고 스님의 봉우리와 계곡은 끝을 짐작하기 어려울 정도로 울창하고 심원합니다. 부처님의 가르침이 부처님 몰후에 제대로 정리되고 천착되었듯이 스님의 가르침의 향기도 그리 되어야겠다는 바람입니다. 10년이 지나서도 놓지 못할 꿈입니다. 스님의 삶으로부터, 법문으로부터, 그리고 그 자취로부터 자유를 향한 그 정신을 배울 일입니다.

2013년 큰스님을 그리며
이청 삼가 씀

서암 홍근 대종사 행장

西庵 鴻根 大宗師 行狀

서암 홍근 대종사 西庵 鴻根 大宗師

1914~2003

성姓은 송宋, 이름은 홍근鴻根이다. 1914년 10월 8일 아버지 송동식宋東植과 어머니 신동경申東卿 사이에서 5남 1녀 중 셋째로, 어머니가 '고목에서 꽃이 피고 수많은 별들이 쏟아지며 거북이 나타나는' 태몽을 꾼 다음 경상북도 풍기읍 금계동에서 태어났다.

절개가 굳은 의인이었던 아버지는 일제 치하에 풍기 일원의 독립운동단체 지도자로 활약하였다. 이런 까닭에 가족은 삶의 터전을 잃고 안동, 단양, 예천, 문경 등지를 떠돌 수밖에 없었고, 스님은 유년 시절을 추위와 굶주림 속에서 보냈다.

"많이 배워라. 기상을 죽이지 마라."는 아버지의 가르침과 헌신적인 어머니의 희생 덕분에 동네 서당과 단양의 대강보통학교, 예천의 대창학원 등에서 품팔이를 하면서 한학과 신학문을 배웠다.

인간의 삶과 진실, 세계와 우주의 질서, 그 비밀에 접근하는 열쇠를 발견한 것처럼 책을 탐독했고, 틈만 나면 사유와 사색에 젖어 들었다. 그중에서도 러시아 작가들의 책을 즐겨 읽었다.

타고난 영민함, 박학다식 그리고 깊은 사색으로 인생에 대한 진지한 논쟁을 여러 사람들과 나누었는데 어린 나이였지만 필적할 만한 이가 없었다.

그러던 중 "책이나 선생들로부터 들은 것 말고 단 한마디라도 좋으니 네 자신의 이야기를 해보라."는 예천 서악사 화산華山 스님의 말씀에 최초로 부끄러움을 배우고 "제 인연은 스님에게 있습니다."라는 말과 함께 머슴과 같은 행자 생활을 하게 되었으니 15세(1928년)의 일이다.

고된 생활 가운데에서도 당시 대강백이었던 화산 스님께 초발심자경문初發心自警文, 치문緇門, 의식儀式 등을 틈틈이 배우며 출가 수행자로서 기반을 다졌다.

은사인 화산 스님이 3년이라는 긴 행자 생활을 지내도 사미계沙彌戒를 줄 생각이 없자, 당시 경허鏡虛 스님과 교분이 있던 장진사의 간청에 의해 비로소 본사인 김용사에서 19세(1932년)의 나이로 낙순 화상을 계사로 모시고 사미계를 받았다. 법명은 홍근洪根. 수계 후 김용사 강원에서 수학하였다.

22세(1935년)에 김용사 강원 생활 중 금오金烏 스님을 모시고 보살계와 비구계를 받고, 이후 대덕법계를 품수하게 되었다. 법호를 서암西庵으로 받았다. 김용사 강원에서 동학同學 가운데 출중하여 가히 군계일학群鷄一鶴이라 할 만하였다.

타고난 학문에 대한 열정으로 일본 유학을 결심한 후 강원에서 내전內典을 보는 동시에 독학으로 유학 준비를 하여 25세(1938년)에 종비장학생으로 가난한 유학 길에 오른다.

선진 학문을 접하면서 넓어지는 안목의 변화에 하루하루 가슴이 벅차올랐으나 이를 위해서 힘든 노동과 배고픔의 대가를 치러야 했다. 자신도 모르게 육체는 깊은 병을 만들어 가고 있었고, 결국 당시에는 사형선고와 같은 폐결핵이라는 진단을 받게 된다. 귀국하여 '세상에서의 마지막 봉사'라는 생각으로 각혈을 하면서도 모교인 대창학원에서 1년 동안 학생들을 지도하였다. '시한부 인생'이라고 생각하며 남은 정열을 쏟아부었으나 죽음은 쉽게 오지 않았다. '생사의 근본도리!' 이것이 저절로 스님에게는 화두가 되어 있었다.

죽음만을 기다리며 사는 것이 헛되다고 돌이키며 28세(1941년)에 김용사 선원에서 수선안거修禪安居에 들어갔다. 여름과 겨울이 지나가면서 마음은 맑아지고 몸은 가벼워졌다.

이듬해 봄이 되어 북쪽으로 만행하던 중, 철원 심원사에서 스님의 학식을 흠모하는 여러 스님들의 간청에 못 이겨 《화엄경》을 1년간 강의하였다.

이후 금강산 마하연과 신계사에서 여름 안거를 마치니, 어느덧 몸에 있던 병마는 흔적 없이 사라졌다. 가을이 되자 다시 길을 떠나 묘향산, 백두산 등지를 거쳐 다시 남쪽으로 내려와 문경 대승사의 천연동굴에서 성철性徹 스님과 함께 용맹정진 하였다.

32세(1945년)에는 광복이 되자 산에서 내려와 예천포교당에 머물며 징병·징용당하여 죽음의 땅에서 돌아온 동포들에게 보금자리를 마련해 줌과 동시에 불교 청년운동을 전개하였다.

이듬해에는 계룡산 골짜기에 있는 '나한굴羅漢窟' 이라는 천연동굴로 들어갔다. '깨달음을 얻기 전에는 살아서 이 바위굴에서 나가지 않으리라!' 이와 같은 목숨을 건 정진으로 머리는 산발하고 뼈만 앙상하게 남았으나, 의식은 오히려 맑아졌다. 나중에는 잠도 잊고 먹는 것도 잊은 채 선정삼매禪定三昧의 날들을 보내다가, 한순간 탄성이 저절로 터져 나왔다.

본무생사本無生死라!
삶과 죽음의 경계마저 한갓 공허한 그림자처럼 사라진 것이다.

계룡산에서 내려온 뒤에도 수행의 고삐를 늦추지 않았다. 만공滿空 스님 회상의 정혜사와 한암漢巖 스님 회상의 상원사 그리고 해인사, 망월사, 속리산 복천암, 계룡산 정진굴, 대승사 묘적암 등지에서 계속 정진하였다.

33세(1946년)부터 35세(1948년)까지 금오金烏 스님과의 인연은 각별했다. 지리산 칠불암과 광양 상백운암, 보길도 남은사, 계룡산 사자암에서 금오 스님을 모시고 정진을 하게 되었는데, 특히 칠불암에서의 '공부하다 죽을 각오를 한 정진'은 지금까지도 유명한 일화로 남아 있다.

38세(1951년) 이후부터는 문경군 농암면에 있는 원적사에 주로 머물렀다. 맹렬한 정진력과 깊은 지혜, 통쾌한 변재와 절도 있는 생활은 여러 수좌들의 귀감이 되었다. 그런 까닭에 주변에는 늘 스님의 도를 흠모하는 수좌들이 함께했다. 낮에는 대중들과 함께 정진하고, 밤이 되면 혼자 산으로 올라가 새벽예불 시간이 되어서야 내려왔다. 원적사에서의 정진도 칼날 같았다.

범어사, 동화사, 함창포교당, 태백산 홍제암, 각화사 동암, 상주 청계산 토굴, 나주 다보사, 백양사, 지리산 묘향대, 천축사 무문관, 통도사 극락암, 제주 천왕사, 김용사 금선대, 상주 갑장사 등지에서도 한결같은 모습을 볼 수 있었다.

57세(1970년)에 봉암사 조실祖室로 추대되었으나 사양하고 선덕禪德 소임을 자청하여 원적사를 오갔다. 당시 봉암사 대중들이 선방 벽에 붙어 있는 용상방龍象芳에 스님의 법호를 조실 자리에 붙이면 스님은 떼어내고, 대중들이 붙이면 다시 떼어내곤 하였다.

62세(1975년)에는 제10대 조계종 총무원장을 맡아 어려운 종단 사태를 수습하고 2개월 만에 사퇴하였다.

65세(1978년) 이후부터는 봉암사 조실로 머물면서, 헤이해진 승풍僧風을 바로 잡고 낙후된 가람을 새롭게 중창하였다. 한편 수행 환경을 위해 전국에서는 유일하게 산문山門을 막아 일반인의 출입을 통제하였다. 봉암사는 오늘날 '모든 수좌들의 고향'으로 자리 잡고 있다.

78세(1991년)에는 조계종 원로회의 의장을 맡아 성철 스님을 종정으로 재추대하여 종단의 중심을 잡은 후에 미련 없이 산으로 돌아왔다.

80세(1993년)에는 제8대 조계종 종정으로 추대되었다. 그러나 이듬해에 종정직과 함께 봉암사 조실까지 사임하고, 거제도, 삼천포 ,팔공산 등지를 거쳐 태백산 자락에 토굴을 지어 '무위정사無爲精舍' 라 이름하고 무위자적하였다.

88세(2001년)에 봉암사 대중들의 간청에 의하여 8년 만에 봉암사 염화실로 돌아와 한거閑居하였다.

90세(2003년) 3월 29일 오전 7시 50분 무렵 봉암사 염화실에서 "한말씀 남기시라."는 제자들의 거듭된 요청에 "그 노장 그렇게 살다가 그렇게 갔다고 해라."는 마지막 말씀을 남기고 열반하였다. 4월 3일 봉암사에서 다비가 행해졌으나 생전 스님의 말씀에 따라 사리를 수습하지 않았다.

지은이 서암西庵 스님

한국 최고의 선승禪僧. 겉치레에 연연하지 않고 한평생 문중도 자기 절도 없이 수행자로만 살았다. 광복 이후 우리 사회가 매우 혼란스러울 때 당대 선지식이신 금오 스님을 모시고 지리산 칠불암에서 도반들과 더불어 '공부하다 죽어도 좋다.'고 서약하고 용맹정진한 일화 가 유명하다.

해인사, 망월사, 김용사 금선대 등에서 정진을 계속하였고 1951년 이후로는 청화산 원적사 에서 다년간 정진하였다. 1978년 이후 봉암사 조실로 추대되어 낙후된 가람을 전국의 납자 100여 명이 결제에 들 수 있도록 대작불사를 이끄는 한편, 일반 관광객의 출입을 금지시키 고 엄격한 수행 기풍을 진작해 봉암선원을 조계종 특별종립선원으로 만들었다.

평생 선 수행을 바탕으로 법문하고 공부했던 스님은 사부대중이 이해하기 쉬운 '생활선의 법문'으로도 알려져 있다. 선에 있어서도 생활 속 실천을 강조했다. "선이란 것은 어디 다

른 데 있는 게 아니라 우리 생활 속에서 이루어지는 것이다. 일상생활에서 손 움직이고 발 움직이고 울고 웃고 이웃 간에 대화하는 그 속에서 24시간 불교를 찾는 생활, 그것이 선"이 라는 것이 스님의 가르침이었다.

스님은 세수로 80세가 넘도록 몸이 허락하는 한 언제나 대중교통 수단을 이용하였고 시봉 또한 두지 않은 채 검소하고 소박하게 살아가셨다. 이렇게 일생을 통해 부처님의 가르침을 몸으로 실천했던 큰스님의 모습은 수행자들의 귀감이 되고 있다.

1914년 경북 풍기에서 태어났으며 법명은 홍근鴻根, 법호는 서암西庵. 1993년 12월 대한불 교조계종 제8대 종정으로 추대되어 재임 140일 만인 1994년 4월에 사임하고 종단을 떠났 다. 2003년 3월 29일 세수 90세, 법랍 75세의 일기로 봉암사에서 입적하였다. "그 노장 그 렇게 살다가 그렇게 갔다고 해라."는 열반송을 남겼다.